Une brève histoire du Brexit

Kevin Hjortshøj O'Rourke

Une brève histoire du Brexit

Traduit de l'anglais par
Christophe Jaquet

15, rue Soufflot, 75005 Paris

www.odilejacob.fr

ISBN : 978-2-7381-4625-0

Aux membres et au personnel de l'All Souls College.

Introduction

Le 2 juillet 2018, le Premier ministre britannique, Theresa May, préparait une réunion de cabinet cruciale qui devait se tenir quatre jours plus tard à Chequers, sa résidence de campagne. Elle espérait convaincre les factions en lutte au sein du Parti conservateur de se rassembler derrière une vision commune de ce que devrait être la relation future entre le Royaume-Uni et l'Union européenne. Pour négocier avec autrui, il faut d'abord décider soi-même de ce que l'on veut. Or cela s'avérait extrêmement difficile. Les partisans du Brexit l'accusaient de trahison. Un député du nom de Jacob Rees-Mogg l'avertissait dans l'édition du jour du *Daily Telegraph* que si elle ne tenait pas fermement sa promesse de quitter le marché unique et l'union douanière de l'Union, elle risquait de connaître le sort du Premier ministre conservateur en 1846, sir Robert Peel : ayant adopté cette année-là le libre-échange, Peel avait divisé son parti en deux camps et perdu le pouvoir, et les conservateurs en furent exclus pendant un quart de siècle.

« 1846 ? », se demandera-t-on. Qu'est-ce que cela peut bien avoir à faire avec le Brexit ? Et, de fait, de nombreux commentateurs ont immédiatement expliqué pourquoi la comparaison historique de Rees-Mogg était totalement erronée. Mais en appeler à l'histoire est une tradition au Parti conservateur. Début 1961, alors que le débat faisait rage sur le point de savoir si le Royaume-Uni devait ou non rejoindre la Communauté économique européenne, plusieurs députés conservateurs affirmèrent que cela affaiblirait les liens historiques de la Grande-Bretagne avec les pays de son ancien empire. Le Premier ministre conservateur de l'époque, Harold Macmillan, nota dans son journal, le 19 mai, que les choses se mettaient à « ressembler terriblement à 1846[1] ».

Comment comprendre cela ?

J'écris ces mots en septembre 2018 et le Brexit n'a pas encore eu lieu. Nous ne sommes même pas tout à fait sûrs qu'il aura vraiment lieu, bien que cela paraisse très probable, et nous ne savons pas quelle forme il va prendre. Alors qu'est-ce qui pourrait justifier d'en écrire l'histoire ?

Le Brexit ne sort pas de nulle part : c'est le point culminant d'une campagne qui a été menée pendant plusieurs dizaines d'années, et dont les racines remontent très loin dans le passé. Comme nous le verrons, l'histoire du XIXe siècle a beaucoup de choses à nous dire sur les raisons pour lesquelles l'attitude des Britanniques vis-à-vis de l'Europe a évolué comme elle l'a fait. Mais l'Union européenne a elle-même un passé qui permet de comprendre son mode de fonctionnement actuel et la manière dont elle fait face aux défis que lui pose le Brexit. Et enfin il y a l'Irlande, l'État membre de l'Union qui est le plus affecté par le Brexit, un pays dont l'histoire continue d'avoir une grande importance politique. On trouvera peut-être qu'un livre destiné à un public français ne devrait pas consacrer autant de temps à un petit pays comme l'Irlande, mais, en réalité, la question de la frontière irlandaise est au cœur même des actuelles négociations sur le Brexit. Si celles-ci échouent à cause de l'Irlande, ce qui est tout à fait possible, alors ce sont les citoyens de toute l'Europe qui seront touchés.

Mon ambition est donc de donner au lecteur l'arrière-plan historique dont il a besoin, je crois, pour comprendre le Brexit. Je ne suis pas en mesure de prédire ce qui va se passer, mais j'espère que ce livre lui donnera des clefs pour comprendre à la fois comment nous en sommes arrivés là aujourd'hui, et ce qui se passera demain.

Je ne prétends pas particulièrement à l'originalité : individuellement, les éléments de cette histoire sont assez bien connus. Au lecteur qui voudrait en savoir plus, je ne saurais donner de meilleur conseil que de lire *This Blessed Plot* de Hugo Young pour l'arrière-plan historique, *All Out War* de Tim Shipman sur la décision de sortir de l'Union européenne et *Brexit and Ireland* de Tony Connelly sur les négociations qui ont suivi. J'ai largement puisé dans les trois, et chez beaucoup d'autres auteurs, pour écrire le présent ouvrage. Mais il me semble utile et indispensable de rassembler les différents éléments de l'histoire britannique, et plus encore de raconter à la fois celle du Royaume-Uni, de l'Union européenne et de l'Irlande. Car c'est dans les interactions des trois que s'enracinent les négociations qui sont en cours aujourd'hui.

Il est impossible d'écrire sur le Brexit de façon totalement dépassionnée, et il est donc important pour moi d'être clair sur mes possibles biais. Je suis né en Suisse, d'un père irlandais et d'une mère danoise, et j'ai grandi à Londres, à Dublin et à Bruxelles. Je vis en Irlande, je travaille en Angleterre et je suis conseiller municipal à Saint-Pierre-d'Entremont, un petit village français. Autrement dit, je suis ce que l'on peut appeler un Européen, et mon parcours me pousse à croire au projet européen[2]. En même temps, en tant qu'historien de l'économie, et spécialiste de la mondialisation et de la démondialisation, je suis parfaitement conscient que l'intégration économique internationale ne profite pas à tout le monde, et que je suis précisément le genre d'individu qui en a tiré un grand bénéfice. Peut-être ces deux considérations s'équilibrent-elles dans une certaine mesure ? Cependant, le fait d'être irlandais rend pour moi l'objectivité plus difficile, car les implications du Brexit pour mon pays sont vraiment inquiétantes. C'est pourquoi j'ai essayé de garder un équilibre entre l'objectivité et l'expression sincère de ce que je pense : je laisse au lecteur le soin de juger si j'y suis parvenu.

Après un chapitre sur les raisons pour lesquelles l'Europe a développé des institutions supranationales après la Seconde Guerre mondiale, et pour lesquelles le Royaume-Uni y a été traditionnellement hostile, j'essaie de montrer dans les chapitres suivants comment la mondialisation et l'impérialisme du XIXe siècle ont continué d'influencer la Grande-Bretagne au XXe siècle, et comment le Royaume-Uni a réagi à l'intégration européenne après 1945. Cette partie narrative se termine sur la création du marché unique dans les années 1980 et au début des années 1990, une œuvre largement britannique, qui continue de définir aujourd'hui l'Union européenne. Puis suit un interlude irlandais, où je raconte comment l'appartenance à l'Union européenne a transformé l'économie de l'Irlande et joué un rôle majeur dans le succès du processus de paix en Irlande du Nord : cela permet, je l'espère, de montrer pourquoi la question de la frontière irlandaise est devenue aussi importante dans les négociations sur le Brexit. Ensuite, je décris et j'analyse la décision britannique de 2016 de quitter l'Union européenne, et y ajoute un récit détaillé des négociations qui ont suivi. Le livre se termine par une brève discussion des différents avenirs sur lesquels le Brexit pourrait aujourd'hui (au 14 septembre 2018) déboucher.

Avant d'examiner les attitudes des Britanniques vis-à-vis de l'Europe, il est important de comprendre pourquoi l'intégration européenne a pris la forme qui est la sienne aujourd'hui, et c'est donc par là que je vais commencer.

CHAPITRE 1

Les origines de l'Europe supranationale

Traditionnellement, la nature supranationale de l'Union européenne est un des éléments de la construction de l'Europe auxquels la Grande-Bretagne a été le plus hostile. Comme le déclarait Theresa May, le Premier ministre du Royaume-Uni, en septembre 2017 : « La mise en commun approfondie de la souveraineté, qui est une caractéristique fondamentale de l'Union européenne, permet une coopération sans précédent, qui a bien des avantages. Mais elle veut dire aussi que lorsque des pays sont dans la minorité, il leur faut accepter quelquefois des décisions dont ils ne veulent pas, même quand elles touchent des questions intérieures et n'ont pas d'implications marchandes en dehors de leurs frontières. Et quand de telles décisions sont prises, il peut être très difficile de les changer. L'électorat britannique a donc fait un choix. Il a choisi la force du contrôle démocratique national plutôt que la mise en commun de ce contrôle[1]. »

Depuis la création de la Communauté européenne du charbon et de l'acier, en 1951, l'intégration de l'Europe ne s'est jamais bornée à la coopération volontaire de gouvernements indépendants. Elle a toujours été définie, au contraire, par la création d'institutions politiques, bureaucratiques et judiciaires supranationales comme la Commission européenne, à Bruxelles, le Parlement européen, à Bruxelles et Strasbourg, et la Cour de justice européenne, à Luxembourg. C'est ce qui la rend si originale : les autres organisations conçues pour promouvoir la coopération régionale disposent rarement d'infrastructures institutionnelles aussi étoffées. Ainsi, l'Accord de libre-échange nord-américain (Alena) est doté : d'un secrétariat chargé de résoudre les litiges, qui dispose de bureaux nationaux dans chacun des trois pays membres (le Canada, les États-Unis et le Mexique) ; d'une commission du libre-échange, qui réunit les représentants des trois gouvernements, et de divers comités et groupes de travail. C'est tout. Nulle part il n'est dit dans le traité que les pays membres devraient faire autre chose que coopérer de façon mutuellement bénéfique[2]. Il en va tout autrement de l'Europe.

L'Europe ne constitue pas un État supranational, mais les vingt-huit États membres de l'Union européenne ont accepté de mettre en commun une partie de leur souveraineté (mais pas la totalité !), sur la base d'un dispositif structurel et institutionnel unique. Cela a toujours suscité les critiques des eurosceptiques, et pas seulement en Grande-Bretagne. Pourquoi l'intégration régionale européenne suppose-t-elle la création d'autant d'institutions supranationales ? Pourquoi ne se contente-t-elle pas de structures intergouvernementales moins charpentées, comme les Britanniques, traditionnellement, l'ont toujours souhaité ? Tout au long des années 1950, seule une minorité de pays européens – six, pour être précis – étaient d'accord pour prendre le chemin de la supranationalité. Les autres, dont la Grande-Bretagne, préféraient la coopération intergouvernementale. C'est pourtant cette vision minoritaire qui a fini par l'emporter : l'immense majorité des États européens sont aujourd'hui membres de l'Union européenne.

La question de savoir pourquoi la quasi-totalité des pays européens a fini par décider de rejoindre l'UE est intimement liée à la création du marché unique, dans les années 1980 et au début des années 1990, et elle sera abordée plus loin dans ce livre. Nous allons pour le moment explorer les raisons pour lesquelles les six États membres fondateurs – l'Allemagne, les trois pays du Benelux, la France et l'Italie – ont décidé au départ d'emprunter la voie de la supranationalité. Après la Seconde Guerre mondiale, des facteurs structurels profonds, relatifs à la géographie, à l'histoire et à l'économie de l'Europe, ont fortement accru la demande d'intégration européenne, et peuvent nous aider à mieux comprendre pourquoi ces six pays fondateurs ont pensé que cela devait se traduire par des institutions supranationales.

L'héritage de la guerre

La première raison de l'intégration européenne, et la plus évidente, est qu'il était clair, dans les années 1950, que la fragmentation politique du continent présentait un coût de plus en plus excessif et inacceptable. L'Europe compte un grand nombre de barrières naturelles, comme les Alpes, les Pyrénées et la Manche, et c'est une des raisons pour lesquelles, depuis la fin de l'Empire romain, les aspirants à la conquête de l'Europe n'ont jamais pu unifier le continent par des moyens militaires. De nombreux historiens de l'économie ont affirmé que cette fragmentation avait traditionnellement été une source d'avantages compétitifs pour le continent[3]. Il était plus difficile pour des souverains absolutistes de réprimer les idées dangereuses, car un Voltaire pouvait toujours se réfugier à Genève. Une fois là-bas, ses idées avaient toute liberté de circuler en Europe, grâce à une élite qui partageait la même culture. Plus important, peut-être, la concurrence politique et militaire résultant de cette fragmentation donna au continent un « avantage comparatif en matière de violence » absolument sans équivalent. Cela permet de mieux comprendre certaines bizarreries de l'histoire mondiale, comme le fait qu'un pays aussi petit que le Portugal ait pu s'emparer du Brésil et dominer une grande partie du commerce maritime en Asie pendant tout le XVIe siècle, à une époque où sa population ne dépassait pas 1,25 million d'habitants[4].

Au XXe siècle, cependant, la guerre industrielle moderne rendit le coût de la fragmentation politique totalement insupportable. Durant la Première Guerre mondiale, les pertes militaires s'élevèrent à 1,6 % de la population totale de la Grande-Bretagne, 3,4 % de celle de la France et 3 % de celle de l'Allemagne. La Seconde Guerre mondiale, avec des bombardements aériens lourds qui touchèrent tout le continent, fut même encore plus destructrice. En outre, les nazis visèrent directement les populations civiles. Le total des pertes, militaires et civiles, se monta pour le Royaume-Uni à 0,7 % de la population d'avant-guerre, à 1,5 % pour la France et à 9 % pour l'Allemagne[5].

Le moment où s'est amorcé le mouvement vers une unité européenne plus grande ainsi que le soutien américain apporté à ce projet n'ont donc rien d'étonnant[6]. Cette histoire explique aussi l'importance de la relation franco-allemande comme moteur de l'intégration européenne. On l'illustrera par une comparaison entre l'Europe et l'Asie : pour un Européen, le fait que les souvenirs de la Seconde Guerre mondiale empoisonnent encore les relations entre la Chine, le Japon et la Corée est tout à fait déconcertant. On peut imaginer qu'un rapprochement entre la Chine et le Japon puisse jouer un rôle catalyseur dans l'intégration est-asiatique, mais le contraste entre la relation franco-allemande et la relation sino-japonaise depuis la guerre mondiale reste saisissant.

La différence avec laquelle les deux conflits mondiaux sont commémorés en Grande-Bretagne et sur le continent est tout aussi étonnante. Les célébrations de l'armistice de 1918 sont partout une occasion de manifestations de patriotisme, en France comme en Grande-Bretagne, mais les sentiments inspirés par cette journée sont loin d'être les mêmes des deux côtés de la Manche. Les Français se plaignent quelquefois que Monsieur ou Madame le maire doive lire le discours écrit pour l'occasion par un secrétaire d'État ou un ministre, là-haut, à Paris. Le 11 Novembre est une journée où les villages se rassemblent dans le souvenir de leurs morts : qui a besoin des politiciens ? Mais lors des (trop rares) occasions où j'ai pu assister aux cérémonies de l'armistice à Saint-Pierre-d'Entremont, la qualité des discours m'a toujours frappé, surtout depuis 2014 : pédagogique est l'épithète qui vient aussitôt à l'esprit. L'an dernier, par exemple, nous avons pu apprendre que « l'armée française n'est pas la seule à se sacrifier. Au prix de lourdes pertes, les Canadiens mènent l'offensive à Vimy, les Britanniques à Passchendaele, les Italiens sont vaincus à Caporetto. Les États-Unis rompent avec l'isolationnisme et s'engagent aux côtés de l'Entente. L'arrivée progressive des soldats américains change le rapport de forces et va contribuer à forger la victoire [...]. Traversée par les deux révolutions, la Russie connaît de profonds bouleversements et signe, le 15 décembre, un armistice avec l'Allemagne[7] ». Jamais il n'est prétendu que la France a combattu seule, alors même que ses pertes ont été particulièrement lourdes.

Oui, les Français sont justement fiers de leur pays et de ses forces armées. Mais tous ces noms – des noms familiers – et toutes ces croix, dans un aussi petit village, ne laissent planer aucun doute sur les horreurs de la guerre. Et s'il y a un message politique, il tend à être proeuropéen. Les paroles du Premier ministre Édouard Philippe, à Compiègne, en 2017, sont caractéristiques à cet égard :

> Quand on vit à Compiègne, ou plus loin, là-bas en Belgique, aux Pays-Bas, en Allemagne, aimer la paix, c'est aimer l'Europe. Ses peuples, ses cultures, sa diversité, bien sûr. C'est aimer s'y promener, y étudier, en découvrir les beautés et l'histoire. Mais c'est aussi aimer l'Europe politique, celle des libertés, de la citoyenneté commune. C'est l'aimer avec ses imperfections, ses insuffisances. Malgré sa complexité ou ses lenteurs. Oui, aimer la paix quand on est européen, c'est aimer l'Europe. Une Europe qui nous rappelle à la fois les valeurs éternelles qui nous unissent et les désastres qui nous ont endeuillés[8].

Le 11 Novembre, en France, est profondément patriotique, sans paraître pour autant, aux yeux de l'étranger que je suis, excessivement nationaliste. Je ne suis pas sûr qu'on puisse en dire autant de la Grande-Bretagne. Armistice Day n'est certes pas considéré comme l'occasion de rappeler aux Britanniques la nécessité de l'intégration européenne ! Quand il était encore écolier, en 1953, William Wallace chanta pour le couronnement de la reine Elizabeth II. Devenu baron, siégeant à la Chambre des lords, et membre du très europhile Parti des libéraux-démocrates, il participa au gouvernement de coalition qui dirigea la Grande-Bretagne de 2010 à 2015. Il se rappelle un mémo rédigé pour David Cameron, le Premier ministre de l'époque, qui soulignait qu'il « fallait faire en sorte que notre commémoration [de la Première Guerre mondiale] ne puisse donner aucune assise au mythe que l'intégration européenne a été le résultat des deux guerres mondiales[9] ». Cela laisse sans voix.

Il n'est fait aucune mention, et l'on n'en voit aucun signe, des sacrifices des Français, des Italiens, des Russes ou des Américains à la cérémonie du Dimanche du Souvenir (Remembrance Sunday), qui se tient au Cénotaphe de Londres le deuxième dimanche de novembre. C'est une affaire strictement britannique, même si les hauts-commissaires (ambassadeurs) représentant les pays du Commonwealth britannique (l'ancien Empire) sont là pour déposer des couronnes. Pendant la ou les deux semaines qui précèdent cette journée, le coquelicot envahit toute la Grande-Bretagne : c'est l'équivalent britannique du bleuet de France. Le coquelicot honore la mémoire des soldats britanniques morts pendant la Première Guerre mondiale et pendant les conflits qui ont suivi. Des soldats britanniques, il faut le noter, et non pas, plus généralement, des soldats ou des civils.

Depuis 2014, l'ambassadeur d'Irlande, un pays qui fit partie du Royaume-Uni mais qui est devenu indépendant en 1922, et qui n'est pas membre du Commonwealth, dépose, lui aussi, une couronne. À la suite du processus de paix des années 1990, l'Irlande a de plus en plus reconnu le rôle joué durant la Grande Guerre par les Irlandais, comme mon grand-père, par exemple. En novembre 2017, au Dáil, la Chambre basse du Parlement irlandais, Leo Varadkar, le Taoiseach (Premier ministre), a même arboré un coquelicot – il est vrai entrelacé à un trèfle irlandais. Son geste était un rejet du nationalisme – du nationalisme irlandais. En Grande-Bretagne, en revanche, il serait difficile de qualifier d'antinationalistes les symboles et les cérémonies associés au 11 Novembre. L'héritage de la guerre dans la quasi-totalité de l'Europe a été un pilier de l'intégration européenne. Cela n'a pas été le cas au Royaume-Uni.

Les conséquences de la révolution industrielle : un déclin relatif

L'Europe est le premier continent qui connut la révolution industrielle. Elle bénéficia à ce titre d'un accroissement formidable de sa puissance relative économique, militaire et politique, que symbolisent les empires européens du XIXe siècle. Cette évolution est représentée graphiquement dans la figure 1.1. En l'an 1000, la population mondiale vivait dans une pauvreté à peu près comparable, et la taille des économies dépendait avant tout de celle des populations. Comme aujourd'hui, la Chine et l'Inde étaient les deux pays les plus peuplés, et étaient donc les deux premières économies du monde. En l'an 1000, la Chine représentait 23 % du PIB (ou de la production) mondial, et l'Inde, 28 %. L'Europe occidentale ne comptait que pour 9 %. Au cours des huit siècles qui suivirent, la part de l'Europe occidentale dans la production mondiale augmenta progressivement : elle dépassait les 20 % en 1800, au tout début du XIXe siècle. Puis les revenus européens explosèrent. En 1900, la part de l'Europe occidentale dans la production mondiale atteignit un pic de 34 %, et quatre « surgeons britanniques » (Australie, Canada, États-Unis et Nouvelle-Zélande) comptaient en outre pour 18 %. Cette abondance s'accompagna de la puissance : la technologie militaire industrielle permit à ces pays de venir à bout de toutes les

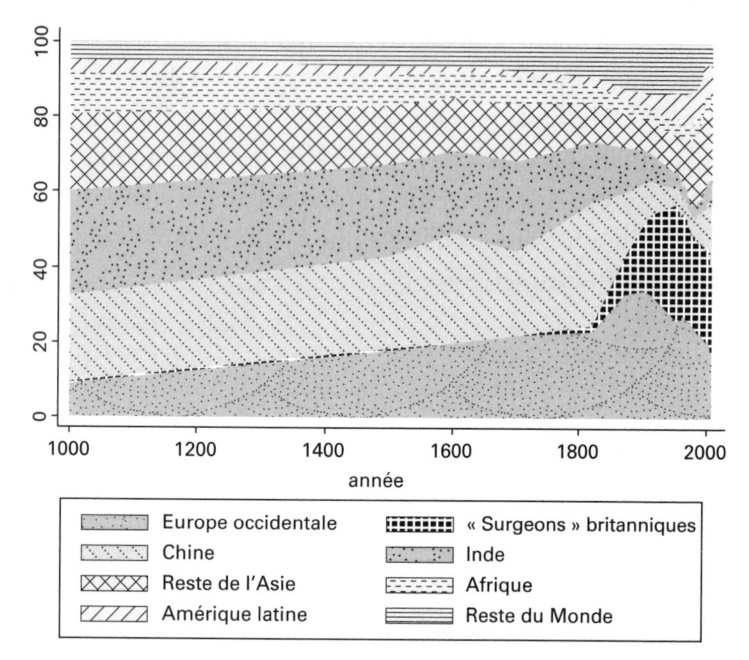

Figure 1.1. Part du PIB mondial, an 1000-an 2000.
Source: Madison (2010).

résistances locales. En 1800, les Européens contrôlaient 37 % de la surface du globe ; en 1914, 84 %[10]. Et à l'ascension de l'Europe correspondit le déclin relatif du reste du monde : en 1950, ni l'Inde ni la Chine ne faisaient 5 % de la production mondiale.

À long terme, cependant, la diffusion de l'industrie dans le monde entier était inévitable, et avec elle le déclin relatif de l'Europe[11]. La suprématie de celle-ci arrivait déjà à sa fin au début du XXe siècle, au moment où les États-Unis devenaient la première puissance industrielle du monde. Les deux guerres mondiales accélérèrent la transition, et en 1945 les deux premières puissances militaires étaient, de loin, les États-Unis et l'Union des républiques socialistes soviétiques (URSS). Les puissances coloniales européennes répugnaient à accepter l'abaissement de leur statut. En 1942, Churchill proclamait qu'il n'était pas « devenu le Premier ministre du roi pour présider à la liquidation de l'Empire britannique ». Trois ans plus tard, Gaston Monnerville affirmait : « Sans son Empire, la France ne serait qu'un pays libéré. Avec son Empire, la France est un pays vainqueur. »

Les années qui suivirent révélèrent très vite le caractère illusoire de ces propos. Les Néerlandais furent chassés d'Indonésie, et les Britanniques quittèrent l'Inde et la Palestine. Puis ce fut le tour des Français en Indochine. Ancienne colonie britannique, le Ghana obtint son indépendance en 1957 ; et dans les années 1960, les empires européens n'existaient pratiquement plus. La question clef pour les dirigeants européens était de réussir à n'être ni submergés par l'Union soviétique ni traités avec condescendance par les États-Unis. La solution semblait évidemment résider dans une unité plus grande. Le statut dévalué de l'Europe fut peut-être sensible plus tôt sur le Continent qu'outre-Manche. D'une manière ou d'une autre, la France, l'Allemagne, l'Italie et les pays du Benelux avaient tous connu la défaite pendant la guerre. Le Royaume-Uni, lui, était resté invaincu et avait conservé une grande partie de son Empire jusque dans les années 1950. Peut-être n'est-il pas étonnant que des puissances européennes petites ou moyennes aient éprouvé le besoin de s'unir dans un monde de plus en plus dangereux, et que ce besoin n'ait pas été aussi évident à Londres[12] ? Quoi qu'il en soit, c'est en abordant clairement la question que Maurice Faure, le secrétaire d'État français aux Affaires étrangères, défendit les traités de Rome, le 5 juillet 1957, à l'Assemblée nationale :

> Voyez-vous, mes chers amis, nous vivons encore aujourd'hui sur une fiction qui consiste à dire : il y a quatre « Grands » dans le monde. Eh bien, il n'y a pas quatre Grands, il y en a deux : l'Amérique et la Russie. Il y en aura un troisième à la fin du siècle : la Chine. Il dépend de vous qu'il y en ait un quatrième : l'Europe[13].

Les conséquences de la révolution industrielle : le rôle de l'État

L'industrialisation créa une classe importante de travailleurs, qui finirent par réclamer des salaires plus élevés, de meilleures conditions de travail et des programmes de protection sociale. En même temps, la guerre industrielle exigea la large mobilisation d'armées de conscrits, ce qui incita les gouvernements à apporter une réponse aux demandes de réformes. Si l'on demandait aux citoyens de se battre pour leur pays, alors l'État devait leur donner une éducation et leur offrir divers services publics, afin d'assurer leur identification à l'État et leur fidélité.

La mondialisation de la fin du XIXe siècle conduisit également à une demande de régulation et à des mesures de protection sociale permettant de protéger les travailleurs de l'insécurité, réelle ou perçue, liée à l'ouverture des marchés internationaux. La fin du XIXe siècle et le début du XXe virent ainsi l'introduction, dans toute l'Europe occidentale, de mesures réglementant le marché du travail et de mesures de protection sociale, comme les pensions de retraite, l'assurance-maladie et l'assurance-chômage. Il est intéressant de noter que ces réformes furent particulièrement présentes dans les pays les plus exposés à la mondialisation de cette période[14].

Les deux conflits mondiaux donnèrent un nouvel élan à l'implication croissante de l'État dans l'économie des différents pays et au développement de systèmes de protection sociale. La Première Guerre mondiale fut suivie de l'extension significative du droit de vote et d'un accroissement de l'influence des syndicats de travailleurs et des partis socialistes. En 1942, en Grande-Bretagne, le rapport Beveridge proposa la création d'un Service national de santé (National Health Service) et l'adoption de programmes de logements sociaux et de protection sociale[15]. En France, le droit de vote fut accordé aux femmes en 1944. Au Royaume-Uni, la défaite de Churchill en 1945 et l'élection d'un gouvernement travailliste témoignèrent du désir des travailleurs, pour qui la guerre avait été une dure épreuve, de voir leur vie s'améliorer. Après l'expérience de la Grande Dépression, ils n'étaient guère enclins à « laisser faire le marché » : une demande d'intervention accrue du gouvernement dans l'économie en fut la conséquence logique.

Comme le souligne l'historien de l'économie Alan Milward, ces attentes accrues de la part des gens ordinaires coïncidèrent, dans la quasi-totalité de l'Europe, avec le sentiment que les États-nations traditionnels avaient trahi les populations : ils n'avaient su leur apporter ni la sécurité économique dans l'entre-deux-guerres ni la sécurité physique ensuite[16]. D'après Milward encore, trois catégories essentielles de l'électorat devaient être apaisées en priorité : les paysans, que la désillusion avait conduits, dans plusieurs pays d'Europe, à soutenir des partis extrémistes ; les ouvriers ; et les personnes dépendantes de la protection sociale (pauvres, chômeurs, retraités). La solution passait par l'amélioration du niveau de vie du secteur agricole, par de meilleurs salaires et de meilleurs emplois ouvriers, et par la création d'États providence modernes.

Ces trois objectifs nécessitaient d'élargir l'intervention de l'État dans l'économie. Cet élargissement était aussi exigé par les stratégies de croissance poursuivies par les différents gouvernements à partir de 1945. Elles reposaient sur de lourds investissements, facilités par de complexes négociations corporatistes entre le capital et le travail : l'extension de la protection sociale en fut un élément clef[17]. Comme l'écrit Milward, « sur longue période, il n'y a sans doute jamais eu dans l'histoire d'époque où les gouvernements nationaux en Europe ont exercé un pouvoir plus effectif et un contrôle plus étendu sur leurs citoyens qu'après la Seconde Guerre mondiale, et jamais leurs ambitions ne s'étaient élargies aussi rapidement. Jamais les lois, les fonctionnaires, les espions, les policiers, les statisticiens, les percepteurs et les travailleurs sociaux n'avaient pu pénétrer, et n'avaient été encouragés à pénétrer, dans un aussi grand nombre d'activités humaines[18] ».

Mais quel est le rapport entre tout cela et la nécessité d'une intégration européenne supranationale[19] ? D'une part, la période de l'entre-deux-guerres apprit aux pays européens qu'ils avaient besoin d'une économie mixte et de gouvernements proactifs pour assurer à leurs citoyens une certaine sécurité économique. De l'autre, elle mit en évidence les dangers du protectionnisme et la nécessité pour l'Europe dans son ensemble, si elle voulait atteindre une certaine prospérité, de maintenir le libre-échange. Tout le défi consistait à tirer les bénéfices du commerce, sans affaiblir la capacité des États à apporter la sécurité. Ainsi, pendant les négociations qui aboutirent au traité de Rome, les dirigeants français craignirent que des réglementations plus souples, en Allemagne et dans les autres pays, ne placent injustement les constructeurs automobiles français en situation de faiblesse. La semaine de travail avait déjà été réduite à quarante heures en France, mais elle était encore de quarante-huit heures en Allemagne et en Belgique. Comme les ouvriers français travaillaient en réalité le même nombre d'heures que leurs collègues des autres pays, cela signifiait que les employeurs français devaient payer davantage d'heures supplémentaires que leurs concurrents. De même, les femmes en France bénéficiaient (en théorie !) d'un salaire égal à celui des hommes, alors qu'elles pouvaient légalement, dans les autres pays, être payées moins. La France demanda donc qu'il y ait dans le nouveau Marché commun une semaine de travail standardisée, des règles standardisées en matière d'heures supplémentaires, un salaire égal pour les hommes et pour les femmes, et des règles similaires en matière de congés payés.

Les Allemands résistèrent à la standardisation de la semaine de travail et des heures supplémentaires, et cela se traduisit par un compromis : le traité créant la Communauté économique européenne (CEE) s'étoffa d'un protocole affirmant que tant que le nombre et le tarif des heures supplémentaires dans les autres États membres n'auraient pas convergé vers les standards français, la France aurait le droit d'imposer des mesures de protection de ses différents secteurs d'activité. Le traité affirmait aussi le principe d'un salaire égal à travail égal pour les hommes et pour les femmes, et engageait les États membres à préserver « l'équivalence existante des régimes de congés payés[20] ». Les Trente Glorieuses françaises et le Wirtschaftswunder (« Miracle économique ») allemand jouèrent aussi un rôle : les niveaux de vie et les protections sociales bénéficièrent partout d'une amélioration tellement rapide, surtout en Allemagne, que le problème se trouva pour ainsi dire désamorcé. Ce qui ne signifiait pas qu'il n'avait pas d'importance : au contraire, il était essentiel que les systèmes de protection sociale des différents États membres, qui sous-tendaient la légitimité politique des gouvernements et leurs stratégies de croissance économique, ne soient pas affaiblis par le développement du libre-échange au niveau européen. « En réalité, le problème était de bâtir un cadre commercial qui ne mît pas en péril les niveaux de protection sociale qui avaient été atteints [...]. Les traités de Rome devaient aussi constituer un pilier extérieur de l'État providence[21]. »

En un mot, la prospérité économique avait besoin du commerce, mais la stabilité politique avait besoin d'États providence. Pour obtenir à la fois la prospérité et la stabilité, une zone de libre-échange n'était pas suffisante : pour fixer un cadre réglementaire commun, et empêcher une dévastatrice course vers le bas, une intégration européenne était nécessaire. De cette façon, comme le disait Milward, l'Europe viendrait au secours de l'État-nation. Mais elle le fit en mettant sur pied les institutions supranationales qui suscitaient tant d'allergie outre-Manche.

L'agriculture

L'autre conséquence de l'histoire industrielle de l'Europe occidentale est que celle-ci était devenue une grosse importatrice nette de produits agricoles, ce qui suscitait naturellement les protestations des agriculteurs européens. L'« invasion » des céréales étrangères de la fin des années 1870 et des années 1880 avait provoqué un regain de protectionnisme sur la quasi-totalité du continent, qui deviendra un trait permanent du paysage européen. Et ce qui n'avait pu être accompli par cette invasion le fut finalement par la Grande Dépression des années 1930, dans des pays traditionnellement libre-échangistes comme le Royaume-Uni et les Pays-Bas.

Après la Seconde Guerre mondiale, tous les gouvernements européens voulurent, pour des raisons stratégiques, assurer la suffisance alimentaire, et l'intervention publique dans l'agriculture devint rapidement la norme sur le continent[22]. Les États aidèrent la production agricole par plusieurs moyens : la garantie des revenus des exploitants, l'encouragement de meilleures pratiques agricoles et l'aide à l'investissement. Ils garantirent aussi des prix aux exploitants. Cela supposait d'élever les prix intérieurs au-dessus des prix mondiaux et d'isoler les marchés agricoles nationaux des marchés mondiaux au moyen d'un contrôle strict sur les importations. Dans la première moitié des années 1950, les pénuries alimentaires commencèrent à être moins problématiques, et des excédents commencèrent même à voir le jour, du fait de la garantie des prix. En même temps, la faiblesse des revenus des exploitants restait un problème, la hausse de la productivité et la migration rurale vers les villes s'avérant insuffisantes pour combler le fossé entre les niveaux de vie agricoles et non agricoles. Face à ces contradictions, la politique agricole en Europe devint à la fois « de plus en plus compliquée » et de plus en plus intrusive[23].

Dans les années 1950, aucun gouvernement européen n'aurait pu envisager de libéraliser la production agricole. Les dirigeants politiques qui souhaitaient libéraliser le commerce européen avaient donc deux choix logiques possibles. Le premier était de libéraliser les échanges des seuls produits industriels et de maintenir telles quelles les politiques agricoles nationales. L'industrie allemande y aurait gagné, mais cela n'aurait pas été acceptable pour la France ou les Pays-Bas, où le secteur agricole était encore très important.

Il restait la seconde option : libéraliser le commerce intra-européen des produits agricoles tout en reproduisant les politiques agricoles nationales au niveau européen, autrement dit, créer une sorte de Politique agricole commune. Cette politique nécessitait une coopération intergouvernementale allant bien au-delà d'une simple zone de libre-échange, et instituant par exemple des règles de prise de décision en matière de prix agricoles minima et des règles permettant de financer les conséquences des excédents de production. La libéralisation des échanges entre les six membres fondateurs nécessitait donc des institutions supranationales, et, comme nous l'avons vu, de nombreuses autres considérations allaient dans le même sens. Nous allons montrer dans le chapitre suivant que l'expérience historique et les conditions politiques étaient, en Grande-Bretagne, absolument différentes.

CHAPITRE 2

L'héritage du XIXe siècle

L'exceptionnalisme britannique est parfois exagéré. Le Royaume-Uni porte sans doute, aujourd'hui, la marque de Margaret Thatcher et peut apparaître aux autres Européens comme un bastion du libéralisme de marché ; mais, comparé aux États-Unis, le Royaume-Uni, avec son National Health Service et son État providence, est profondément européen. Son histoire, elle aussi, est exceptionnelle à bien des égards, mais n'en va-t-il pas de même de l'histoire de toutes les nations ? L'on a souvent considéré que son insularité et son empire mondial avaient mis la Grande-Bretagne à part du reste de l'Europe, mais, comme l'écrit l'historien irlandais Brendan Simms, l'histoire britannique est « avant tout continentale [...], son destin a été déterminé par ses relations avec le reste de l'Europe bien davantage qu'avec le reste du monde[1] ».

Comme dans tous les pays, la sécurité fut, par le passé, la préoccupation principale des dirigeants britanniques. Cela impliquait de regarder du côté de l'Europe, puisque c'est d'Europe que venaient les menaces. Comme les autres États européens, la Grande-Bretagne a participé, tout au long du XVIIIe siècle, à une interminable série de guerres, dont le point culminant fut la lutte contre Napoléon, dans laquelle elle s'allia avec l'Autriche, la Prusse et la Russie, entre autres. La Grande-Bretagne fut membre du Concert européen établi en 1815, combattit en Crimée de 1853 à

1856 et ne resta pas à l'écart en 1914. Ce faisant, elle se comporta comme un État européen tristement caractéristique et bien loin d'être isolé.

Aussi ne faut-il pas exagérer. Et pourtant, l'histoire singulière de la Grande-Bretagne a aussi marqué les attitudes et les intérêts des Britanniques, ce qui ne fut pas sans importance après la Seconde Guerre mondiale, quand fut décidé le sort de la future Europe. Le siècle qui suivit Waterloo vit la première grande mondialisation, un processus dans lequel la Grande-Bretagne et son Empire jouèrent un rôle de premier plan. Les débats et les préoccupations de cette période ont eu un écho pendant une bonne part du XXe siècle.

La première nation industrialisée dans un monde globalisé

La révolution industrielle, qui a commencé en Grande-Bretagne à la fin du XVIIIe siècle et au début du XIXe, est l'événement central de l'histoire économique moderne. La diffusion et l'expansion de l'industrie aujourd'hui sont en train de transformer le monde, apportant la prospérité à des centaines de millions de personnes, en Asie et ailleurs. L'impact initial de la révolution industrielle a cependant été tout autre. Comme nous l'avons vu dans le chapitre précédent, elle créa un monde asymétrique, que les Européens en général, et les Britanniques en particulier, purent dominer militairement et économiquement. Les producteurs locaux de ce que l'on appelle aujourd'hui le monde en développement furent incapables de rivaliser avec les technologies nouvelles, et leurs marchés subirent l'invasion des biens manufacturés européens. Cette invasion fut rendue possible par la révolution des transports au XIXe siècle. Le navire à vapeur et le chemin de fer affaiblirent considérablement la protection que la distance avait auparavant conférée à ces producteurs : aux gains réalisés par les fabricants de textile du Lancashire correspondirent ainsi les pertes essuyées par les producteurs traditionnels d'Inde et d'ailleurs.

Mais le processus de croissance économique donna également lieu à des asymétries et à des déséquilibres *au sein* des pays nouvellement industrialisés. En tant que première nation industrialisée, le processus fut particulièrement avancé en Grande-Bretagne. Le travail et le capital affluèrent dans les secteurs où le progrès technique y était le plus rapide : l'industrie en général, et en premier lieu les filatures de coton, la métallurgie et l'ingénierie. Il en résulta une forte augmentation de la part de la main-d'œuvre employée dans l'industrie, et une diminution correspondante et concomitante de l'agriculture. En 1871, seulement 22,6 % de la main-d'œuvre britannique étaient employés dans l'agriculture, contre un peu plus de la moitié en France – où la révolution industrielle avait déjà commencé depuis quelque temps – et plus des deux tiers en Suède[2].

Non seulement les Britanniques vivaient et travaillaient moins dans les campagnes que dans les bourgs et dans les villes, mais ils étaient aussi de plus en plus nombreux. En Angleterre, la population passa de 5,2 millions en 1700 à 8,6 millions en 1800 et 30,3 millions en 1900[3]. Ces bouches supplémentaires devaient être nourries, or la superficie de la Grande-Bretagne (et de l'Irlande, source importante de denrées alimentaires) n'était pas plus importante au début du XXe siècle que deux cents ans plus tôt. L'agriculture, il est vrai, était plus productive, mais la réalité, c'est qu'il fallut nourrir cette population beaucoup plus nombreuse et de moins en moins agricole avec des denrées importées. En outre, les usines où travaillait cette main-d'œuvre de plus en plus nombreuse devaient elles aussi être alimentées, en grande partie avec des matières premières importées, comme le coton venu des États-Unis, d'Égypte et d'ailleurs. Autrement dit, la Grande-Bretagne dépendait de plus en plus de denrées et de matières premières produites sur d'autres continents. Elle payait ces importations en exportant des produits manufacturés et en encaissant les profits et les intérêts sur le capital qu'elle avait investi à l'étranger.

L'industrialisation rapide et le changement structurel de l'économie et de la société britanniques s'accompagnèrent donc d'une dépendance accrue vis-à-vis de l'économie internationale[4]. Ce qui eut des implications politiques diverses, à l'intérieur et à l'extérieur. Sur le plan international, la Grande-Bretagne se trouvait devant la nécessité stratégique de maintenir l'hégémonie navale qu'elle s'était acquise à Trafalgar : permettre à une puissance étrangère de menacer l'approvisionnement de la Grande-Bretagne en denrées alimentaires et en matières premières était trop dangereux. Le Royaume-Uni pouvait sans doute envisager, en temps de guerre, d'imposer un blocus à d'autres pays, mais il n'était pas question qu'on puisse lui en imposer un. À la fin du XIXe siècle, quand l'Allemagne connut un processus de changement structurel similaire, et devint à son tour de plus en plus dépendante des marchés internationaux pour sa survie économique, les conséquences furent prévisibles : une course aux armements navals et des plans de guerre, avec blocus et contre-blocus. Les questions de sécurité nationale étaient ainsi de plus en plus étroitement liées au commerce international[5].

Sur le plan intérieur, des divisions politiques éclatèrent entre les intérêts agricoles traditionnels et les classes industrielles et commerçantes montantes. Sur une petite île très peuplée comme la Grande-Bretagne, la nourriture était coûteuse à produire, et les paysans comme les landlords traditionnels auxquels ils louaient la terre répugnaient évidemment à ce que les marchés agricoles britanniques s'ouvrent à la concurrence étrangère. Comme dans les autres pays européens, c'est le Parti conservateur qui défendait ces intérêts agricoles, tandis que les libéraux, qui représentaient la nouvelle bourgeoisie, prônaient le libre-échange.

Dans un de ces grands tournants inattendus que réserve parfois l'histoire, c'est un Premier ministre conservateur, Robert Peel, qui prit la mesure décisive en direction du libre-échange, en abolissant, en 1846, les lois sur le grain (*Corn Laws*). Ces lois protégeaient les producteurs de grain du Royaume-Uni depuis la fin des guerres avec la France. Les raisons du revirement de Peel sur cette question, et de son succès au Parlement, sont variées et complexes, et ont fait l'objet d'une littérature aussi savante qu'abondante. Le *Reform Act* de 1832, une loi qui étendait les droits électoraux dans les villes, favorisa la libéralisation du commerce. Ayant déjà diversifié leur richesse, certains landlords possédaient à la fois des terres agricoles et des activités industrielles. Et Peel avait de plus en plus de mal à justifier que les ouvriers paient plus cher leur pain – un thème qui aurait un écho puissant dans la politique britannique pendant de nombreuses décennies[6]. Quelles que furent toutefois les raisons de la conversion du Premier ministre, la question divisa le Parti conservateur, Peel tomba, et un gouvernement libéral libre-échangiste lui succéda, ce qui eut des conséquences désastreuses pour les millions d'Irlandais victimes de la crise de la pomme de terre, à laquelle le marché ne pouvait apporter, à lui seul, aucune solution. À la fin du siècle, la croyance dans les vertus du libre-échange était devenue une pierre de touche de l'orthodoxie politique britannique. Certains conservateurs restaient, cependant, sceptiques.

La réforme douanière

Cependant, il est un autre aspect de la mondialisation du XIXe siècle auquel tenaient fortement les conservateurs britanniques : l'Empire. Ils étaient fiers des nombreuses possessions de la Grande-Bretagne en Afrique et en Asie, et accordaient une importance affective particulière à l'Australie, au Canada et à la Nouvelle-Zélande. Comptant une large population britannique, les trois dominions étaient considérés comme faisant partie de la famille. Y avaient afflué en nombre non seulement des travailleurs, mais aussi des capitaux britanniques, ce qui avait permis d'étendre les frontières, d'augmenter la production agricole et de fournir l'infrastructure au moyen de laquelle les denrées alimentaires et les matières premières pouvaient être acheminées à bon marché au Royaume-Uni. Ils combattraient aux côtés de la Grande-Bretagne pendant les deux guerres mondiales et y joueraient un rôle crucial en matière de ressources humaines et économiques. Mais les trois dominions se dirigeaient aussi vers l'indépendance, et certains redoutaient, à long terme, que cela ne privât la Grande-Bretagne d'un atout stratégique vital et ne mît à mal sa grandeur, à une époque où le pays était déjà sous la menace de l'industrialisation rapide de l'Allemagne et des États-Unis.

Les conservateurs n'étaient cependant pas les seuls à se préoccuper de l'avenir de l'Empire britannique. En 1886, le Parti libéral se scinda en deux sur la question de savoir s'il fallait accorder ou non le Home Rule (une forme limitée de gouvernement autonome) à l'Irlande. Parmi les politiciens qui s'en détachèrent se trouvaient Spencer Cavendish (lord Hartington), dont le frère avait été assassiné par des nationalistes irlandais à Dublin, en 1882, et Joseph Chamberlain, un homme d'affaires et self-made-man qui défendait des causes radicales. En 1885, Chamberlain réclamait, entre autres, le suffrage universel masculin, la séparation de l'Église anglicane et de l'État, l'éducation publique gratuite et une réforme foncière[7]. Mais son radicalisme avait des limites, et il s'opposa farouchement aux propositions de Home Rule du Premier ministre Gladstone. Il contestait qu'il fût « suffisant de savoir ce que la majorité du peuple irlandais désirait pour accéder aussitôt à ses revendications. Je ne puis consentir à considérer l'Irlande comme un peuple séparé jouissant des droits propres à une communauté absolument indépendante. En conséquence, si le nationalisme irlandais signifie la séparation, je suis prêt à m'y opposer[8] ». Donner le Home Rule à l'Irlande ne serait pas seulement un signe de faiblesse vis-à-vis des ennemis étrangers et des autres peuples sujets : ce serait aussi une trahison des protestants d'Irlande du Nord, liés par « la race, la religion et l'affection » aux protestants anglo-saxons de Grande-Bretagne[9]. Chamberlain, Hartington et les autres libéraux opposés au Home Rule créèrent ainsi le Parti libéral unioniste, qui participa au gouvernement aux côtés du Parti conservateur, avant de se fondre avec celui-ci en 1912, devenant ainsi le Parti conservateur *et unioniste*, tel qu'il existe encore aujourd'hui. La coalition était un peu étrange : définie par une position commune sur la question irlandaise, elle comprenait des conservateurs traditionnels, hostiles au changement social, et d'anciens libéraux radicaux, qui l'appelaient de leurs vœux, à une époque où l'influence politique des classes laborieuses ne faisait que croître.

Chamberlain fut secrétaire aux Colonies de 1895 à 1903 : impérialiste convaincu, il croyait à « cette race, la plus grande race dirigeante que le monde eût connue, cette race anglo-saxonne, si fière, si tenace, si sûre d'elle-même, si déterminée, cette race que ni le climat ni le changement ne pouvaient affaiblir, et qui serait immanquablement la force dominante de l'histoire future et de la civilisation universelle[10] ». Comme beaucoup d'autres politiciens du temps, et pas seulement en Grande-Bretagne, Chamberlain croyait que « notre règne apporte la sécurité, la paix et une prospérité relative à des pays qui n'avaient jamais joui par le passé de ces bienfaits. En menant à bien cette œuvre de civilisation, nous accomplissons ce qui est, je crois, notre mission nationale[11] ».

Le 15 mai 1903, à Birmingham, Chamberlain fit un discours dans lequel il demanda à son auditoire s'il préférait que les colonies autonomes de l'Empire restent étroitement unies au Royaume-Uni ou si chacune devait suivre « sa propre route sous un drapeau séparé[12] ». Pour que la première option, la plus désirable, l'emporte, il était essentiel que la Grande-Bretagne et ses colonies adoptent un système de droits de douane préférentiels, pour appliquer entre elles des taxes à l'importation inférieures à celles imposées au reste du monde. Ce système permettrait de préserver l'espoir d'une Union fédérale et d'assurer « l'autonomie et l'autosuffisance[13] » de l'Empire britannique. Les préférences impériales permettraient de créer « une union commerciale qui devra, sous une forme ou sous une autre, précéder ou accompagner des relations politiques plus étroites, et sans laquelle, comme le montre l'histoire, aucune coopération permanente n'est possible[14] ». Tel un Jean Monnet d'un monde nationaliste et impérialiste, Chamberlain voulait faire de la politique commerciale l'instrument d'une union politique, et il en espérait d'importants avantages stratégiques : comme l'écrit Avner Offer, « il essaya de créer un *Zollverein*, une union douanière, pour étayer une *Kriegsverein*, une union militaire[15] ».

Mais il y avait une difficulté. Comment le Royaume-Uni pouvait-il imposer au reste du monde des droits de douane supérieurs à ceux pratiqués vis-à-vis de son Empire, alors qu'il offrait unilatéralement et universellement des droits de douane nuls[16] ? Comme le dit George Dangerfield, il était nécessaire d'« élever un mur tarifaire autour de l'Angleterre afin d'y ménager des brèches par où pourraient passer les produits venus de l'Empire[17] ». Autrement dit, pour que les produits australiens ou canadiens bénéficient d'un traitement préférentiel, il fallait imposer des droits de douane sur les produits français, allemands et américains. Mais il y avait une autre difficulté, plus grande encore : les produits que l'Australie, le Canada et la Nouvelle-Zélande exportaient au Royaume-Uni, et qui devaient bénéficier d'un traitement de faveur, étaient pour l'essentiel des denrées alimentaires : du blé, de la viande et du beurre. La « préférence impériale » devrait donc taxer les denrées alimentaires venues des États-Unis ou de l'Europe continentale, ce qui aurait inévitablement pour conséquence d'enchérir le prix de la nourriture. Même chez les conservateurs, et encore plus chez les libéraux unionistes, nombreux étaient ceux pour qui toute protection était impensable, mais les droits de douane sur les importations alimentaires étaient tout particulièrement odieux, car la nourriture représentait une large part des dépenses de la classe ouvrière.

Les conservateurs se divisèrent donc sur la question, et le Premier ministre Arthur Balfour fit des manœuvres forcenées pour maintenir l'unité de son gouvernement : s'il devait tomber, disait-il dans une lettre à Hartington, devenu duc du Devonshire, « je serais, je le crains, comme nombre de nos collègues, dans la position embarrassante et quelque peu ridicule de devoir dire que sur la question qui nous a divisés, nous ne nous étions pas *nous-mêmes* fait une opinion et ne pouvions donc pas prétendre donner une direction à personne d'autre[18] ». Suivit une période de négociations actives au sein du gouvernement britannique, à l'issue de laquelle Balfour proposa une formule de compromis susceptible de convenir aux deux factions opposées : le gouvernement aurait la « liberté fiscale », c'est-à-dire la liberté de négocier des traités commerciaux avec des pays tiers sans adhérer à la doctrine du libre-échange ; et si des droits de douane étaient imposés, ils ne devraient pas avoir la protection pour « principal objet », ni pour effet d'augmenter le coût de vie moyen de l'ouvrier. Concrètement, le sens de tout cela n'était pas très clair. D'après un chroniqueur de la controverse, Balfour était un fervent adepte de la « formule verbale comme moyen de résoudre d'authentiques conflits de conviction[19] ». La tactique marcha quelquefois : le succès de Balfour dans ses efforts pour « isoler le duc du Devonshire des libre-échangistes doctrinaires du cabinet s'appuya en partie sur l'incapacité du duc à comprendre les différences précises entre la position de Balfour et celle de Chamberlain. Ici, le duc était en bonne compagnie, avec un bon nombre de politiciens éminents, des membres du public et le monarque lui-même[20] ».

À long terme, cependant, cela ne changea rien : le duc du Devonshire finit par démissionner du cabinet et les conservateurs restèrent irréconciliablement divisés sur la question : ils furent écrasés par les libéraux libre-échangistes à l'élection générale de 1906 et ne retrouvèrent le pouvoir que pendant la Première Guerre mondiale. « En 1913, les réformateurs en matière de droits de douane étaient une petite minorité, même au sein du Parti unioniste [...]. Malgré cela, leur influence dans le parti était disproportionnée par rapport à leur nombre [...] entre la démission de Balfour et la Seconde Guerre mondiale, tous les chefs du Parti conservateur furent issus de l'aile du parti qui était favorable à la réforme douanière, et même de sa partie la plus radicale[21]. »

La revanche de Joseph Chamberlain

Grâce à l'élection générale de 1906, la Grande-Bretagne resta une nation libre-échangiste jusqu'au début de la Première Guerre mondiale, en 1914. Et le conflit montra que, même en l'absence d'un bloc commercial impérial, les possessions britanniques outre-mer pouvaient encore jouer un rôle crucial pour la sécurité du Royaume-Uni. Mieux encore, les pays qui ne faisaient plus partie de l'Empire, et notamment les États-Unis, s'avéraient également capables de jouer ce rôle. Les ressources économiques du Nouveau Monde furent en effet indispensables à la victoire de la Grande-Bretagne et de ses alliés contre leurs ennemis, et le blocus allié contre l'Allemagne affaiblit le moral de celle-ci et fut maintenu jusqu'à la signature des traités de paix de 1919[22].

La guerre totale nécessita l'intervention tous azimuts du gouvernement dans l'économie et l'abandon par la Grande-Bretagne de sa politique traditionnelle de libre-échange. Elle nécessita également la coordination internationale des efforts économiques des Alliés, une tâche à laquelle participa le jeune Jean Monnet, aux côtés de ses collègues britanniques, italiens et américains. Après la guerre, le gouvernement britannique prit des mesures pour protéger les secteurs d'activité jugés importants pour la sécurité nationale, mais le pays revint à une politique générale de libre-échange : les descendants des réformateurs douaniers devraient encore attendre.

Après la guerre, également, le Royaume-Uni reconnut former avec ses dominions (l'Afrique du Sud, l'Australie, le Canada, le tout nouvel État libre d'Irlande, la Nouvelle-Zélande et Terre-Neuve) « des communautés autonomes au sein de l'Empire britannique, de statut égal, en aucun cas subordonnées les unes aux autres dans tous les aspects de leurs affaires intérieures ou extérieures, tout en étant unies par une allégeance commune à la Couronne, et librement associées comme membres du Commonwealth britannique des nations[23] ». Il reconnut même que l'Inde aurait un jour un gouvernement autonome au sein de l'Empire. Des conférences impériales furent tenues à intervalles réguliers, où des délégués du Royaume-Uni, des dominions et de l'Inde discutaient de questions d'intérêt mutuel, dont la politique économique. Ces conférences ne furent pas que des forums de discussion : on y prit des décisions d'importance. Aucune Constitution formelle ne définissait toutefois le Commonwealth, ne lui fixait des ambitions et des objectifs, et n'en précisait les règles en matière de prise de décision. Cela s'accordait bien avec le système politique britannique, connu pour ne pas avoir de Constitution écrite, et le fait que le Commonwealth pût fonctionner effectivement dans l'entre-deux-guerres et pendant la Seconde Guerre mondiale façonna les attitudes des Britanniques, plus généralement, en matière de coopération internationale.

En 1929, la Grande Dépression frappa l'économie mondiale, suscitant partout des demandes de protection. La Grande-Bretagne ne fit pas exception. En octobre 1931, l'élection générale renvoya au pouvoir un « gouvernement national », dominé par des conservateurs protectionnistes. Neville Chamberlain, le fils de Joseph, fut nommé chancelier de l'Échiquier (ministre des Finances) et reprit aussitôt le programme de son père. Quelques semaines plus tard, des droits de douane étaient déjà imposés sur des biens horticoles et manufacturés, et en février 1932, le gouvernement faisait un pas décisif vers la préférence impériale : un tarif douanier général sur les importations (à quelques exceptions) fut introduit, les importations provenant de l'Empire restant exemptées. Comme le déclara Neville Chamberlain à la Chambre des communes, devant sa mère présente dans la galerie des visiteurs, et son demi-frère Austen sur les bancs conservateurs :

> Rares ont été les occasions dans notre longue histoire politique où le fils d'un homme qui a compté pour quelque chose en son temps et pour sa génération s'est vu accorder le privilège de sceller l'œuvre que le père a commencée mais a été contraint de laisser inachevée. Près de vingt-neuf années ont passé depuis que Joseph Chamberlain

> a commencé sa grande campagne en faveur de la préférence impériale et de la réforme douanière. Plus de dix-sept ont passé depuis sa mort… Son œuvre n'a pas été vaine. Je crois qu'il aurait trouvé quelque consolation à sa déception amère s'il avait pu entrevoir que ces propositions, qui sont les héritières directes et légitimes des siennes, seraient présentées devant la Chambre des communes, qu'il chérissait, en présence du premier des deux descendants directs de son nom et de son sang, et par la bouche du second[24].

Les engagements de la préférence impériale furent encore renforcés à la Conférence économique impériale qui se tint à Ottawa, plus tard cette même année. Une série de traités bilatéraux furent signés entre les participants, accordant à chacun un traitement douanier préférentiel, tandis que la Grande-Bretagne et les dominions continuaient d'élever des barrières douanières vis-à-vis du reste du monde (mais pas autant, généralement, que les autres pays). Si l'objectif était d'accroître le commerce au sein de l'Empire au détriment du commerce avec le reste du monde, il semble que cela ait été efficace. Entre 1930 et 1933, la part des importations britanniques provenant de l'Empire passa de 27 à 38 %. Des recherches récentes montrent que l'adoption de la préférence impériale représenta 77 % de cette fulgurante augmentation[25].

Le principe de non-discrimination : traitement général de la nation la plus favorisée

L'Empire britannique ne fut pas le seul bloc commercial de cette période, et les années 1930 virent une tendance générale à l'augmentation des échanges au sein de blocs, au détriment aux échanges entre eux. Cela fut vrai d'autres pays européens, comme la France, qui avaient déjà des empires et qui, comme les Britanniques, échangèrent davantage entre eux pendant cette décennie, et de pays qui n'avaient pas d'empire mais qui y aspiraient, comme l'Allemagne. Autrement dit, pendant les années 1930, le commerce international fut moins multilatéral : au lieu d'acheter à certains pays et de payer ces importations en vendant à d'autres, les États achetèrent de plus en plus aux mêmes pays ou groupes de pays, auxquels ils vendaient leurs exportations, de façon bilatérale. Les observateurs de l'époque et des périodes suivantes pensaient que ce déclin du commerce multilatéral ne fit pas que refléter mais exacerba les tensions internationales de l'époque : pendant la guerre, l'économiste néo-zélandais John Condliffe écrivait qu'« il est si évident qu'il va désormais sans dire que le commerce bilatéral a pris des aspects agressifs et destructeurs quand les rivalités internationales se sont accrues dans la période appelée aujourd'hui l'avant-guerre[26] ». L'essor des blocs commerciaux impériaux renforça la main des nationalistes dans des pays comme le Japon, qui affirmèrent qu'il était plus sûr de conquérir un territoire et de devenir économiquement autosuffisant que de dépendre pour sa survie des marchés internationaux.

Le 14 août 1941, quelques mois avant que les États-Unis entrent en guerre, Winston Churchill et Franklin Roosevelt se rencontrèrent secrètement dans la baie de Plaisance, au large de Terre-Neuve. Ils produisirent un document en huit points, surnommé pour l'histoire la Charte de l'Atlantique, et dont le quatrième point stipule : « Ils [États-Unis et Royaume-Uni] s'efforceront, tout en respectant comme il se doit leurs obligations existantes, d'assurer, sur un pied d'égalité, à tous les États grands et petits, vainqueurs ou vaincus, l'accès et la participation, dans le monde entier, au commerce et aux matières premières indispensables à leur prospérité économique[27]. » À la lumière des années 1930, les conséquences d'un accès inégal au commerce et aux matières premières semblaient trop dangereuses pour qu'on pût le permettre plus longtemps.

Il n'est donc guère étonnant que le premier article de l'Accord général sur le commerce et les tarifs douaniers (plus connu sous l'acronyme GATT), signé en 1947, interdise les politiques commerciales favorisant certains pays et en discriminant d'autres. Dans le jargon de la politique commerciale, chaque signataire du GATT est devenu pour tous les autres la nation la plus favorisée, ce qui signifie qu'aucun pays ne pouvait être plus favorisé que lui. Cet engagement général de non-discrimination reste au cœur du droit commercial international aujourd'hui, ce qui ne sera pas sans conséquences pour le Brexit, comme nous le verrons plus loin.

Le traité autorisait cependant deux grandes exceptions au principe de non-discrimination. L'article XXIV reconnaissait ainsi qu'« il est souhaitable d'augmenter la liberté du commerce en développant, par le moyen d'accords librement conclus, une intégration plus étroite des économies des pays participants à de tels accords... En conséquence, les dispositions du présent Accord ne feront pas obstacle, entre les territoires des parties contractantes, à l'établissement d'une union douanière ou d'une zone de libre-échange[28] ».

Le texte donne les définitions exhaustives de l'union douanière et de l'accord de libre-échange autorisés par l'article XXIV, et comme elles sont d'une grande importance dans les débats actuels sur le Brexit, il me semble utile de les rappeler ici dans leur (quasi-) intégralité :

> 8 (a) on entend par union douanière la substitution d'un seul territoire douanier à deux ou plusieurs territoires douaniers, lorsque cette substitution a pour conséquence :
> i) que les droits de douane et les autres réglementations commerciales restrictives sont éliminés pour l'essentiel des échanges commerciaux entre les territoires constitutifs de l'union, ou tout au moins pour l'essentiel des échanges commerciaux portant sur les produits originaires de ces territoires ;
> ii) et que [...] les droits de douane et les autres réglementations appliqués par chacun des membres de l'union au commerce avec les territoires qui ne sont pas compris dans celle-ci sont identiques en substance ;
> b) on entend par zone de libre-échange un groupe de deux ou plusieurs territoires douaniers entre lesquels les droits de douane et les autres réglementations commerciales restrictives [...] sont éliminés

pour l'essentiel des échanges commerciaux portant sur les produits originaires des territoires constitutifs de la zone de libre-échange.

La question de savoir ce que signifiait exactement la formule « l'essentiel des échanges commerciaux » est une question importante sur laquelle nous reviendrons plus loin dans ce livre, car c'est elle qui limite ce qui sera et ne sera pas juridiquement possible pour la Grande-Bretagne après le Brexit.

La seconde exception majeure au principe de non-discrimination autorisée par le GATT était constituée d'une série d'exemptions qui permirent à la Grande-Bretagne, à la France, à la Belgique, aux Pays-Bas et aux États-Unis de conserver des relations commerciales préférentielles avec leurs colonies anciennes ou présentes[29].

La Grande-Bretagne put donc entrer dans le monde de l'après-guerre sans renoncer à ses préférences impériales. Si cela suscita beaucoup d'agacement aux États-Unis, il n'y avait pas de raison de penser que ces préférences ne puissent pas continuer dans le futur. Et, dans le Commonwealth, la Grande-Bretagne disposait d'un modèle de coopération internationale abouti, qui ne reposait pas sur des institutions supranationales mais sur un accord volontaire entre des pays indépendants. Mieux encore, le Commonwealth était un groupe de pays dans lequel le Royaume-Uni jouait naturellement un rôle de premier plan et bénéficiait d'un niveau d'influence exceptionnel. Peut-être ce modèle pourrait-il être, ailleurs, une source d'inspiration ?

CHAPITRE 3

Le chemin de Rome

Comme le souligne dans un livre récent et stimulant l'historien et diplomate américain Benjamin Grob-Fitzgibbon, nombreux étaient les dirigeants politiques britanniques, en 1945, qui pensaient que leur pays était tout à la fois européen et impérial. La chose n'avait même rien d'inhabituel, car « depuis le XVIIe siècle, l'européanité et l'impérialisme étaient devenus synonymes. Être européen, c'était être impérial[1] ». Les États européens s'étaient combattus dans le passé pour contrôler des territoires sur d'autres continents, mais leur expérience coloniale leur donnait une identité commune, qui pouvait peut-être les aider à forger un avenir commun. Mieux encore, les ressources des Empires britannique, français, néerlandais, belge et portugais, mises ensemble, pouvaient permettre à l'Europe de conserver sa domination géopolitique, dans un monde qui serait sans cela dominé par les deux superpuissances, les États-Unis et l'URSS. Dans l'esprit de nombreux Britanniques, il n'était pas besoin de choisir entre l'Europe et l'Empire britannique, et il existait de nombreuses raisons de penser qu'au lendemain d'un conflit dévastateur une unité européenne plus grande était essentielle.

Dès 1940, des propositions avaient été faites en Grande-Bretagne pour partager la souveraineté avec un autre pays européen, la France pour ne pas le nommer. Jean Monnet, qui œuvrait de nouveau à la coordination des efforts économiques des deux alliés, avait réussi à convaincre le gouvernement britannique de rechercher une union politique avec son propre pays. Le 16 juin, Charles de Gaulle transmit l'offre au gouvernement français de Paul Reynaud, replié à Bordeaux. Mais Reynaud perdit le pouvoir le jour même au profit du maréchal Pétain ; pour ce partisan de l'armistice avec les Allemands, unir la France à la Grande-Bretagne revenait à « fusionner avec un cadavre[2] ». Aussi n'est-il sans doute pas étonnant que Winston Churchill soit apparu, après la guerre, comme un des grands champions de l'unité de l'Europe. Ayant perdu le pouvoir en juillet 1945, il prononça au mois de septembre de l'année suivante, à Zurich, un grand discours dans lequel il appelait à la construction d'« un genre d'États-Unis d'Europe » : « La première étape dans la recréation de la Famille européenne sera un partenariat entre la France et l'Allemagne. Ce n'est qu'ainsi que la France retrouvera le leadership moral et culturel de l'Europe [...]. La France et l'Allemagne doivent prendre, ensemble, la direction de cette tâche urgente. » (Il faut rappeler qu'à cette date les Français doutaient qu'il fût bien avisé de confier aux Allemands un tel rôle.) Churchill appela aussi à la création d'un Conseil de l'Europe, puis, une semaine plus tard, à une défense commune et à une « monnaie uniforme » : « Les pièces de monnaie, fort heureusement, ont deux faces, si bien que l'une peut porter la devise nationale et l'autre la devise européenne[3]. » Durant les deux années suivantes, Churchill se fit le défenseur inlassable d'une Europe unie, qu'il pensait totalement compatible avec les engagements impériaux de la Grande-Bretagne.

Mais quelle sorte d'Europe unie voulait la Grande-Bretagne ? À Londres, le gouvernement travailliste n'était certainement pas favorable à un système dans lequel un Parlement européen – qui aurait inévitablement un grand nombre de membres allemands et italiens, au moins sur le long terme – pourrait prendre des décisions contraignantes pour le Royaume-Uni. Ernest Bevin, le secrétaire aux Affaires étrangères, se résolut finalement à accepter que, compte tenu des défis que représentait l'Union soviétique, il était nécessaire en effet de créer une « sorte de fédération en Europe occidentale, au caractère formel ou informel » ; mais « il espérait qu'il ne serait pas nécessaire de passer par des Constitutions écrites » : le Commonwealth britannique offrait un modèle plus souple et plus souhaitable[4]. Comme nous l'avons vu au chapitre 1, la résistance à des institutions politiques supranationales capables d'imposer à la Grande-Bretagne des politiques dont elle ne voulait pas devint très tôt un trait caractéristique des attitudes britanniques vis-à-vis de l'intégration européenne. Ailleurs, d'autres opinions prévalaient.

La Grande-Bretagne au cœur de l'Europe

Malgré ces divergences, l'Europe occidentale connut, dans la seconde moitié des années 1940, une explosion d'innovations institutionnelles. À la fin de la décennie, trois grandes organisations internationales avaient été créées, dans les domaines de l'économie, de la sécurité et de la politique. Toutes comptaient le Royaume-Uni parmi leurs membres fondateurs et agissaient sur une base essentiellement intergouvernementale : elles reposaient davantage sur la coopération des gouvernements que sur des institutions supranationales. En même temps, les futures lignes de front se dessinaient entre les fédéralistes et les « intergouvernementalistes ».

Les origines de la coopération économique européenne de l'après-guerre sont largement américaines[5]. Lorsque les États-Unis décidèrent, en 1947, d'aider l'Europe au moyen du plan Marshall, une des choses sur lesquelles ils insistèrent, c'est que le Programme de redressement européen devait être administré par les Européens eux-mêmes. Un comité pour la coopération économique européenne fut créé à cet effet cette même année et fut rebaptisé Organisation européenne de coopération économique (OECE) en avril de l'année suivante[6]. L'OECE comprenait dix-sept pays européens, qui seraient les principaux acteurs des manœuvres et contre-manœuvres de la décennie suivante[7]. Il peut être utile de classer ces pays en trois groupes. Il y avait d'abord « les Six » : les trois pays du Benelux (la Belgique, les Pays-Bas et le Luxembourg), la France, l'Allemagne et l'Italie. Venaient ensuite les « autres Six » : trois pays scandinaves (le Danemark, la Norvège et la Suède), deux pays alpins neutres (l'Autriche et la Suisse) et le Royaume-Uni. Venaient enfin cinq pays périphériques et moins industrialisés : la Grèce, l'Islande, l'Irlande, le Portugal et la Turquie. Conformément aux souhaits tant de la Grande-Bretagne que des pays scandinaves et des Pays-Bas, et contrairement aux souhaits de la France, l'OECE était strictement intergouvernementale[8]. Les décisions étaient prises par le Conseil des ministres à l'unanimité (ce qui signifie qu'aucun pays ne pouvait être contraint d'accepter une décision qu'il n'approuvait pas).

En plus d'organiser la distribution de l'aide du plan Marshall, l'organisation était chargée de faire avancer l'intégration économique de l'Europe. Elle était censée non seulement abaisser les barrières douanières mais étudier également la faisabilité d'une union douanière européenne. Le secrétaire britannique aux Affaires étrangères tenait particulièrement à cette idée, et le Royaume-Uni participa à un groupe d'étude créé pour examiner la question. Très vite, cependant, il apparut clairement qu'il serait difficile pour la Grande-Bretagne d'être membre d'une union douanière, compte tenu de sa politique de préférence impériale et de son attachement à l'Empire. Comme son nom l'indique, une union douanière suppose une politique commune de droits de douane extérieurs pour tous les États membres. Si la Grande-Bretagne rejoignait une union douanière européenne, elle ne serait plus en mesure, par définition, de fixer seule des droits de douane préférentiels sur les produits en provenance du Commonwealth. La préférence impériale devrait donc être supprimée, à moins que l'union douanière l'adopte elle aussi ou que l'on trouve un moyen de fondre une union douanière du Commonwealth dans l'union douanière européenne ; or rien ne montrait que les dominions souhaitaient être impliqués dans une union douanière les uns avec les autres, et moins encore avec les autres pays européens. D'un autre côté, si le reste de l'Europe devait créer une telle union douanière, et si la Grande-Bretagne restait en dehors, ses produits seraient discriminés sur les marchés continentaux. Un comité d'experts britanniques, créé en 1947 pour étudier la question, concluait qu'« une union douanière continentale n'avait guère en sa faveur, sur le plan économique, que l'inconvénient qu'il y aurait à n'en pas faire partie[9] ». Il serait difficile de trouver un résumé plus concis d'une certaine vision britannique de l'Europe ! Une fois que l'union douanière serait mise sur la table, il deviendrait difficile sinon impossible de ne pas choisir entre l'Europe et l'Empire, et aucune option n'était séduisante.

Si l'OECE fit peu de progrès sur l'union douanière, elle réussit à poursuivre plus largement ses objectifs. Un de ses principaux succès fut de rétablir le commerce multilatéral à l'intérieur de l'Europe, et avec lui la convertibilité des monnaies (des monnaies pouvant être librement échangées les unes avec les autres sur les marchés internationaux des devises). Sans monnaie convertible, il était difficile pour un pays (par exemple la France) de gérer son déficit commercial avec un autre pays (par exemple l'Allemagne), et de payer ces importations excédentaires en gérant un excédent commercial sur un troisième pays (par exemple la Grande-Bretagne) : pour ce faire, la France devait pouvoir convertir en Deutsche Marks l'excédent en livres britanniques dégagé grâce à son excédent commercial avec la Grande-Bretagne, permettant ainsi aux importateurs français d'acheter des produits venant d'outre-Rhin.

Sans monnaies convertibles, chaque pays avait donc tendance à rechercher un équilibre commercial non pas avec le monde dans son ensemble, mais avec des partenaires individuels. C'était, inutile de le dire, extrêmement inefficace. À peu près autant que le troc (car le troc, comme l'ont appris des générations d'étudiants en économie, repose sur une correspondance mutuelle des besoins) ; et de même que le troc est inévitablement ce qui se produit faute de monnaie acceptable, l'absence de monnaies internationalement convertibles pouvant servir d'instruments de paiement international se traduisit par une tendance au commerce bilatéral au détriment du commerce multilatéral[10]. C'est pourquoi l'Union européenne des paiements fut créée en 1950, sous les auspices de l'OECE et avec l'assistance active des États-Unis. Elle réussit remarquablement à rétablir un système commercial européen multilatéral et à restaurer des monnaies convertibles. Sans cela, l'adoption de propositions libre-échangistes plus ambitieuses en Europe aurait été rigoureusement impossible[11]. L'OECE fit aussi des progrès considérables vers la suppression des barrières non tarifaires au commerce entre ses membres, notamment les quotas (des restrictions quantitatives sur la quantité de produits pouvant être légalement importés).

L'Organisation du traité de l'Atlantique Nord (OTAN) est une autre organisation à la création de laquelle la contribution des États-Unis fut, par définition, cruciale. En 1948, les trois pays du Benelux se joignirent à la France et à la Grande-Bretagne pour signer le traité de Bruxelles, un accord de sécurité collective prévu pour cinquante ans, et qui appelait également à une « collaboration sur les questions économiques, sociales et culturelles[12] ». Le traité de Bruxelles devint très vite superflu, en raison de la faiblesse de l'Europe occidentale et des craintes grandissantes suscitées par l'URSS. Le blocus de Berlin, qui commença seulement trois mois plus tard, souligna en même temps la gravité de la menace soviétique et la dépendance de l'Europe occidentale à l'égard du soutien militaire des États-Unis. Tout cela aboutit, en 1949, à la signature du Pacte Atlantique qui créait l'OTAN. Les douze pays signataires étaient les cinq signataires du traité de Bruxelles, trois pays nordiques (le Danemark, l'Islande et la Norvège), l'Italie, le Portugal, le Canada et les États-Unis. La Grèce et la Turquie furent admises trois ans plus tard.

L'année 1949 vit aussi la création du Conseil de l'Europe, une structure à deux niveaux, avec une assemblée européenne, qui se réunissait en public, comme le voulaient les fédéralistes, et un comité ministériel qui se réunissait en privé et qui prenait des décisions à l'unanimité, comme le voulaient les Britanniques. L'Assemblée consultative, puisque tel était son nom, et qui se réunissait à Strasbourg, devint, pendant les années 1950, le point focal de la politique profédéraliste. Cependant, la structure du comité des ministres garantissait que le Conseil de l'Europe resterait une organisation basée sur la coopération intergouvernementale. C'est dans le domaine des droits humains que sa contribution fut la plus importante, avec l'ouverture à la signature, en 1950, de la Convention de sauvegarde des droits de l'homme et des libertés fondamentales (communément appelée Convention européenne des droits de l'homme), et la création, en 1959, de la Cour européenne des droits de l'homme.

Un politicien britannique qui aurait fait un survol du paysage européen au début de l'année 1950 n'aurait probablement pas été mécontent. L'Europe de l'Ouest était stabilisée, économiquement et politiquement, avec le soutien actif des États-Unis. Un réseau d'institutions imbriquées les unes dans les autres avait été créé pour faciliter cela, en particulier l'OECE et l'OTAN, dont la Grande-Bretagne était un membre majeur. Et si les fédéralistes avaient obtenu la création d'une assemblée européenne, le cadre organisationnel qui avait été érigé à ce jour n'était pas supranational mais intergouvernemental.

Le chemin de Rome[13]

Les événements ne tardèrent pas, cependant, à prendre une tout autre tournure. En mai 1950, Robert Schuman, le ministre français des Affaires étrangères, annonça une proposition visant à mettre en commun le secteur du charbon et de l'acier en Europe occidentale, et d'en confier l'administration à une nouvelle autorité supranationale. La déclaration affirmait, entre autres : « [...] cette proposition réalisera les premières assises concrètes d'une Fédération européenne indispensable à la préservation de la paix ». Le plan avait été conçu par Jean Monnet, qui avait collaboré avec les planificateurs économiques britanniques pendant les deux conflits mondiaux, qui s'était fait l'avocat d'une union anglo-française et qui n'était assurément pas anglophobe. Après la guerre, en effet, il garda l'espoir que la coopération anglo-française pourrait être la base d'une nouvelle Europe. L'élection générale britannique de février 1950 fut cependant une déception pour lui : elle porta sur des thèmes exclusivement britanniques, et notamment l'avenir de l'Empire, à une époque où l'intégration européenne était, partout ailleurs, la question majeure. Monnet en conclut que la France devait prendre la tête du mouvement vers une plus grande intégration en Europe, et qu'une alliance franco-allemande, plutôt qu'anglo-française, serait nécessaire pour y parvenir[14].

La nouvelle du plan Schuman fut un choc total à Londres. Le secrétaire aux Affaires étrangères ne fut informé de son existence que quelques heures avant son annonce publique, contrairement aux Américains, dont l'approbation avait déjà été recherchée et obtenue (pour le secrétaire d'État des États-Unis, Dean Acheson, c'était la « manne du ciel[15] »). Tous les pays européens, y compris la Grande-Bretagne, furent invités à participer à l'entreprise, mais il leur fallait d'abord accepter de créer une Haute Autorité supranationale et de mettre en commun la production de charbon et d'acier. Les Britanniques protestèrent qu'on ne pouvait raisonnablement pas attendre d'eux qu'ils y consentent avant l'ouverture des pourparlers : ces questions devaient être décidées au cours des négociations, pas avant. En vain. Le gouvernement travailliste venait en outre de nationaliser l'industrie britannique du charbon, et le parti était réticent à s'engager à mener la même politique économique que les gouvernements de droite du continent européen. Enfin, une communauté du charbon et de l'acier nécessiterait des droits de douane communs, qui interféreraient avec les préférences impériales britanniques. Guy Mollet, le ministre d'État chargé du Conseil de l'Europe (et qui était, *de facto*, le ministre des Affaires européennes) suggéra au secrétaire britannique aux Affaires étrangères que Schuman avait conçu à la fois le plan et ses conditions de négociation, avec l'intention bien comprise de faire en sorte qu'il soit impossible pour les Britanniques de s'engager[16]. Que cela fût vrai ou non, ceux-ci estimèrent que cela ne leur était pas possible.

Cette attitude ne fut pas l'apanage des Britanniques, et seuls « les Six » furent prêts à négocier sur la base des conditions préalables françaises. Les négociations aboutirent au traité de Paris, qui créait la Communauté européenne du charbon et de l'acier (CECA), et qui fut signé en 1951 et ratifié l'année suivante. La CECA s'engageait à créer un marché commun du charbon et de l'acier, sans droits de douane, sans quotas, sans pratiques restrictives, sans subventions discriminatrices ou autres mesures du même effet, et à adopter un tarif douanier commun sur les importations de charbon et d'acier venant du reste du monde. Elle était aussi chargée de missions qui n'étaient pas liées directement au commerce, comme l'investissement, la recherche, la santé, la sécurité, le logement et le reclassement des travailleurs.

La CECA établit un cadre institutionnel supranational ambitieux. Quatre institutions furent mises sur pied : la Haute Autorité, le Conseil des ministres, la Cour de justice et l'Assemblée. La Haute Autorité administrait la Communauté et avait le pouvoir de décision. Elle avait aussi le pouvoir d'infliger des amendes aux firmes ne respectant pas le traité, et de prélever des taxes sur la production. La Haute Autorité comptait neuf membres, et les décisions étaient prises par un vote à la majorité. C'était donc clairement une institution supranationale. L'objet du Conseil des ministres était de coordonner les actions de la Haute Autorité et des États membres. Chacun d'entre eux y était représenté par un membre. Sur certaines questions, son consentement était nécessaire, et il prenait des décisions sur la base soit de l'unanimité, soit de la majorité qualifiée. Chargée de faire en sorte que le traité fût respecté, la Cour de justice avait le pouvoir d'annuler les actions des autres institutions. Enfin, l'Assemblée était un organe purement consultatif, qui avait cependant le pouvoir de révoquer la Haute Autorité.

Des travaux historiques récents n'ont pas été particulièrement tendres pour la CECA[17]. Un des grands objectifs de Monnet était de décartelliser l'industrie lourde allemande, et la Haute Autorité reçut pour ce faire un pouvoir considérable. La tentative fut un échec, notamment parce que les besoins de la guerre de Corée ne permirent pas d'envisager la réorganisation de l'industrie allemande. La CECA ne réussit pas non plus à créer un marché unique du charbon et de l'acier. Les subventions nationales et le contrôle des prix du charbon demeurèrent, en raison de l'importance des prix pour les familles ordinaires, et les droits de douane sur l'acier ne furent pas éliminés. Les exportations allemandes vers les pays européens hors CECA crûrent plus rapidement que vers les pays de la CECA[18].

La CECA fournit cependant, au moins superficiellement, un modèle pour le futur développement institutionnel de l'Europe. Les quatre institutions qu'elle mit sur pied – Haute Autorité, Conseil des ministres, Cour de justice et Assemblée – correspondent parfaitement à la Commission, au Conseil, à la Cour de justice et au Parlement européen de l'Union européenne. La Cour de justice et l'Assemblée sont d'ailleurs devenues, en 1958, des institutions des trois Communautés (la CECA, la Communauté économique européenne [CEE] et la Communauté européenne de l'énergie atomique ou Euratom). La Cour de justice, en particulier, a joué un rôle crucial en permettant aux Communautés de se développer sur la base de l'autorité de la loi. Elle était donc essentielle pour la préservation du caractère supranational des Communautés, même si la Cour n'aurait évidemment pas eu l'influence qui fut la sienne si les États membres n'avaient pas accepté d'être tenus par ses décisions. (Le fait qu'ils aient accepté fut déterminant pour les évolutions à venir, mais, *ex ante*, cela aurait pu ne pas être le cas.) De même, la Haute Autorité et le Conseil furent fusionnés avec les organes correspondants de la CEE et d'Euratom en 1967, devenant la Commission et le Conseil de ce que l'on appela dorénavant les Communautés européennes (CE). (On connaît généralement davantage l'appellation « Communauté européenne », mais la CECA, l'Euratom et la CEE formèrent en réalité les « Communautés européennes », et c'est par souci d'exactitude que je vais désormais utiliser ce nom.) Comme nous le verrons, cependant, les Communautés européennes seraient une organisation bien moins supranationale et bien plus intergouvernementale que la CECA.

La CECA n'en marqua pas moins une étape importante. Pour Gillingham, ses principales contributions furent : premièrement, de permettre la réintégration de l'Allemagne en Europe en tant qu'État capable de signer des traités à égalité avec les autres États ; deuxièmement, de donner aux politiciens et aux négociateurs des leçons utiles sur le processus de négociation et sur la mise en place d'expériences en matière d'intégration[19]. Elle fournit aussi le cadre politique dans lequel l'industrie lourde allemande put renaître sans menacer les voisins de l'Allemagne. Mais il est une chose qui est encore plus importante pour le propos de ce livre : l'impact qu'eut la CECA sur le rapport de la Grande-Bretagne avec le processus d'intégration européenne. Jusqu'en mai 1950, la Grande-Bretagne avait été au cœur de celui-ci ; après, elle serait de plus en plus périphérique.

La seconde évolution majeure de la période a des origines asiatiques et américaines. L'éclatement de la guerre de Corée, en juin 1950, incita des États-Unis de plus en plus sous pression à demander, dans le cadre de l'OTAN, le réarmement de l'Allemagne de l'Ouest. Cette perspective horrifiait les Français et les autres peuples victimes de l'agression nazie. En octobre, le gouvernement français proposa une solution, le plan Pleven : elle consistait à créer une armée commune européenne, pour que l'Allemagne pût contribuer à l'OTAN sans être pour autant placée sous un commandement allemand séparé. Cela devait se faire dans le cadre d'une Communauté européenne de défense (CED), qui devait avoir des structures institutionnelles supranationales similaires à celles de la CECA. Les États-Unis y étaient favorables. Le Royaume-Uni ne voulut pas rejoindre la CED à cause de sa nature supranationale, ce qui ne l'empêcha pas de soutenir l'initiative, tant par des paroles que par des actes. Ainsi, lorsque le gouvernement néerlandais déclara qu'il n'était pas prêt à entrer dans ce système de défense collective si le Royaume-Uni n'en était pas membre, le gouvernement britannique consentit à signer un accord de défense mutuelle avec la nouvelle organisation. Le traité de la Communauté européenne de défense fut signé sur cette base en mai 1952, et le nouveau traité entre la CED et le Royaume-Uni entra en vigueur le même jour[20]. La Grande-Bretagne était encore capable de jouer un rôle constructif et même décisif dans le processus d'intégration européenne – tout en en étant à moitié détachée.

Cette signature déclencha à son tour des négociations sur une Communauté politique européenne (CPE) englobante, à laquelle devaient être subordonnées la CED et la CECA. Mais pour les Français le plan Pleven était, au mieux, un moindre mal, et ils restaient opposés au réarmement allemand. Finalement, en août 1954, l'Assemblée nationale rejeta le traité de la CED, et la CPE tomba avec elle. La question du réarmement allemand fut résolue par l'élargissement du traité de Bruxelles de 1948 afin d'y intégrer l'Allemagne et l'Italie, et par la suppression des passages antiallemands du texte original. Le traité, qui créait une nouvelle organisation, l'Union de l'Europe occidentale (UEO), fut signé en octobre 1954. L'UEO se mit en place et l'Allemagne rejoignit l'OTAN en mai de l'année suivante.

Pour les fédéralistes, cette séquence d'événements dut être perçue comme une véritable débâcle. Mais les débats entourant la CED menèrent finalement au processus de Messine et à la création de la CEE[21]. Les Pays-Bas, un pays où les droits de douane étaient faibles, n'étaient pas particulièrement satisfaits du programme de libéralisation commerciale de l'OECE, qui prévoyait de supprimer les quotas sans toucher aux droits de douane. Cela signifiait qu'un pays comme les Pays-Bas était obligé de supprimer ses quotas et n'avait plus que des tarifs douaniers faibles pour protéger son industrie. Les pays plus grands et où les droits de douane étaient plus élevés, comme la Grande-Bretagne et la France, supprimèrent aussi leurs barrières non tarifaires, mais comme leurs tarifs étaient beaucoup plus élevés que ceux des Pays-Bas, l'impact en termes de libéralisation de leurs échanges fut bien moindre. De ce fait, il était difficile pour les Néerlandais de développer leurs exportations de biens manufacturés, alors que les exportations agricoles, qui avaient pour eux tant d'importance, étaient exclues des efforts de libéralisation de l'OECE.

La solution passait par une réduction des droits de douane sur les grands marchés d'exportation des Pays-Bas, mais il semblait difficile d'envisager des progrès dans ce domaine dans le cadre de l'OECE ou du GATT. D'un autre côté, les Néerlandais trouvaient que leurs intérêts avaient été bien protégés dans les négociations qui avaient abouti à la création de la CECA. Par une heureuse coïncidence, deux membres de celle-ci (la Belgique et l'Allemagne) étaient les plus grands marchés d'exportation des Pays-Bas, et deux autres étaient des pays à droits de douane élevés (la France et l'Italie). Il était donc logique pour les Néerlandais de proposer, en 1952, que la Communauté européenne de défense et la Communauté politique européenne forment une union douanière. Les discussions autour du plan Beyen, du nom du ministre néerlandais des Affaires étrangères qui l'avait proposé, portèrent sur de nombreuses questions, qui seraient finalement abordées dans des négociations ultérieures. Un des principaux aspects du plan, sur lequel les Néerlandais insistèrent, est qu'il n'appartiendrait plus aux gouvernements nationaux de déterminer le rythme de la libéralisation du commerce – ou, plus précisément, qu'un calendrier à cet effet serait compris dans le traité lui-même. Cela deviendrait un élément central des futures négociations du traité de Rome. Les doutes des Néerlandais sur la réelle volonté de leurs partenaires de tenir leurs promesses conduisirent ainsi au développement d'institutions supranationales conçues pour verrouiller les concessions que se faisaient les différents pays. Puis ces institutions supranationales furent appréciées en tant que telles par certains autres participants au cours du processus de négociation.

Dès que le gouvernement Mendès France qui avait été responsable de l'échec de la CED perdit le pouvoir en France, en février 1955, Beyen réitéra sa proposition d'union douanière. En juin, les ministres des Affaires étrangères des Six se réunirent à Messine et consentirent à créer un comité, dirigé par le Belge Paul-Henri Spaak, afin d'étudier la création d'un marché commun et d'une communauté de l'énergie atomique. Le comité Spaak se mua en organe de rédaction du traité en mai 1956.

L'OECE était encore l'élément de base de l'intégration européenne de l'Europe occidentale, même si elle avait perdu beaucoup de son importance depuis la fin du plan Marshall, en 1952, et qu'elle était devenue la victime du succès qu'elle avait obtenu dans le démantèlement des restrictions quantitatives sur le commerce et dans la restauration de la convertibilité des monnaies européennes. En outre, la Grande-Bretagne restait une grande puissance européenne, et plusieurs membres de la CECA espéraient qu'elle pourrait se joindre à eux quand ils iraient vers une union douanière et une communauté de l'énergie atomique. La Grande-Bretagne avait d'ailleurs signé un accord d'association avec le CECA en 1954. Les Six invitèrent donc la Grande-Bretagne à participer au travail du comité Spaak, et les Britanniques acceptèrent l'invitation. Ils furent présents à la première réunion du comité, en juillet 1955, et y participèrent les cinq mois suivants.

Il y avait deux grandes différences entre la position britannique et celle des Six[22]. La première, et la plus importante, était la préférence des Britanniques pour une zone de libre-échange (et non pour une union douanière). Comme il s'agit là d'une distinction majeure, qui est d'une grande importance dans les actuelles négociations du Brexit, mais dont les implications sont souvent ignorées, il n'est pas inutile de rappeler les différences essentielles entre les deux dispositifs déjà rencontrés au chapitre 2. Dans une zone de libre-échange, chaque État membre accepte de ne pas imposer de droits de douane sur les produits provenant des autres États membres. Chacun est libre toutefois de mener la politique commerciale de son choix avec les pays tiers. Autrement dit, le fait que le Canada, le Mexique et les États-Unis soient tous membres de l'Accord de libre-échange nord-américain (Alena) n'empêche pas le Canada de signer des accords de libre-échange avec d'autres pays, ou avec l'Union européenne, comme ce fut le cas en 2016.

Ce type d'accord est cependant problématique. Imaginons par exemple que deux pays, appelons-les la Grande-Bretagne et la France, créent entre eux une zone de libre-échange. La France n'imposera donc pas de droits de douane sur les produits britanniques. Imaginons aussi que la Grande-Bretagne ait également un accord de libre-échange avec la Nouvelle-Zélande. D'après les clauses de l'hypothétique accord de libre-échange anglo-français, la France a accepté de ne pas imposer de droits de douane sur les importations d'agneau britannique. Elle n'a pas consenti, en revanche, à traiter de la même manière l'agneau néo-zélandais. Imaginons que la France, pour protéger ses éleveurs, impose des droits de douane de dix pour cent sur l'agneau néo-zélandais. La France n'acceptera donc pas que l'agneau néo-zélandais soit importé sans droits de douane en Grande-Bretagne, dans le cadre de l'accord de libre-échange anglo-néo-zélandais, puis exporté d'outre-Manche en France sans droits de douane. Il va donc lui falloir vérifier toutes les importations d'agneau venant de Grande-Bretagne pour s'assurer que seul l'agneau britannique soit importé sans droits de douane, et que des droits de douane soient dûment payés sur l'agneau néo-zélandais. Si le produit en cause n'est pas de l'agneau mais un produit industriel complexe comme une voiture, il est moins facile de dire si le produit est britannique ou non, car la voiture peut être assemblée en Grande-Bretagne tout en étant faite de pièces largement fabriquées ailleurs. Les accords commerciaux modernes précisent donc des « règles d'origine » qui définissent si les produits sont ou ne sont pas (dans cet exemple) britanniques, et donc exempts ou non de droits de douane conformément à l'accord de libre-échange concerné.

Tout cela nécessite évidemment des contrôles douaniers aux frontières, qui coûtent du temps et de l'argent. L'autre solution consiste donc pour les pays concernés à former une union douanière, qui non seulement prohibe les droits de douane entre États membres, mais qui les oblige aussi à imposer un tarif extérieur commun vis-à-vis du reste du monde (c'est-à-dire à avoir une politique douanière commune). Si, dans notre exemple, la Grande-Bretagne et la France imposent les mêmes droits de douane sur l'agneau néo-zélandais (disons cinq pour cent), alors il n'est plus nécessaire d'établir des contrôles aux frontières pour vérifier l'origine de l'agneau circulant entre les deux pays. Si l'agneau britannique est importé en France, cela peut se faire sans droits de douane, comme dans une zone de libre-échange. Si l'agneau néo-zélandais est importé en France depuis la Grande-Bretagne, c'est parfait, car l'agneau a payé le tarif commun de cinq pour cent. Autrement dit, l'union douanière supprime la nécessité de contrôles douaniers aux frontières intérieures, mais suppose que les États membres n'aient plus de politiques commerciales indépendantes.

Revenons en 1955. Les Six étaient opposés à une zone de libre-échange, au motif, précisément, que des contrôles frontaliers intérieurs seraient nécessaires pour vérifier le respect des règles d'origine, ce qu'ils souhaitaient éviter « pour des raisons psychologiques et politiques ainsi que pratiques et économiques ». Le tarif extérieur commun était aussi censé avoir un « effet unificateur » et être « utile dans les négociations du GATT[23] ». Pour les Britanniques, en revanche, l'union douanière était problématique précisément à cause du tarif extérieur commun, avec les difficultés que cela impliquait pour les préférences traditionnelles vis-à-vis du Commonwealth.

La seconde différence entre la Grande-Bretagne et les Six concernait, c'était prévisible, les institutions. Après l'échec de la CED, plusieurs pays d'Europe continentale doutaient fortement que la création d'institutions supranationales fût souhaitable, et le mot « supranational » fut d'ailleurs évité scrupuleusement par Spaak lui-même pendant les négociations[24]. D'un autre côté, les Six s'accordaient à dire qu'une nouvelle structure institutionnelle était nécessaire, tandis que les Britanniques préféraient continuer de travailler dans le cadre de l'OECE.

Finalement, en novembre 1955, les Britanniques se retirèrent du comité Spaak et firent montre, pendant les deux ou trois mois suivants, d'une certaine hostilité à l'encontre du travail des Six. Le secrétaire aux Affaires étrangères, Harold Macmillan, envoya des lettres à ses homologues allemand et américain pour tenter de les dissuader de soutenir le projet de marché commun, au motif que ce serait une source de divisions sur les plans économique et politique. Les mêmes arguments furent utilisés dans une réunion informelle des délégués de l'OECE qui avait été demandée à cette fin par les Britanniques, provoquant l'ire des gouvernements des Six[25]. Les États-Unis, toujours très favorables à l'intégration européenne, expliquèrent à la Grande-Bretagne qu'ils n'approuvaient pas cette attitude, et qu'ils soutenaient la création d'Euratom et d'un marché commun européen. En janvier ou février 1956, l'hostilité initiale des Britanniques céda la place à la prise de conscience que les Six pourraient bien réussir à former une union douanière, et que la Grande-Bretagne devait trouver un moyen de faire avec. Les tentatives des Britanniques pour saboter le projet d'union douanière, et le fait qu'elles avaient été abandonnées largement sous la pression des États-Unis, contribuèrent toutefois à créer un climat de suspicion à l'encontre des intentions britanniques, ce qui rendit les objectifs de la Grande-Bretagne plus difficiles à atteindre[26].

Le 25 mars 1957 était signé le traité de Rome établissant la Communauté économique européenne (CEE) et la Communauté européenne de l'énergie atomique (CEEA ou Euratom). Les ambitions économiques du traité étaient considérables : la CEE ne devait pas être une simple union douanière, mais un marché commun. La formule n'est pas définie de façon précise, mais les articles 2 et 3 du traité permettent de comprendre de quoi il s'agit[27] :

> Article 2.
> La Communauté a pour mission l'établissement d'un marché commun et, par le rapprochement progressif des politiques économiques des États membres, de promouvoir un développement harmonieux

des activités économiques dans l'ensemble de la Communauté, une expansion continuelle et équilibrée, une stabilité accrue, un relèvement accéléré du niveau de vie, et des relations plus étroites entre les États qu'elle réunit.

Article 3.
Aux fins énoncées à l'article précédent, l'action de la Communauté comporte, dans les conditions et selon les rythmes prévus par le présent Traité :
a) l'élimination, entre les États membres, des droits de douane et des restrictions quantitatives à l'entrée et à la sortie des marchandises, ainsi que de toutes autres mesures d'effet équivalent,
b) l'établissement d'un tarif douanier commun et d'une politique commerciale commune envers les États tiers,
c) l'abolition, entre les États membres, des obstacles à la libre circulation des personnes, des services et des capitaux,
d) l'instauration d'une politique commune dans le domaine de l'agriculture,
e) l'instauration d'une politique commune dans le domaine des transports,
f) l'établissement d'un régime assurant que la concurrence n'est pas faussée dans le marché commun,
g) l'application de procédures permettant de coordonner les politiques économiques des États membres et de parer aux déséquilibres dans leurs balances des paiements,
h) le rapprochement des législations nationales dans la mesure nécessaire au fonctionnement d'un marché commun,
i) la création d'un Fonds social européen en vue d'améliorer les possibilités d'emploi des travailleurs et de contribuer au relèvement de leur niveau de vie,
j) l'institution d'une Banque européenne d'investissement, destinée à faciliter l'expansion économique de la Communauté par la création de ressources nouvelles,
k) l'association des pays et territoires d'outre-mer, en vue d'accroître les échanges et de poursuivre en commun l'effort de développement économique et social.

Comme on l'a vu dans le chapitre 1, le démantèlement des barrières aux échanges, l'institution de politiques agricoles et de la concurrence communes et l'harmonisation des politiques sociales allaient logiquement de pair. Il n'était pas suffisant de construire un marché commun : ce marché devait prendre en compte les nécessités politiques du jour. Cela supposait d'améliorer la productivité et les niveaux de vie agricoles, et d'empêcher une course dévastatrice à la déréglementation, qui tirerait tout le monde vers le bas. Et, pour faire tout cela, des institutions supranationales capables de prendre des décisions collectives et de les mettre en œuvre seraient nécessaires.

Étaient en outre mises en avant non seulement la liberté de circulation des marchandises, mais aussi celle « des personnes, des services et des capitaux ». Compte tenu de l'importance prise par l'immigration dans le débat sur le Brexit, il faut souligner ce fait, même si le traité de Rome devait garantir plus tard la liberté de circulation non pas de toutes les personnes mais des seuls travailleurs, conformément à l'article 48 :

> La libre circulation des travailleurs est assurée à l'intérieur de la Communauté au plus tard à l'expiration de la période de transition. Elle implique l'abolition de toute discrimination, fondée sur la nationalité, entre les travailleurs des États membres, en ce qui concerne l'emploi, la rémunération et les autres conditions de travail. Elle comporte le droit, sous réserve des limitations justifiées par des raisons d'ordre public, de sécurité publique et de santé publique :
> a) de répondre à des emplois effectivement offerts,
> b) de se déplacer à cet effet librement sur le territoire des États membres,
> c) de séjourner dans un des États membres afin d'y exercer un emploi conformément aux dispositions législatives réglementaires et administratives régissant l'emploi des travailleurs nationaux,
> d) de demeurer, dans des conditions qui feront l'objet de règlements d'application établis par la Commission, sur le territoire d'un État membre, après y avoir occupé un emploi.

Contrairement à ce que d'aucuns affirment parfois, la libre circulation des travailleurs n'est pas une invention récente de l'Union européenne : le principe (sinon toujours la pratique) était déjà dans le traité de Rome originel.

La structure institutionnelle de la CEE différait de celle de la CECA sur un point fondamental. Dans la CECA, la Haute Autorité, supranationale, prenait les décisions, mais elle devait consulter le Conseil des ministres sur certaines questions. Dans la CEE, c'est le Conseil des ministres, c'est-à-dire l'organisme intergouvernemental représentant les États membres, qui avait le pouvoir de décision ; la Commission pouvait seulement formuler des propositions et les soumettre au Conseil pour discussion. Le traité de Rome créait donc deux communautés nouvelles qui étaient bien moins supranationales que la CECA, même si elle conservait la Cour de justice. D'un autre côté, le traité prévoyait aussi une transition progressive, d'ici 1966, de l'unanimité ou de la majorité qualifiée à la majorité simple. Cependant, à peine l'échéance était-elle arrivée, que de Gaulle fit à nouveau de l'unanimité la principale procédure de décision des Communautés européennes : ce qu'on appelle le compromis de Luxembourg affirmait que les États membres pouvaient opposer leur veto sur les mesures mettant en jeu leurs intérêts vitaux. Le traité fut considéré à l'époque comme une victoire pour les gouvernements qui préféraient une Europe intergouvernementale à une Europe supranationale et, dans les années qui suivirent, l'action du président français renforça encore ce caractère intergouvernemental.

Mais ce n'est pas ainsi que les politiciens britanniques voyaient le traité à l'époque. Et c'est pourquoi ils s'étaient exclus d'eux-mêmes d'une union douanière dont faisaient partie les trois premières économies de l'Europe continentale. La Grande-Bretagne n'était plus au cœur de l'Europe, et elle n'était pas non plus à l'avant-garde de l'intégration européenne, comme cela avait été le cas à la fin des années 1940. Quelle serait la réaction du système politique britannique ?

CHAPITRE 4

Le Brentry*

Au printemps 1956, les craintes concernant le projet d'union douanière commençaient à se généraliser au sein de l'OECE. En supprimant entre eux les droits de douane et les quotas, sans les supprimer vis-à-vis du reste de l'Europe, les Six allaient frapper de discrimination les autres pays européens. Il est vrai que l'article XXIV du GATT, qui, comme nous l'avons vu, autorisait la création d'unions douanières, précisait que toute nouvelle union de ce type ne devait pas augmenter le niveau des droits de douane pour les pays tiers qui souhaitaient exporter des produits vers les Six. Cependant, un agriculteur (disons) danois serait désormais désavantagé sur le marché allemand par rapport à ses homologues néerlandais, ce qui ne pouvait évidemment que nuire à ses intérêts.

En même temps, le succès obtenu par l'OECE dans le démantèlement des restrictions quantitatives au commerce donnait le sentiment aux pays où les droits de douane étaient bas, comme le Danemark, la Suède et la Suisse, qu'ils étaient dans une situation de désavantage compétitif par rapport à ceux où ils étaient élevés. (Rappelons que les Pays-Bas avaient été confrontés, eux aussi, au même problème.) Cela signifiait, quoi que les Six conviennent entre

* Ce mot est construit à l'exemple du mot « Brexit » (« British exit », mais signifie le contraire, soit l'« entrée des Britanniques » (« British entry ») dans les Communautés européennes.

eux, que ces pays avaient intérêt à obtenir des droits de douane inférieurs sur leurs marchés d'exportation. L'idée d'une zone de libre-échange aux dimensions de l'Europe intéressait donc fortement ces pays.

La Grande-Bretagne, de son côté, s'était exclue du projet d'union douanière et avait donc pour perspective de subir une discrimination sur les marchés des Six. Conséquence de sa décision, elle s'était également exclue de la position de leadership qu'elle avait toujours recherchée au sein de la nouvelle Europe. Mais s'en était-elle vraiment exclue ? Elle était encore un membre éminent, peut-être même le premier membre de l'OECE, qui ne rassemblait pas moins de dix-sept pays européens, dont l'ensemble des Six. Peut-être l'organisation pourrait-elle servir de base à une Europe plus large et plus lâche, qui serait plus conforme à la préférence de la Grande-Bretagne pour la coopération intergouvernementale et ses engagements impériaux ?

L'un des grands obstacles à la coopération économique entre la Grande-Bretagne et les Six était l'agriculture, domaine dans lequel l'héritage du XIXe siècle pesait d'un poids certain. Comme d'autres gouvernements en Europe, le gouvernement britannique intervenait pour soutenir les revenus agricoles et encourager les agriculteurs à augmenter la production. Cependant, du fait de l'attachement historique du Royaume-Uni à un niveau de prix bas des denrées alimentaires, le gouvernement ne voulait pas augmenter les prix de marché payés par les consommateurs, tandis que son engagement vis-à-vis des dominions le plaçait dans la nécessité de faciliter l'accès au marché britannique aux agriculteurs à bas coûts d'Australie, du Canada et de Nouvelle-Zélande. Les agriculteurs britanniques bénéficiaient donc de prix garantis par une subvention, le « paiement compensatoire », égal à la différence entre le prix de marché moyen et le prix garanti. Ce paiement compensatoire coûtait beaucoup d'argent mais, comme le secteur agricole britannique était relativement petit, le gouvernement en avait les moyens. Ailleurs en Europe, en revanche, ce type de mesure aurait été ruineux[1]. En Europe continentale, on protégea donc les agriculteurs en élevant les prix de marché au-dessus des prix mondiaux, ce qui nécessitait de limiter strictement les importations de produits agricoles venant du reste du monde. En Grande-Bretagne, c'est le contribuable qui soutenait l'agriculteur ; sur le continent, c'était le consommateur. Il semblait difficile que deux systèmes aussi différents puissent coexister dans un marché unifié.

Le Plan G

En 1956, Harold Macmillan, désormais chancelier de l'Échiquier, demanda à des hauts fonctionnaires de rédiger un mémorandum présentant les autres mécanismes qui permettraient d'intégrer économiquement le Royaume-Uni au reste de l'Europe. Six furent proposés, et le document fut transmis à Peter Thorneycroft, le président de la Commission britannique du commerce (Board of Trade). Celui-ci estima que la meilleure option pour la Grande-Bretagne était une zone de libre-échange aux dimensions de l'OECE et qui ne concernerait que les produits industriels. La nouvelle CEE, quand elle serait créée, pourrait devenir membre de cette zone de libre-échange élargie. Comme il s'agissait là de la septième option proposée, on l'appela le « Plan G », et elle ne tarda pas à devenir la politique officielle du gouvernement britannique[2]. On espérait que la nouvelle zone de libre-échange serait effective en même temps que la CEE, afin qu'il n'y eût pas lieu pour la Grande-Bretagne (et le reste de l'OECE) de subir de discrimination sur le marché de la CEE.

Le Plan G, du point de vue britannique, avait bien des avantages – et peut-être trop. Reposant sur la coopération intergouvernementale, il ne nécessitait aucun abandon de souveraineté nationale. Comme il ne s'agissait pas d'une union douanière mais d'une zone de libre-échange, la Grande-Bretagne pourrait conserver son système existant de préférences impériales. Enfin, comme il ne concernait que les produits industriels, et excluait l'agriculture, le Royaume-Uni pourrait garder son système existant de soutien à l'agriculture. Comme l'écrit Benjamin Grob-Fitzgibbon, « dans ces conditions, le gouvernement britannique aurait le gâteau et la cerise sur le gâteau : il pourrait s'aligner sur ses voisins européens sans distendre aucunement ses relations avec le Commonwealth[3] ». Il semblait parfaitement possible d'arriver à ce résultat, car, comme le disait la Commission du commerce, « la possibilité de coopérer avec le Royaume-Uni serait si bien accueillie que nous devrions pouvoir appliquer le plan plus ou moins à nos conditions[4] ».

Certains responsables britanniques semblent avoir également espéré que le Plan G affaiblirait le projet d'union douanière. Il y en avait d'autres, en Allemagne, comme Ludwig Erhard, le ministre de l'Économie, qui se méfiaient des institutions supranationales et que leurs convictions libérales amenaient à préférer, autant que possible, un dispositif de libre-échange. Si le Plan G pouvait constituer un autre moyen d'augmenter les exportations industrielles allemandes, peut-être le soutien de Bonn à l'union douanière pourrait-il être ébranlé ? Les historiens discutent encore du point de savoir si ce fut là la principale motivation à l'appui du Plan G, ou si le Plan fut une tentative visant à minimiser les conséquences négatives du projet d'union douanière pour l'industrie britannique et pour les relations de la Grande-Bretagne avec le Commonwealth[5]. La vérité a varié au fil du temps, mais ce qui nous importe, sur le plan politique, c'est la manière dont les motivations des Britanniques ont été perçues en Europe. Ici, l'hostilité dont Macmillan avait fait preuve dès le processus de Messine ne pouvait que susciter chez les principaux acteurs, comme Spaak, une méfiance profonde à l'égard du Plan G.

Les Britanniques espéraient au départ que les négociations sur la zone de libre-échange en Europe auraient lieu en même temps que celles créant le Marché commun. Il apparut assez vite, cependant, que les Six allaient mener d'abord à bien la négociation et la ratification du traité de Rome, remettant à plus tard toute discussion sérieuse sur une zone de libre-échange. En effet, la simple possibilité qu'une zone européenne de libre-échange puisse affaiblir le soutien au Marché commun, en particulier en France et en Allemagne, était une excellente raison pour négocier d'abord le traité de Rome[6]. La priorité n'était pas la zone de libre-échange industrielle proposée par les Britanniques, mais le traité de Rome, et rien ne devait détourner les Six de cet objectif. Ce n'est qu'en février 1957 que le Conseil des ministres de l'OECE décida d'ouvrir les négociations concernant la création d'une zone européenne de libre-échange. Le traité de Rome fut signé le mois suivant, et l'Assemblée nationale française le ratifia en juillet. La libéralisation du commerce à l'intérieur de la CEE devait commencer le 1er janvier 1959, ce qui ajoutait un sentiment d'urgence aux négociations sur la zone de libre-échange.

Les négociations plaçaient la France devant un dilemme[7]. Elle ne tenait pas absolument à la libéralisation des échanges, mais soutenait le projet de la CEE pour les bénéfices politiques qu'elle en attendait. En outre, cette libéralisation devait être progressive, et des mesures devaient être prises pour que les différents secteurs de l'économie française ne souffrent pas d'une concurrence injuste ; enfin, d'importantes compensations financières étaient prévues, en particulier la Politique agricole commune (PAC) et le Fonds européen de développement (FED), qui devait subventionner les territoires français d'outre-mer. S'agissant de la zone de libre-échange, en revanche, la libéralisation qu'elle devait instaurer présentait de nombreux coûts, mais aucun avantage. Les Français furent donc, dès le début, hostiles à la proposition, sans pouvoir pour autant se permettre de la torpiller sous peine d'essuyer l'opprobre général que cela aurait suscité, au sein et en dehors de la CEE.

Deux facteurs vinrent à leur secours. À partir de janvier 1958, la nouvelle Commission de la CEE, très favorable au fédéralisme, et qui voulait éviter que la CEE ne devienne une simple zone de libre-échange, s'affirma comme une force d'opposition supplémentaire aux propositions de zone de libre-échange. Plus important encore, l'ineptie des diplomates britanniques permit que la France ne fût pas aussi isolée qu'elle aurait dû l'être[8]. Non seulement les tentatives maladroites de Macmillan pour affaiblir le processus de Messine avaient ébranlé la confiance mais, en concevant le Plan G, les responsables politiques du Royaume-Uni s'étaient principalement préoccupés de ce qui permettrait d'arriver à un consensus sur la question en Grande-Bretagne. Aussi avaient-ils élaboré un projet qui faisait la part belle aux intérêts britanniques et négligé les intérêts des autres pays. La proposition d'exclure l'agriculture isolait totalement la Grande-Bretagne, non seulement par rapport aux Six, mais aussi par rapport aux autres membres de l'OECE : une zone de libre-échange ne concernant que les biens industriels ne présentait pas un attrait suffisant pour les pays européens qui comptaient sur les exportations agricoles. La Grande-Bretagne sous-estimait également la volonté des Six de préserver leur unité politique. Même dans ces conditions, cependant, il fallut les manœuvres adroites de la diplomatie française, et la demande directe faite par de Gaulle à Adenauer de montrer son attachement à la CEE en rejetant la zone de libre-échange, pour que les Français puissent y opposer effectivement leur veto.

L'AELE et le premier élargissement des Communautés européennes[9]

Presque immédiatement, des discussions commencèrent à Genève pour voir s'il serait possible de négocier une zone de libre-échange plus modeste. Les pays concernés étaient les « Autres Six », parmi lesquels le Royaume-Uni, et le Portugal[10]. Les négociations officielles démarrèrent en juin 1959, et la convention de Stockholm créant l'Association européenne de libre-échange (AELE) fut signée en janvier de l'année suivante.

Par la convention de Stockholm, les États membres s'engageaient à créer une zone de libre-échange industrielle d'ici 1970. Rien n'était prévu au sujet des barrières douanières érigées à l'encontre de tierces parties. L'AELE était – et elle est restée – une organisation purement intergouvernementale, dont l'unique institution était un Conseil des ministres, rarement réuni et aidé par un petit secrétariat. Résultat, l'OECE était désormais divisée en trois groupes : la CEE, l'AELE et les autres (Grèce, Irlande, Islande et Turquie). La Grèce et la Turquie ne tarderaient pas à négocier des accords d'association avec la CEE, qui leur offrait la perspective de devenir membres ; l'Irlande signerait un traité bilatéral de libre-échange avec le Royaume-Uni en 1965 ; l'Islande rejoindrait l'AELE en 1970.

Aux yeux des Britanniques, l'objet de l'AELE n'était pas d'offrir de façon permanente une alternative à la CEE, mais de servir de pont provisoire entre ces deux organisations[11]. D'un autre côté, les Britanniques espéraient qu'en présentant un front uni, les « Autres Six » pourraient conserver leur cohésion et éviter d'être « mangés, un par un, par les Six », comme le disait Macmillan. Le Danemark, en particulier, qui dépendait autant du marché allemand que du marché britannique, était considéré comme particulièrement susceptible d'être attiré dans l'orbite de la CEE. De façon moins défensive, les Britanniques espéraient aussi que l'importance des marchés de l'AELE pour l'industrie allemande conduirait ce pays à faire pression sur ses partenaires (à savoir la France) afin qu'un accord commercial fût signé entre les deux blocs. L'AELE avait donc été conçue par les Britanniques comme un nouvel outil tactique pour réaliser leur objectif : créer une zone de libre-échange englobant toute l'Europe.

Pendant la première année de son existence, l'AELE se préoccupa donc principalement d'essayer de relancer des négociations européennes sur le libre-échange. Mais ces efforts furent vains. Survint alors un des revirements les plus étonnants dans l'histoire diplomatique européenne de l'après-guerre : la décision de Macmillan, en 1961, de présenter la candidature du Royaume-Uni à l'entrée dans la CEE. Les raisons à cela étaient nombreuses, et les débats sur leur importance relative ont été considérables. Au moins trois considérations d'ordre économique ont joué un rôle éminent[12]. Premièrement, le Royaume-Uni commerçait davantage avec les pays de la CEE qu'avec ceux de l'AELE et, faute d'un accord de libre-échange élargi, l'entrée dans la première pouvait s'avérer nécessaire pour protéger les exportations britanniques dans les pays qui en étaient membres. Deuxièmement, le commerce avec le Commonwealth perdait de plus en plus de son importance pour le Royaume-Uni, car les colonies, devenues indépendantes, choisissaient de mener des politiques de développement et des politiques commerciales autocentrées. Troisièmement, la CEE connaissait à cette époque une croissance économique digne d'un âge d'or, qui soulignait le poids de ses marchés pour la Grande-Bretagne et aiguisait les craintes suscitées par les résultats de l'économie britannique. On espérait ainsi, à Londres, que la concurrence industrielle avec l'Allemagne permettrait d'améliorer la productivité du pays.

Il y avait aussi d'importantes considérations politiques. Et en premier lieu l'attitude des États-Unis[13]. La CEE imposait à ce pays un coût économique direct en discriminant ses exportateurs. Il était prêt à l'accepter parce que la CEE promouvait l'intégration politique en Europe. L'AELE discriminait elle aussi les exportateurs américains, mais sans offrir les compensations politiques adéquates. Les États-Unis étaient donc hostiles à l'AELE et soutenaient fortement la CEE. Peu à peu, les dirigeants britanniques comprirent que s'ils souhaitaient conserver une relation spéciale avec les États-Unis, il leur faudrait rejoindre le Marché commun et ne plus en être exclus. Pour Miriam Camps, ce fut « un élément très important, et peut-être l'élément décisif, dans la décision de Macmillan de présenter la candidature du Royaume-Uni[14] ».

Si les Britanniques ont peut-être été motivés par des considérations à la fois économiques et politiques, la décision de Macmillan de candidater à l'entrée dans la CEE eut pour conséquences trois candidatures qui obéissaient toutes à des motivations clairement économiques. Le marché britannique était si important pour le Danemark, l'Irlande et la Norvège que ces trois pays présentèrent eux aussi leur candidature à Bruxelles : si le Royaume-Uni entrait dans la CEE, il leur faudrait y entrer eux aussi – ou subir des discriminations sur un marché clef.

La décision de Macmillan n'était pas sans risque. Il y eut, dès le départ, des conservateurs qui redoutaient autant les conséquences de l'entrée de la Grande-Bretagne dans la CEE sur ses relations avec les dominions que le caractère supranational de l'organisation à laquelle elle allait peut-être adhérer. La presse était divisée sur la question : le *Daily Telegraph*, le *Daily Mail*, le *Daily Mirror* et le *Times* étaient pour, mais le *Daily Express* s'opposait fortement à l'entrée dans une organisation que son propriétaire considérait comme « un truc des Américains pour nous mettre avec l'Allemagne ». Des responsables politiques furent envoyés expliquer la nouvelle politique du royaume aux dominions, qui se montrèrent peu enthousiastes. Le vieillissant Winston Churchill fit savoir que si la Grande-Bretagne devait un jour choisir entre l'Europe et son rôle historique de leader du Commonwealth britannique, elle « choisirait toujours l'Empire et le Commonwealth[15] ».

Les conservateurs, dans les années 1940, avaient été à l'avant-garde du mouvement pour une Europe unie, et beaucoup étaient encore fortement proeuropéens. C'est le Parti travailliste qui était le plus eurosceptique des deux grands partis du pays. Mais, comme l'écrit Grob-Fitzgibbon, de nombreux « conservateurs proeuropéens [...] étaient désormais sceptiques quant à l'engagement britannique vis-à-vis du Marché commun. Ils avaient espéré voir la Grande-Bretagne prendre la direction d'une Europe unie, sur le modèle du Commonwealth britannique, une Europe qui aurait été étroitement attachée à la mission impériale de la Grande-Bretagne dans le monde. L'entrée de celle-ci dans une organisation européenne existante et dotée d'une structure fédérale ne correspondait pas à la vision qui avait été la leur de "l'Europe", vision à laquelle ils s'efforçaient maintenant de donner corps après l'effondrement de l'Empire[16] ».

En attendant, les opposants à l'entrée dans la CEE n'avaient rien à craindre – au moins dans l'immédiat. Comme cela avait été le cas lors des discussions sur une zone européenne de libre-échange, il y avait une divergence d'opinions entre la France et les cinq autres membres de la CEE à propos de l'intérêt de ces candidatures, et de Gaulle, une fois encore, y opposa son veto, en janvier 1963. Cela provoqua une forte détérioration des relations entre la France et ses partenaires, et une amélioration tout aussi forte du fonctionnement de l'AELE, qui décida d'avancer de trois ans la suppression des droits de douane intérieurs.

Pourquoi de Gaulle opposa-t-il son veto à l'entrée des Britanniques ? Les spécialistes en débattent encore. À première vue, la décision française paraît étonnante, car le général partageait le scepticisme des Britanniques vis-à-vis des institutions supranationales : la Grande-Bretagne aurait pu être, de ce point de vue, un allié utile de la France. Et d'ailleurs, une des raisons pour lesquelles l'année 1961 parut, aux yeux des Britanniques, le bon moment pour entrer dans la CEE, c'est qu'ils auraient pu travailler avec de Gaulle et façonner l'évolution de celle-ci d'une manière qui leur aurait convenu.

Politiquement, le général n'était guère pressé de voir l'influence française au sein de la CEE diminuer au profit de la Grande-Bretagne. Il partageait aussi l'idée de Macmillan selon laquelle le Royaume-Uni pouvait servir de cheval de Troie aux intérêts des États-Unis dans la Communauté. Inutile de dire qu'il voyait cette perspective aussi négativement que Macmillan et – il est intéressant de le rappeler – Jean Monnet la voyaient positivement[17]. Cela dit, le politologue américain Andrew Moravcsik estime qu'on ne peut comprendre le veto gaullien si l'on ne tient pas compte de raisons d'ordre économique[18]. L'acceptation du traité de Rome par les Français reposait sur l'assurance que serait mise en place une Politique agricole commune qui ouvrirait aux agriculteurs français les marchés allemands, tout en leur garantissant des prix élevés. Cependant, les détails précis de cette politique n'avaient pas encore été définis, et notamment la question de son financement. De Gaulle craignait que, si les Britanniques entraient dans la CEE avant que la PAC eût été négociée dans les moindres détails, la France ne réussisse pas à obtenir les termes favorables dont elle avait besoin. Si la France modéra plus tard sa vision de l'entrée de la Grande-Bretagne, ce ne fut pas seulement, selon Moravcsik, parce que de Gaulle fut contraint à la démission, en 1969, mais aussi parce que la PAC telle que nous la connaissons aujourd'hui avait enfin été « verrouillée ».

Quelles qu'en fussent les raisons, les Communautés européennes (CE) ouvrirent les négociations d'adhésion avec le Danemark, l'Irlande, la Norvège et le Royaume-Uni en 1970[19]. Le Premier ministre travailliste, Harold Wilson, qui avait longtemps été hostile à la candidature britannique, avait fini par admettre qu'il était dans l'intérêt de son pays d'adhérer, mais c'est l'ardent europhile conservateur Ted Heath qui, succédant à Wilson en juin 1970, entama en réalité les négociations. La Nouvelle-Zélande s'avéra un problème particulièrement épineux : en 1970, le Royaume-Uni lui achetait 90 % de ses exportations de beurre, 75 % de ses exportations de fromage et 86 % de ses exportations d'agneau[20]. Bien évidemment, le gouvernement néo-zélandais réclama un traitement spécial, pour pouvoir continuer à vendre ses produits laitiers et son agneau à la Grande-Bretagne. Il finit par obtenir le droit de vendre une quantité réduite de produits laitiers à l'ensemble de la CEE. En Grande-Bretagne, l'opinion comprenait cependant que le pays était en train de tourner le dos à ses amis les plus fidèles. Pas moins de 244 membres du Parlement, dont un cinquième de ceux qui soutenaient le gouvernement conservateur, et la majorité des travaillistes, votèrent contre l'entrée dans les Communautés européennes en 1971.

Les négociations se conclurent cependant avec succès en janvier 1972, et le premier élargissement des Communautés européennes eut lieu l'année suivante. L'Irlande et le Danemark adhérèrent, mais pas la Norvège, ses électeurs ayant décidé du contraire par référendum[21]. Il est frappant de noter que les espoirs conçus au moment de la création de l'AELE, et selon lesquels celle-ci devait permettre de faciliter les négociations d'une zone de libre-échange entre les Six et le reste de l'Europe, se réalisèrent précisément au moment où le Danemark et le Royaume-Uni quittèrent l'organisation. À ce stade, l'AELE était une zone de libre-échange industriel en parfait état de marche, et il était généralement accepté que les anciens partenaires du Royaume-Uni n'auraient pas à se heurter à des barrières douanières en Grande-Bretagne du fait de l'adhésion de ce pays aux Communautés européennes. Celles-ci négocièrent donc des accords séparés touchant la plupart des produits industriels avec les pays qui restaient dans l'AELE (Autriche, Islande, Norvège, Portugal, Suède, Suisse) et avec la Finlande. L'Association réalisait ainsi l'objectif historique en vue duquel le Royaume-Uni l'avait imaginée.

Le référendum de 1975

Le Royaume-Uni entra dans les Communautés européennes le 1er janvier 1973. Nombre de ses responsables politiques étaient mécontents de cet état des choses, ce qui eut les conséquences à long terme que nous connaissons. Et d'ailleurs, dès 1975, un référendum fut organisé pour savoir si le pays devait quitter ou non les Communautés européennes. Harold Wilson était revenu à la tête du gouvernement l'année précédente. Comme cela a été évoqué à plusieurs reprises, le Parti travailliste qu'il dirigeait était, par tradition, eurosceptique. Il y avait à cela plusieurs raisons. La CEE et, avant elle, la CECA étaient considérées comme des institutions capitalistes, et le fait d'en être membre rendrait difficile, voire impossible, la conduite de politiques socialistes en Grande-Bretagne. Il y avait des raisons impeccablement internationalistes pour préférer à l'Europe le Commonwealth britannique, car contrairement à la première, le second était une organisation multiraciale qui, « par sa nature même », devait « penser non pas à des problèmes régionaux mais à des problèmes mondiaux, dans l'intérêt de toutes les races et non pas d'une seule[22] ». Or les politiques protectionnistes de la CEE nuisaient aux intérêts des pays en développement. Par ailleurs certains responsables politiques travaillistes, par exemple Tony Benn, craignaient pour leur pays une perte de souveraineté.

Mais il y avait aussi sur les bancs travaillistes des europhiles fervents, en particulier Roy Jenkins, qui démissionna de son poste de directeur adjoint du parti, en 1972, en raison de la position antieuropéenne de celui-ci. Soixante-neuf membres du Parti travailliste votèrent pour rejoindre les CE en 1971 : sans leur soutien, le Royaume-Uni n'aurait pu le faire, compte tenu qu'une minorité de tories s'y était également opposée. Comment Harold Wilson fit-il pour préserver l'unité de son parti ? Le fait que l'entrée, qu'il avait lui-même organisée, avait de fait été négociée par les conservateurs lui donna la solution politique à ce problème politique : l'accord obtenu par Ted Heath n'était pas satisfaisant. C'est sur cette base qu'il vota contre l'adhésion aux Communautés européennes en 1971 et en 1972, alors même qu'il était en réalité convaincu, par pragmatisme, que la Grande-Bretagne avait intérêt à y entrer. Dans ses programmes électoraux de 1974 (car il y eut deux élections, en février et en octobre), le Parti travailliste promit de renégocier les conditions de l'entrée de la Grande-Bretagne et de « consulter le peuple par les urnes » quand cela aurait été fait.

Wilson fut à nouveau nommé Premier ministre en février 1974 et entreprit de tenir cette promesse de renégociation. Les partenaires européens de la Grande-Bretagne furent heureux de l'aider à sauver la face, d'autant qu'il ne se montra guère exigeant avec le contenu de la renégociation. On donna un peu plus aux Néo-Zélandais, et un nouveau Fonds européen de développement régional (FEDER) fut créé pour orienter l'argent destiné aux régions les plus pauvres (plusieurs d'entre elles se trouvant au Royaume-Uni). Enfin, en juin 1975, les citoyens britanniques furent « consultés par les urnes » : un référendum fut organisé, pour leur demander si le Royaume-Uni devait ou non rester dans les Communautés européennes. Wilson fit campagne pour le oui, mais laissa à ses ministres la liberté de se prononcer sur la question. Tony Benn, le secrétaire d'État à l'Industrie, prôna le retrait, tout comme le secrétaire d'État à l'Emploi, Michael Foot. Celui-ci s'opposa, en des termes qui semblent même aujourd'hui fort violents, à la perte de souveraineté impliquée par l'adhésion : « La superposition de l'appareil de la CEE rend le système parlementaire britannique grotesque et inopérant [...]. C'est comme si nous y mettions le feu, comme Hitler au Reichstag[23]. »

L'opposant conservateur le plus en vue fut Enoch Powell, que son discours sur les « fleuves de sang », en 1968, qui dénonçait l'immigration noire en Grande-Bretagne, avait rendu célèbre. Même à l'époque, son racisme avait été violemment condamné, et Heath avait chassé Powell du Shadow Cabinet. Powell était un des principaux partisans de l'idée que l'appartenance aux Communautés européennes affaiblissait la souveraineté britannique ; plus tard, il devint ce que Hugo Young appelle « le parrain de la tribu des héritiers, pour qui la nation n'était pas seulement quelque chose, mais toute chose[24] ». À l'époque du référendum, il n'était plus membre du Parti tory : en 1974, il avait appelé l'électorat à voter travailliste en raison de l'hostilité de celui-ci à l'Europe. Lors de l'élection d'octobre il retrouva un siège au Parlement non pas comme conservateur mais comme unioniste de l'Ulster, pour la circonscription de South Down, en Irlande du Nord. L'Irlande du Nord fut un terreau fertile pour les hommes politiques antieuropéens comme Powell, même si le sectarisme religieux qui conduisit de nombreux protestants de l'Ulster à voter « non » n'était guère de son goût. L'ecclésiastique et politique ardemment anticatholique Ian Paisley fut un des principaux militants pour le « non » dans la province, et ne dissimula pas les motifs de son aversion pour le « super-État papiste » ; des affiches informaient les électeurs qu'un vote « oui » était un vote pour : « 1. Rome. 2. L'œcuménisme. 3. La dictature. 4. L'Antéchrist[25]. »

Cependant, dans un pays qui goûtait encore la modération, le soutien d'un Paisley ou d'un Powell ne constituait guère, loin de là, un atout électoral. Les partisans du « oui » n'eurent aucun mal à décrire les opposants à l'Europe comme des extrémistes, et c'est d'ailleurs ce qu'ils étaient, pour la plupart. Ironiquement – ou non –, la très terroriste Armée républicaine irlandaise (IRA), la grande ennemie de Paisley, défendit aussi le « non », tout comme l'Union soviétique. Les affiches pour le « oui » le disaient très simplement. Il y avait d'un côté : « Le Parti travailliste. Le Parti conservateur. Le Parti libéral. L'Union nationale des agriculteurs. L'Australie. Le Canada. La Nouvelle-Zélande. » Et il y avait de l'autre : « L'IRA. Le Parti communiste. Le National Front. Les marxistes internationaux. Le révérend Ian Paisley[26]. »

Le résultat fut un rejet sans appel de ce que nous appelons aujourd'hui le Brexit, par 67 % de oui contre 33 % de non. Le peuple avait parlé ; la question était définitivement tranchée.

CHAPITRE 5

Le programme du marché unique

Comme nous l'avons vu dans le chapitre précédent, il n'a fallu que deux ans après l'entrée du Royaume-Uni dans les Communautés européennes (CE) pour que ce pays organise un référendum sur une éventuelle sortie. Bien qu'il eût débouché sur l'affirmation définitive de son appartenance à l'Europe, ce n'était guère un point de départ heureux pour la relation nouvellement nouée. Facteur aggravant, les années 1970 furent difficiles sur le plan économique, et pas seulement au Royaume-Uni. Ce nouveau contexte eut des conséquences politiques immédiates et à long terme à la fois dans ce pays et dans le reste des Communautés européennes.

La fin de l'âge d'or

Les historiens de l'économie qualifient souvent la période allant de 1945 (ou de 1950) à 1973 d'âge d'or économique ; l'appellation consacrée en France est celle de Trente Glorieuses et en Allemagne de Wirtschatfswunder (« Miracle économique »). Les cinq années qui suivirent la guerre connurent une croissance rapide, fondée sur la reconstruction, mais le miracle se poursuivit après 1950, date à laquelle la reconstruction était pour l'essentiel accomplie. Il y a à cela plusieurs raisons, au premier rang desquelles le retard technologique pris par l'Europe par rapport aux États-Unis, retard qui signifiait que celle-ci pouvait croître plus rapidement en important des technologies déjà développées ailleurs. Comme on l'a vu au chapitre 1, il fallut pour ce faire des niveaux d'investissement élevés, qui permirent de construire les usines incorporant les technologies nouvelles. C'est dans les pays où l'investissement fut le plus massif que la croissance fut la plus vive ; les investissements furent d'autant plus importants que le niveau d'épargne était élevé (l'épargne étant nécessaire pour les financer) ; et le niveau d'épargne fut d'autant plus important que les profits des entreprises étaient élevés et réinvestis à leur tour – au lieu de servir à payer des dividendes. Ce mécanisme fut grandement facilité par les négociations collectives de la période : la direction et les travailleurs des firmes surent coopérer pour faire en sorte à la fois que le niveau de profit soit élevé, et que ces profits soient réinvestis afin que tout le monde soit gagnant à long terme[1]. En outre, les investissements furent d'autant plus profitables que les firmes avaient la liberté de vendre leurs produits au-delà des frontières nationales, et c'est pourquoi l'intégration économique européenne a joué à l'époque un rôle si important dans les stratégies de croissance nationales.

Pendant cet âge d'or, les résultats économiques du Royaume-Uni furent très décevants. La figure 5.1 représente le produit intérieur brut (PIB) par habitant du pays en pourcentage de celui de la France et de l'Allemagne. Ainsi qu'on peut le voir, le Royaume-Uni était, au tout début de l'après-guerre, bien plus riche que les deux autres pays, mais la croissance plus rapide sur le continent affaiblit sa position économique relative. Ces mauvais résultats s'expliquent par plusieurs raisons : les relations de travail étaient, par exemple, beaucoup moins consensuelles en Grande-Bretagne qu'ailleurs en Europe occidentale, et l'industrie britannique opérait dans un environnement relativement peu compétitif. La morosité du contexte

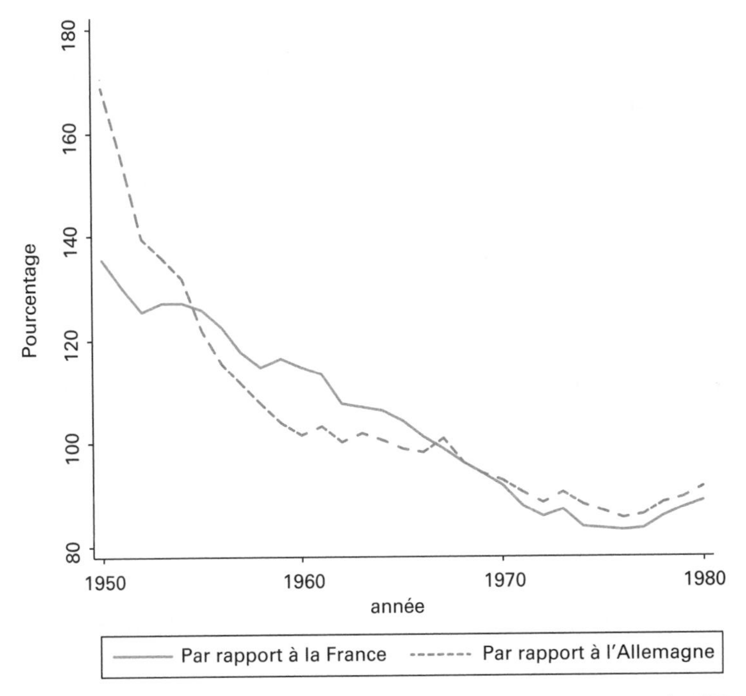

Figure 5.1. PIB britannique par habitant, en pourcentage du PIB par habitant de la France et de l'Allemagne.
Source : Bolt *et al.* (2018a, 2018b).

économique joua un rôle important dans les années 1960 en poussant l'opinion politique britannique dans un sens proeuropéen. On espérait qu'en supprimant les barrières douanières, et en obligeant l'industrie britannique à être en concurrence avec l'Allemagne, la productivité augmenterait, et avec elle le niveau de vie.

Mais quand la Grande-Bretagne se décida enfin à entrer dans les Communautés européennes, l'âge d'or arriva à son terme. On crut à l'époque que cela avait été provoqué par la guerre du Kippour, qui éclata en octobre 1973, et par l'embargo pétrolier qui suivit, décidé par l'OPEP. Et il est vrai que le choc pétrolier inaugura dix années de désastre économique. Les prix élevés de l'énergie se traduisirent par une inflation élevée ; l'augmentation des coûts et des prix provoqua une baisse des ventes, laquelle entraîna une forte augmentation du chômage. Pour les économistes et les décideurs politiques, ce fut un véritable choc : la théorie et l'expérience suggéraient que le cycle économique passait par des périodes de forte inflation et de chômage bas, suivies de périodes d'inflation faible et de chômage élevé. Quand le chômage était bas et l'inflation haute, il convenait de contenir la demande économique en faisant monter les taux d'intérêt, en restreignant les dépenses publiques ou en augmentant les impôts. Quand le chômage était élevé et l'inflation basse, c'était l'inverse. La politique qu'il convenait de mener en cas de chômage fort et d'inflation élevée était, en revanche, beaucoup moins claire. Et les dix années qui suivirent furent partout très difficiles[2].

Rétrospectivement, cependant, nous savons que des facteurs plus profonds étaient à l'œuvre. Le ralentissement de la croissance économique en Europe ne fut pas temporaire mais permanent. Les forces de long terme qui avaient favorisé une croissance rapide pendant les trente années qui avaient suivi la guerre n'étaient plus. L'Europe était, pour une part, victime de son succès : on ne peut plus bénéficier d'une croissance rapide de rattrapage une fois que le rattrapage a eu lieu. Il n'est plus possible non plus de croître rapidement en transférant la main-d'œuvre agricole à faible productivité vers les emplois à forte productivité des secteurs de l'industrie et des services quand la baisse de l'emploi agricole a dépassé un certain niveau. Dans l'environnement économique difficile des années 1970, il devint de plus en plus compliqué de poursuivre des stratégies de croissance nécessitant la coopération active du patronat et des syndicats, et la mondialisation la rendit encore plus délicate : car pourquoi les travailleurs auraient-ils continué à contribuer aux profits et à l'investissement si l'investissement ne se faisait plus au niveau national mais dans d'autres pays ? Enfin, les institutions qui avaient facilité la croissance de rattrapage n'étaient plus adaptées à des économies plus proches de la frontière technologique, où la croissance future ne reposerait plus sur l'importation de technologies déjà inventées ailleurs, et où il faudrait au contraire les inventer soi-même[3].

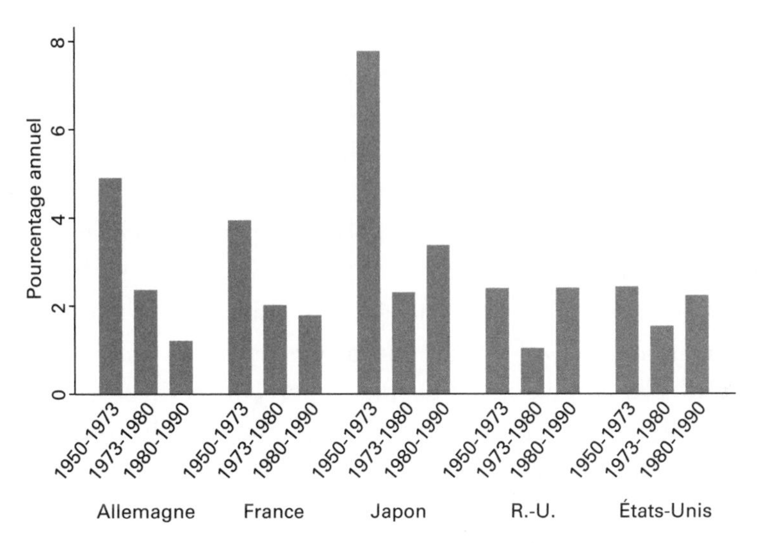

Figure 5.2. Croissance économique par habitant, 1950-1990 (pourcentage annuel).

Source : Bolt *et al. (2018a, 2018b).*

La figure 5.2 représente le taux de croissance moyen de cinq économies (l'Allemagne, les États-Unis, la France, le Japon et le Royaume-Uni) pendant trois périodes : l'âge d'or (1950-1973), le reste des années 1970 et les années 1980. Comme on peut le voir, la croyance ralentit partout après 1973. Elle baissa pratiquement de moitié dans les trois pays européens retenus ici, mais comme le taux de croissance initial avait été bien supérieur en Allemagne et en France (de l'ordre de 4 ou 5 %) qu'au Royaume-Uni (pas plus de 2,4 %), les taux de croissance restèrent respectables sur le continent, mais ne dépassèrent guère 1 % par an en Grande-Bretagne. L'inflation fut aussi particulièrement élevée dans ce pays : elle fut en moyenne de 15,4 % chaque année entre 1973 et 1980, contre 10,5 % en France et seulement 4,9 % en Allemagne[4]. En 1976, le gouvernement britannique fut contraint de solliciter un prêt d'urgence au Fonds monétaire international (FMI). Il n'est donc guère étonnant qu'en 1979 le Parti conservateur, dirigé par Margaret Thatcher, ait triomphé aux élections. Ni que certains mettent les difficultés économiques de cette décennie sur le compte de l'entrée du Royaume-Uni dans les Communautés européennes, qui avait coïncidé avec le tournant de 1973. Quant au Parti travailliste, déjà largement hostile à l'Europe, son hostilité ne fit que croître une fois qu'il eut perdu le pouvoir. En 1980, Michael Foot en devint le chef et le Labour se donna officiellement pour objectif d'en faire sortir la Grande-Bretagne.

Margaret Thatcher avait succédé à Ted Heath à la tête du Parti conservateur en 1975 et fait campagne pour le « oui » au référendum. Les conservateurs étaient encore un parti proeuropéen, mais Thatcher ne partageait pas l'attachement à l'Europe de son prédécesseur, bien au contraire. Elle se méfiait en particulier des Allemands, ainsi que du catholicisme, et abhorrait la tradition de la négociation et du compromis chère au continent[5]. Le compromis n'est certes pas la première chose qui vient à l'esprit quand on songe à Margaret Thatcher. C'est pourquoi il est fort étonnant que le gouvernement britannique soit devenu, sous sa direction, un partisan enthousiaste du plus grand approfondissement de l'intégration européenne depuis les années 1950. C'est pourtant bien ce qui s'est passé, et le programme du marché unique qui fut élaboré sous l'œil vigilant de Thatcher est encore, à ce jour, le grand œuvre des Communautés européennes et de l'Union européenne (UE) qui leur succéda. Comme le marché unique est d'une importance fondamentale pour l'Union européenne et pour le Brexit, et que sa nature et ses implications restent incroyablement mal comprises en Grande-Bretagne, il vaut la peine de prendre le temps de les rappeler.

Le programme de 1992

« *I want my money back** ! » Quand les Français pensent à Margaret Thatcher et à l'Europe, c'est sans doute la première phrase qui leur vient à l'esprit. Elle fut prononcée pour la première fois au Conseil européen (c'est-à-dire la réunion des chefs d'État et de gouvernement européens) de Dublin, en novembre 1979, peu après l'arrivée de Thatcher au pouvoir. Pour celle-ci, les résultats très médiocres de l'économie britannique pendant les années 1970 et avant étaient une partie du problème : comme son pays n'était, sur les neuf États membres, que le septième en termes de richesse, pourquoi devait-il être aussi un des plus gros contributeurs du budget européen ? Il est également vrai que la Politique agricole commune (PAC), à laquelle était consacrée la plus grande part de celui-ci à l'époque, bénéficiait bien moins au Royaume-Uni qu'aux économies plus agricoles comme la France, les Pays-Bas ou l'Italie. Il n'en demeure pas moins que la rugosité avec laquelle Thatcher présenta ses revendications fut jugée choquante par ses homologues, et ni Valéry Giscard d'Estaing ni Helmut Schmidt ne se sentirent tenus d'y répondre poliment[6].

La bataille à propos de la contribution britannique au budget européen s'est poursuivie cinq années durant et, à la fin, on rendit son argent à Margaret Thatcher. Mais le sommet où les Européens finirent par céder, en juin 1984, à Fontainebleau, ne resta pas seulement dans les mémoires comme une victoire des Britanniques. L'Europe était à l'époque en proie au doute, un doute largement alimenté par la stagnation économique évoquée plus haut. En France, le chômage, passé de 2,7 % en 1973 à 6,4 % en 1980, s'était brutalement élevé à 9,5 % en 1984. Politiquement, l'intégration semblait marquer le pas, malgré l'entrée de la Grèce

* L'expression est si connue telle quelle qu'il n'a pas semblé nécessaire de la traduire. Elle signifie tout simplement : « Rendez-moi mon argent ! »

dans les Communautés européennes, en 1981, et les négociations en cours avec l'Espagne et le Portugal. La récession des années 1970 avait conduit les différents gouvernements des Communautés à protéger leurs industries nationales, en utilisant leur réglementation en matière de santé ou de sécurité pour que les entreprises étrangères aient plus de mal à vendre sur leurs marchés, ou en refusant de dépenser de l'argent public pour acheter des produits étrangers. L'« eurosclérose », économique et politique, était à l'ordre du jour.

C'est à ce moment-là que Valéry Giscard d'Estaing et Helmut Schmidt furent remplacés par François Mitterrand et Helmut Kohl. Pour les deux hommes, l'intégration européenne avait besoin d'un coup de fouet, mais la suppression des barrières douanières entre les États membres ne pouvait y suffire. Quant à la fervente promotrice du libre-échange qu'était Margaret Thatcher, elle avait hâte de se débarrasser des dispositifs qui protégeaient ces États membres. Le sommet de Fontainebleau convint de « procéder sans délai à une étude des mesures qui pourraient être prises dans un futur proche [comme] l'abolition de toutes les formalités policières et douanières pour les individus traversant les frontières intracommunautaires ». Jacques Delors, qui devint président de la Commission européenne en 1985 avec le soutien de Thatcher, ne perdra pas de temps à répondre à l'annonce faite à Fontainebleau.

Son bras droit pour ce faire n'était autre qu'Arthur Cockfield, un membre du gouvernement britannique dont la principale fonction à l'époque était de servir de confident à Margaret Thatcher. À la demande expresse de celle-ci, il fut envoyé à Bruxelles dans le but d'élaborer un plan visant à la création d'un marché unique européen. Cela déboucha sur un Livre blanc, publié en juin 1985, qui identifiait les 297 barrières économiques intraeuropéennes ayant vocation à être supprimées d'ici 1992, d'où l'expression souvent utilisée de « programme de 1992 » pour décrire le processus de création de ce qui n'était plus le « Marché commun » mais le « marché unique[7] ».

Le Livre blanc identifiait trois grands types de barrières appelées à être supprimées. Il y avait d'abord les barrières physiques aux échanges, en particulier les postes de douane aux frontières, où les transporteurs devaient soumettre leurs chargements à inspection chaque fois qu'ils passaient d'un pays dans un autre, par voie de terre, d'air ou de mer. Ces barrières étaient visées en vertu d'un pragmatisme tout anglo-saxon : « La justification pour se débarrasser entièrement de ces contrôles physiques ou d'autres types de contrôles entre les États membres ne relève pas de la théologie ou du souci des apparences mais tient à la constatation pratique que le maintien de tout contrôle aux frontières internes perpétue aussi les coûts et les désavantages que comporte immanquablement un marché fractionné. » Le temps, c'est de l'argent, or les retards aux frontières coûtent de l'argent. En même temps, le Livre blanc reconnaissait qu'il y avait des avantages politiques à supprimer les contrôles aux frontières : « Ce sont les barrières physiques aux postes de douane, les contrôles de l'immigration, les passeports, les fouilles éventuelles des bagages personnels, qui, pour le citoyen ordinaire, sont la manifestation évidente de la division permanente de la Communauté. » Fondamentalement, l'élimination de cette première catégorie de barrières nécessitait celle des deux autres, à savoir les barrières techniques et fiscales, car les barrières physiques existaient « principalement à cause du cloisonnement technique et fiscal entre États membres ». Comme nous le verrons, cette logique simple, affirmée par un Britannique il y a plus de trente ans, est aujourd'hui ignorée de beaucoup au Royaume-Uni.

La deuxième catégorie de barrières à supprimer était donc constituée des barrières techniques, par exemple les barrières techniques au commerce des biens et des services résultant des réglementations nationales en matière de santé, de sécurité, de protection du consommateur et d'environnement. D'après une étude de la Commission, les industriels les rangeaient à l'époque parmi les barrières les plus importantes et les plus coûteuses[8]. Non seulement les pays pouvaient tailler leurs réglementations pour décourager les importations en provenance des autres États membres, mais ces différentes réglementations avaient aussi un impact sur l'économie européenne dans son ensemble. Si une firme voulait vendre des sièges de voiture pour enfants dans la Communauté, par exemple, et si chacun des dix États membres avait adopté des normes techniques différentes pour que le produit puisse être légalement vendu chez eux, alors la firme devrait fabriquer dix sièges différents et les vendre non pas sur un marché de plus de 300 millions de consommateurs mais sur chaque marché national, dont certains étaient assurément très petits[9]. Cela présentait un coût pour plusieurs raisons. La première renvoie à ce que les économistes appellent les « économies d'échelle ». Dans bien des secteurs, le coût unitaire d'un bien est beaucoup moins élevé quand il est produit en grandes quantités, par exemple parce que les coûts fixes d'investissement peuvent être répartis sur un nombre plus grand d'unités. Sur un marché européen fragmenté, les firmes européennes tendaient à être excessivement petites, ce qui les rendait à la fois inefficaces et peu compétitives, notamment par rapport à leurs rivales américaines et japonaises. (C'était le Japon, et non pas la Chine, qui effrayait les observateurs, à l'époque.) En second lieu, la division des marchés nationaux se traduisait par une faible concurrence : au lieu de disposer de grandes firmes paneuropéennes rivalisant sur la totalité du marché communautaire, l'Europe présentait un foisonnement de petites entreprises nationales qui bénéficiaient sur leur marché d'une position de monopole. Cela avait deux résultats : des prix élevés pour le consommateur et une économie européenne encore moins compétitive.

La solution qui s'imposait était d'assurer que les produits fabriqués dans un État membre puissent être légalement vendus dans tous les autres. On y arriva de plusieurs façons. Premièrement, la Commission put s'appuyer sur une célèbre décision de justice de 1979, l'affaire *Cassis de Dijon*. En Allemagne, la Bundesmonopolverwaltung für Branntwein (Administration fédérale du monopole des alcools) avait tenté d'empêcher la vente de crème de cassis de Dijon outre-Rhin, au motif que la teneur en alcool de la boisson ne dépassait pas les 15 à 20 %. Or la législation allemande exigeait que les liqueurs aient une teneur en alcool minimum de 25 %. La Cour de justice européenne estima que cette disposition ne poursuivait « pas un but d'intérêt général de nature à primer les exigences de la libre circulation des marchandises » et qu'elle constituait essentiellement « un obstacle aux échanges ». Il n'y avait pas de raison qu'une boisson fabriquée et commercialisée légalement dans un État membre soit exclue dans un autre[10]. Autrement dit, la Commission se servit d'un corpus juridique qui mettait en avant le principe de « reconnaissance mutuelle » des règles nationales. En permettant de réduire significativement la quantité de lois nécessaires pour éliminer les barrières commerciales dans la Communauté, cela simplifiait évidemment considérablement la tâche. Cependant, une législation européenne restait nécessaire dans un certain nombre de domaines, par exemple pour créer des normes en matière de santé et de sécurité opposables dans l'ensemble des Communautés européennes. Des normes définies de façon précise au niveau européen pourraient permettre aux entreprises de prouver qu'elles les respectaient. Comme nous l'avons vu au chapitre 1, un des principaux objectifs de l'intégration européenne est de faire en sorte que la libéralisation du commerce ne se fasse pas au détriment d'une course au moins-disant réglementaire. Il n'est donc pas étonnant que l'Acte unique européen, qui fut approuvé en 1986, et qui mit en route le processus de 1992, ait précisé que : « La Commission, dans ses propositions [...] en matière de santé, de sécurité, de protection de l'environnement et de protection des consommateurs, prend pour base un niveau de protection élevé[11]. »

Enfin, la suppression des barrières physiques nécessitait également celle de la troisième catégorie de barrières examinées dans le Livre blanc : les barrières fiscales, qui nécessitaient des contrôles frontaliers spécifiques. Les droits de douane avaient bien sûr déjà été supprimés, mais les États prélevaient (et prélèvent encore) des sommes substantielles par le biais de la fiscalité indirecte, c'est-à-dire en taxant la vente de biens et de services (au lieu de taxer les salaires, la rente foncière ou les profits). La fiscalité indirecte en Europe se présente sous deux formes : la taxe sur la valeur ajoutée (ou TVA) et les droits d'accise, qui sont des taxes directes sur la quantité consommée de certains biens comme l'alcool, le tabac et l'essence. Comme les États membres n'avaient pas les mêmes taux de taxation, la tentation était grande pour eux de contrôler les biens traversant la frontière nationale afin de s'assurer que ces recettes fiscales ne soient pas perdues. Par exemple, un État ayant un droit d'accise relativement élevé sur le tabac avait largement intérêt à empêcher les fumeurs d'acheter leur tabac à l'étranger. De façon moins évidente, car le sujet est en soi compliqué (mais, espérons-le, pas trop), la TVA rendait également nécessaires certaines formalités douanières. Comme la question a une grande importance pour le Brexit, alors même qu'elle est généralement peu traitée, je me permettrai de faire ici, en priant le lecteur de me pardonner, un indispensable petit détour.

Il faut parler de TVA

La TVA est un cadeau fait par la France au monde. En réalité, elle a été inventée par un Allemand, ou peut-être un Américain, mais c'est Colbert qui a déclaré : « L'art de l'imposition consiste à plumer l'oie pour obtenir le plus possible de plumes avec le moins possible de cris » ; et c'est la France qui adopta la première une taxe sur la valeur ajoutée, en 1954[12]. La TVA est une taxe sur les ventes. Contrairement aux droits d'accise, la taxe sur les ventes n'est pas prélevée sur la vente de marchandises particulières, mais sur celle de biens et de services en général. Elle se présente sous différentes formes : taxe sur le chiffre d'affaires, taxe sur les ventes au détail et TVA. Si le choix de l'Europe a convergé vers la TVA, ce n'est pas seulement en vertu de l'exemple donné par la France, mais en raison de la logique de l'intégration économique européenne.

Pour examiner les différences entre ces taxes sur les ventes, et commencer à comprendre le problème que peut poser la TVA pour le Brexit, nous allons partir d'un exemple très simple. Imaginons qu'un agriculteur produise pour 1 000 euros d'orge. Pour simplifier encore, imaginons qu'il n'ait aucun coût : sa valeur ajoutée (la différence entre la valeur de ce qu'il produit et le coût de ses achats) est de 1 000 euros. Imaginons qu'une brasserie produise de la bière et la vende à un pub pour 3 000 euros. Ses seuls inputs (achats) sont l'orge que lui vend l'agriculteur. Sa valeur ajoutée est donc de 3 000 euros moins le coût de l'orge (1 000 euros), soit 2 000 euros. Enfin, supposons que le pub vende la bière à ses clients pour 6 000 euros. Sa valeur ajoutée est égale à 6 000 euros moins le coût de la bière (3 000 euros), soit 3 000 euros.

Imaginons maintenant que le gouvernement souhaite imposer une taxe sur les ventes de 10 %. Une pareille taxe sur le chiffre d'affaires taxerait les ventes de toutes les entreprises de notre exemple au taux de 10 % : il y aurait une taxe de 10 % sur les ventes de l'agriculteur, une taxe de 10 % sur les ventes de la brasserie et une taxe de 10 % sur les ventes du pub. Vous voyez le problème ? Si le pub achetait l'affaire du brasseur et l'exploitation de l'agriculteur (si la production devenait « intégrée verticalement » et s'effectuait à l'intérieur d'une seule et même entreprise, plus grande), les seules ventes qui pourraient être taxées par le gouvernement seraient les ventes finales au consommateur. D'un autre côté, si les trois entreprises restent séparées, non seulement les ventes finales au consommateur sont taxées, mais le sont également les deux ventes intermédiaires de notre exemple (la vente d'orge de l'agriculteur au brasseur et la vente de bière du brasseur au pub). Ce genre de taxe sur le chiffre d'affaires incite donc fortement les entreprises à s'intégrer verticalement, et donne artificiellement un avantage important aux grandes entreprises sur les petites. C'est pourquoi les taxes sur le chiffre d'affaires sont généralement considérées comme inefficaces et non souhaitables[13].

La taxe sur les ventes au détail permet de résoudre ce genre de problème. Elle ne taxe que les ventes aux consommateurs finals, les ventes aux autres entreprises en sont exemptes. Dans notre exemple, une taxe sur les ventes au détail se traduirait par une taxe de 10 % sur les ventes réalisées par le pub à ses clients, qui sont les consommateurs finaux. Le pub augmenterait de 10 % le prix facturé à ses clients, qui paieraient ainsi 6 000 euros + 10 %, soit 6 600 euros, et verserait les 600 euros à l'État. Il faudrait instituer un dispositif de certification permettant d'attester que le pub et la brasserie sont des entreprises, et que les ventes de bière au pub et d'orge à la brasserie peuvent être exemptées de taxe[14]. Le pub, la brasserie et l'exploitation agricole ne sont pas incités artificiellement, pour des raisons fiscales, à fusionner, car les ventes de l'exploitation à la brasserie et de celle-ci au pub sont exemptées de taxe en toutes circonstances.

Imaginons enfin que l'État impose une taxe de 10 % sur la valeur ajoutée. Comme la taxe sur le chiffre d'affaires, celle-ci pèse sur les ventes de chacune des trois entreprises de notre exemple. Toutefois, elle ne crée pas d'incitation artificielle à la fusion. L'agriculteur vend son orge à la brasserie pour 1 000 euros plus 10 %, soit 1 100 euros. Il lui fournit une facture affirmant que cette somme totale comprend le paiement d'une TVA de 100 euros, et verse ces 100 euros à l'État. Il encaisse pour lui 1 000 euros, comme s'il n'y avait pas de taxe. La brasserie vend la bière au pub pour 3 000 euros + 10 %, soit 3 300 euros. Elle aussi fournit au pub une facture affirmant que, sur cette somme, il y a une TVA de 300 euros. Elle verse ensuite à l'État les 300 euros de TVA qu'elle a collectés, moins la TVA payée sur l'achat de l'orge à l'agriculteur (100 euros), soit 200 euros. Ce qui caractérise la TVA, c'est cette possibilité donnée aux entreprises de déduire des taxes dues sur leurs ventes les taxes déjà payées sur leurs achats. Vous remarquerez que l'argent versé par le pub à l'État (200 euros) est égal à 10 % de sa valeur ajoutée (2 000 euros), d'où l'appellation de la taxe. Vous remarquerez aussi que la brasserie peut encaisser 2 000 euros une fois toutes ces transactions terminées, comme elle l'aurait fait s'il n'y avait pas eu de taxe (elle touche 3 300 euros du pub, verse 200 euros à l'État et verse 1 100 euros à l'agriculteur). Enfin, le pub vend les 6 000 euros de bière aux consommateurs finaux et leur fait payer une taxe de 10 %. Les clients paient 6 600 euros leur bière. Le pub verse à l'État le montant perçu en TVA sur ces ventes (600 euros) moins la TVA payée lors de l'achat de la bière (300 euros), soit 300 euros. Vous remarquerez à nouveau que cette somme de 300 euros représente 10 % de la valeur ajoutée du pub (3 000 euros), et que le pub touche finalement 3 000 euros (6 600 euros payés par ses clients, moins 300 euros versés à l'État et moins 3 300 euros payés à la brasserie), comme s'il n'y avait pas eu du tout de taxe.

Dans cet exemple, la TVA totale est de 600 euros : les 100 euros versés par l'agriculteur à l'État, les 200 versés par la brasserie et les 300 versés par le pub. Les trois entreprises sont dans la même situation que si elles n'avaient pas payé de taxe, car ce ne sont pas elles qui la paient[15]. C'est le consommateur final qui paie effectivement la taxe, puisqu'il paie 600 euros de plus que ce qu'il aurait payé s'il n'y avait pas eu de TVA. Autrement dit, la TVA (dans cet exemple) a le même effet sur les trois entreprises et sur le consommateur final qu'une taxe sur les ventes au détail. Alors pourquoi se compliquer la vie avec un dispositif très lourd si c'est pour arriver au même résultat ? Le grand avantage de la TVA, c'est que les taxes sur les ventes au détail ne sont collectées que lorsque les biens sont vendus aux consommateurs finals : dans notre exemple, les 600 euros de la taxe sur les ventes au détail ne seront collectés par l'État que lorsque le pub vendra la bière à ses clients. La TVA, elle, est collectée à chaque étape – trois, dans notre exemple. Il est ainsi moins facile de s'y dérober, du moins de s'y dérober entièrement. L'autre question pratique porte sur le point de savoir qui paie la taxe sur les ventes au détail. En principe, c'est seulement le consommateur final : c'est tout l'intérêt d'une taxe sur les ventes au détail. En pratique, cependant, cet objectif semble difficile à atteindre : une étude a montré que, dans les États des États-Unis, 40 % en moyenne des taxes sur les ventes au détail étaient payés par les entreprises et non par les consommateurs[16]. Cela signifie que les taxes sur les ventes au détail peuvent donner lieu aux incitations et aux distorsions susmentionnées, mais aussi que les taxes sur la valeur ajoutée présentent de grands avantages pratiques en matière de commerce international – et c'est là que l'intégration européenne entre en jeu.

L'Accord général sur les tarifs douaniers et le commerce (GATT) de 1947, que nous avons évoqué au chapitre 2, ne traitait pas seulement des droits de douane et des quotas. Il précisait aussi que les pays ne pouvaient pas frapper les biens importés d'un impôt indirect supérieur à celui frappant les biens nationaux équivalents, un tel dispositif relevant d'un protectionnisme (mal) déguisé[17]. Si l'on reprend notre exemple, cela signifie, en pratique, qu'un pub français serait obligé d'imposer la même taxe sur les ventes (ou le même droit d'accise, puisque l'on parle ici d'alcool) sur les bières belge et française. Le GATT interdisait aussi les subventions à l'exportation sur les produits non primaires : les pays signataires n'avaient pas le droit de donner à leurs firmes un avantage concurrentiel indu en subventionnant leurs ventes à l'étranger[18]. Ils avaient cependant le droit d'exempter leurs exportations de taxes intérieures sur les ventes. Sans cela, l'exportateur d'un bien devrait payer à la fois la taxe intérieure sur les ventes dans son pays, et la taxe intérieure sur les ventes dans le pays où le bien est exporté : cela serait pour lui un grand désavantage par rapport à ses concurrents locaux dans le pays importateur, dont les biens ne seraient taxés qu'une fois. Mais que se passait-il si la taxe intérieure sur les ventes avait déjà été payée sur le bien exporté, parce qu'elle aurait été acquittée sur les achats effectués pour le produire ? Si, par exemple, la brasserie belge avait déjà payé la taxe intérieure sur les ventes lors de l'achat de l'orge ? Dans ce cas, il serait possible de lui rembourser cette taxe avant qu'elle n'exporte sa bière.

En pratique, cependant, le calcul des taxes sur les ventes déjà acquittées par un fabricant pouvait s'avérer délicat, même pour des taxes sur les ventes au détail. Comme on l'a vu, celles-ci sont souvent payées sur les ventes aux entreprises, et non pas seulement sur les ventes aux consommateurs finals. Et les taxes sur le chiffre d'affaires, de ce point de vue, présentaient encore moins de garanties de transparence. Comment savoir quel montant exact de taxes sur les ventes avait déjà été payé par litre de bière, sans même parler de celles payées sur une automobile ? Si la TVA fut adoptée en France dès les années 1950, il existait encore dans les autres pays diverses taxes sur les ventes et sur le chiffre d'affaires, ce qui rendait ces calculs très difficiles. Si l'on ne pouvait pas calculer de façon précise les taxes incorporées dans un produit qui devaient être remboursées à l'exportateur, alors il fallait les estimer, ce qui donnait aux États la possibilité de les surestimer, et donc d'effectuer des remboursements excessifs, c'est-à-dire de subventionner les exportations de leurs firmes. C'est pourquoi le traité de Rome stipulait : « La Commission examine de quelle façon les législations des différents États membres relatives aux taxes sur le chiffre d'affaires, aux droits d'accise et autres impôts indirects, y compris les mesures de compensation applicables aux échanges entre les États membres, peuvent être harmonisées dans l'intérêt du marché commun. »

Finalement, les États membres s'accordèrent pour voir dans la taxe sur la valeur ajoutée la solution à tous ces problèmes et convinrent en 1967 de remplacer par la TVA les taxes existantes sur les ventes. Depuis, les nouveaux États membres ont été obligés d'adopter un système de TVA, s'ils ne l'avaient pas déjà fait auparavant. Avec la TVA, il est plus simple de calculer et de déduire de la valeur des biens exportés les taxes sur les ventes qui ont déjà été payées par les producteurs. Prenons l'exemple de la brasserie belge qui vend de la bière en France, et prenons pour hypothèse que le secteur de la brasserie est structurellement le même qu'avant. Supposons cependant que le taux de TVA en Belgique soit de 20 %. La brasserie belge a pour 3 000 euros de bière à vendre et a payé à l'agriculteur 1 200 euros d'orge, dont 200 euros (20 % de 1 000 euros) de TVA. Si elle vendait sa bière à un pub en Belgique, elle la facturerait 3 600 euros, verserait 400 euros (600 euros moins 200 euros) à l'État, et garderait 2 000 euros. Mais si elle la vendait à un pub en France ? Les ventes dans les autres pays sont taxées au « taux zéro », ce qui veut dire qu'elles ne donnent pas lieu au paiement de la TVA. La brasserie belge vendrait donc sa bière au pub français pour 3 000 euros. Elle serait ensuite remboursée de la TVA payée sur l'achat des 1 000 euros d'orge, soit de 200 euros. Elle garderait donc pour elle 2 000 euros, comme précédemment. Mais ici, il serait très facile pour les autorités fiscales de calculer la somme devant être remboursée à la brasserie belge, puisqu'il s'agirait tout simplement du montant figurant sur la facture que lui aurait donnée l'agriculteur belge. Quant au pub français, il paierait immédiatement à l'État français la TVA due sur l'achat de la bière à la brasserie belge, mais calculée au taux français. Si ce taux était de 10 %, comme dans l'exemple précédent, cela représenterait 300 euros, c'est-à-dire le montant qui aurait été dû si le pub français avait acheté sa bière à une brasserie française.

En principe, tout cela fonctionne très bien. En pratique, toute possibilité de fraude n'est pas éliminée, car la brasserie belge se voit verser de l'argent par l'État belge et ne verse pas au fisc belge de TVA sur ses ventes permettant de le compenser. Il faut donc s'assurer que la bière est bien exportée et n'est pas vendue illégalement en Belgique. Il faut aussi s'assurer que la TVA française est bien payée sur la bière quand elle est importée en France. Avant la création du marché unique, les contrôles aux frontières occupaient une place importante dans l'appareil administratif nécessaire pour vérifier qu'il n'y avait pas de fraude, que les biens censés être exportés l'étaient effectivement, et que toutes les taxes légalement dues étaient bien payées. La TVA sur les exportations était remboursée au moment de l'exportation ; les contrôles aux frontières vérifiaient que tous les biens censés être exportés l'étaient en effet, et la TVA sur les importations était prélevée à la frontière par les autorités douanières. Tout cela exigeait cependant des formalités physiques aux frontières que le programme de 1992, comme nous l'avons vu, cherchait à supprimer. Quelle était la solution[19] ?

Retour en 1992

Le Livre blanc de Cockfield avait prévenu : « L'élimination des barrières fiscales risque d'être un objet de litige. » Cela se vérifia. On convint finalement d'un compromis provisoire, encore en vigueur aujourd'hui. Premièrement, les clients à titre individuel furent autorisés à passer les frontières, acheter des produits pour leur usage personnel et rentrer chez eux librement. Les États membres où le taux de TVA ou les droits d'accise étaient élevés acceptèrent donc de perdre un certain montant de recettes fiscales, toutefois, comme il ne s'agissait pas de firmes mais de particuliers achetant pour leur consommation privée, les pertes étaient généralement faibles et acceptables, compte tenu des avantages résultant pour tout le monde de la suppression des contrôles aux frontières. Deuxièmement, il y eut une modeste harmonisation des taux d'imposition. Le taux général de TVA ne pouvait pas être inférieur à 15 %, sauf exceptions pour un nombre limité de produits. Troisièmement, les contrôles physiques aux frontières furent remplacés par une procédure d'autodéclaration des firmes.

Pour que les firmes exportatrices obtiennent leur remboursement de TVA, elles devaient fournir aux autorités le numéro d'identification de TVA de leur client dans l'État importateur. Ce client payait ensuite la TVA sur le bien importé au moment où il faisait sa déclaration de TVA suivante. (En France, par exemple, les entreprises doivent faire une déclaration de TVA tous les mois, sauf en dessous d'une certaine taille, auquel cas elles peuvent le faire tous les trimestres[20].) Les contrôles douaniers aux frontières cédèrent le pas à un système d'échange d'informations sur la TVA (VIES), qui collecte la totalité des informations fournies par les entreprises exportatrices et importatrices sur leurs ventes et leurs achats dans et à d'autres États membres, et les transmet à l'administration fiscale de l'État auquel elles appartiennent. Comme nous le verrons plus loin, ce point est essentiel pour le Brexit : *sans le VIES, les inspections aux frontières vont redevenir indispensables*.

La politique du programme du marché unique

La suppression des 297 barrières identifiées dans le Livre blanc fut une entreprise politique immense, qui impliqua douze États (l'Espagne et le Portugal ayant rejoint les Communautés européennes en 1986), dont les élus politiques étaient responsables devant leurs concitoyens et devaient prendre en considération de nombreux intérêts établis. Comme nous l'avons vu dans le chapitre 3, depuis 1966, le fameux compromis de Luxembourg permettait aux États membres d'opposer leur veto à toute législation européenne s'ils estimaient que des intérêts nationaux vitaux étaient en jeu. Comme un grand nombre des barrières qui devaient être supprimées avaient précisément pour objet de protéger des intérêts établis jouissant de quelque influence politique, le fait de permettre à chaque État membre d'opposer son veto à tout changement rendu nécessaire par la construction d'un marché unique aurait condamné dès le départ à l'échec l'ensemble du processus. C'est pourquoi l'Acte unique européen précisa que les décisions concernant la construction du marché unique devraient être prises à la majorité qualifiée : ce système exige à la fois qu'une certaine proportion des États membres vote de façon favorable, et que ces États représentent une certaine part de la population de l'ensemble de la Communauté. Ainsi, les grands États membres avaient un pouvoir de décision beaucoup plus important que les autres[21].

Pour tenir compte de certaines sensibilités politiques, y compris britanniques, le principe du vote à la majorité qualifiée souffrait deux grandes exceptions : les décisions touchant la fiscalité et la libre circulation des personnes nécessitaient l'unanimité[22]. L'Acte unique européen n'en représenta pas moins une étape considérable vers plus de supranationalité : un État membre pouvait désormais se trouver en position de devoir appliquer une législation qu'il n'avait pas approuvée. En outre, le risque demeurait qu'avec le temps s'allongeât la liste des domaines relevant du marché unique. Et pourtant, à l'époque, Margaret Thatcher et le gouvernement britannique étaient très favorables à ce passage au vote à la majorité qualifiée : ils estimaient que cela contribuerait à créer en Europe un marché plus libre et plus concurrentiel : « Un thatchérisme à l'échelle européenne », disait le slogan. Comme l'écrit le célèbre journaliste Hugo Young, « dans le Cabinet de Thatcher, tout le monde y était favorable, et presque tout le monde dans le parti de Thatcher – ce qui laissait augurer de quelques difficultés pour le jour où tout cela serait devenu un souvenir embarrassant. Car leurs yeux n'étaient pas ouverts, et ils ne sauraient pas quoi faire face aux conséquences de ce qu'ils avaient accompli[23] ».

Le vote à la majorité qualifiée accomplit ce qu'il était censé accomplir. Le programme législatif identifié par le Livre blanc fut rapidement mis en œuvre, et le marché unique devint une réalité, au moins pour les marchandises : s'agissant des services, le marché unique est encore à faire, ce qui n'est pas sans irriter régulièrement les responsables politiques du Royaume-Uni, où les services occupent une place si importante dans l'économie. Les contrôles sur les capitaux entre États membres furent également supprimés, ce qui veut dire qu'il n'y avait plus de limites à la capacité d'acheter et de vendre des produits financiers au sein des Communautés – au grand avantage de la City. Comme l'anticipait cependant le Livre blanc, sur le plan symbolique, la conséquence la plus visible du programme du marché unique fut la suppression des contrôles aux frontières. Le 1er janvier 1993, ils n'existaient plus entre les douze États membres des Communautés européennes, ou de l'Union européenne, puisque c'est ainsi qu'on l'appelait désormais. Mais c'est une autre histoire, sur laquelle nous reviendrons.

Parmi les contrôles aux frontières qui furent supprimés, il y avait ceux à la frontière entre l'Irlande et l'Irlande du Nord. Et comme elle est au cœur des négociations du Brexit, c'est vers l'Irlande que nous allons maintenant nous tourner.

CHAPITRE 6

L'Irlande, l'Europe et l'accord du Vendredi saint

Lors des affrontements entre le Coq et le Trèfle *, un commentateur français de rugby avait l'habitude de poser cette question : « Quelle est la différence entre les Irlandais et les Britanniques ? » Et d'y répondre ainsi : « Les Irlandais ne sont pas britanniques. » La plaisanterie rappelle la célèbre réponse de Samuel Beckett à un journaliste français qui lui avait demandé s'il était anglais : « Au contraire ! »

Ayant passé une partie de mon enfance à Bruxelles, j'ai pris l'habitude d'expliquer aux gens que je n'étais moi-même pas britannique mais irlandais. Tout en comprenant, cependant, qu'il y avait une raison à leur confusion. Mes amis britanniques et moi parlions la même langue, mangions les mêmes mets, et avions la même manière légèrement rustique de jouer au football à l'école – assez différente de celle des enfants italiens ou néerlandais. Vues à une certaine distance, les similitudes semblent évidemment bien plus grandes, tout comme la confusion qui en résulte. Un collègue de l'University College de Dublin a dit un jour à une Américaine d'un certain âge qu'il était irlandais : « L'Irlande ? a-t-elle répondu. La petite ou le haut de la grande ? »

---

* Ce sont là les emblèmes des deux équipes nationales de rugby.

Il est difficile de trouver un bon côté au Brexit. Mais, du point de vue irlandais, il y a au moins la consolation de voir que les autres Européens ne vont sans doute plus confondre notre pays avec celui de notre voisin de palier. Car bien que nous puissions sembler, vus du Continent, avoir de nombreux points communs, nous sommes en réalité deux pays très différents, et cela ne sera que plus visible à partir de 2019.

Je me suis toutefois rendu coupable, jusqu'ici, d'inexactitude systématique. Si vous ne l'avez pas remarqué, c'est parce que tout le monde le fait et que vous y êtes sans doute habitués. Jusqu'ici, en effet, j'ai utilisé les mots « Royaume-Uni » et « Grande-Bretagne » de manière interchangeable, comme s'il s'agissait de la même chose. Or il n'en est rien. La Grande-Bretagne, c'est l'île où se trouvent l'Angleterre, l'Écosse et le pays de Galles. L'État dont fait partie la Grande-Bretagne s'appelle le Royaume-Uni de Grande-Bretagne *et* d'Irlande du Nord. De même, j'ai systématiquement utilisé l'épithète « britannique », car il n'en est pas qui corresponde au nom propre « Royaume-Uni[1] ». Mais, comme l'écrit George Orwell, « le caractère négligé de notre langue nous permet plus facilement d'avoir des idées stupides[2] ». Et l'on peut légitimement se demander si cette bizarrerie de la langue anglaise, cette tendance langagière à confondre la Grande-Bretagne et le Royaume-Uni, non seulement reflète, mais encore accentue l'omission de l'Irlande du Nord dans la conscience des Britanniques.

L'Irlande du Nord n'a pratiquement pas été mentionnée pendant la campagne du Brexit, en 2016. Pas plus que l'Irlande en général. Ni « l'Irlande » ni « l'Irlande du Nord » n'ont été gratifiées d'une entrée dans l'index du livre passionnant et remarquable qu'a fait Tim Shipman sur les raisons de la victoire ou de la défaite – selon les points de vue – du référendum, et cela reflète bien ce qui s'est passé[3]. Mais si l'Irlande ne présentait pas d'intérêt pour le Brexit avant le référendum, elle en est devenue depuis le problème central. La question de la frontière irlandaise pourrait conduire les gouvernements du Royaume-Uni à rechercher le Brexit le moins dur possible – un Brexit qui n'en aurait même que le nom, comme protestent certains avec véhémence. À moins qu'elle ne conduise à la version la plus dure possible du Brexit, un Brexit à l'issue duquel le Royaume-Uni sortirait de l'Union européenne sans accord, et sans respecter ses obligations présentes vis-à-vis de ses anciens partenaires. Au moment où j'écris ces mots (septembre 2018), il est impossible de savoir quel sera le résultat, mais, quel qu'il soit, la question de l'Irlande aura été au cœur du processus pour y arriver. Aussi allons-nous y consacrer, comme il se doit, un peu de temps.

La partition

Fort heureusement, il n'est pas nécessaire ici de rappeler toute l'histoire de l'engagement britannique en Irlande pour comprendre les principaux enjeux du moment. Mais un rappel du contexte ne me semble pas inutile. L'histoire commence à la fin du XIIe siècle, avec l'invasion normande de l'Irlande. Comme les envahisseurs prêtaient serment d'allégeance au roi d'Angleterre, on les qualifie souvent d'Anglo-Normands, et le roi est lui-même devenu le lord d'Irlande. Les natifs irlandais gardèrent cependant le contrôle d'une grande partie de l'île, et il fallut attendre les XVIe et XVIIe siècles pour que les Anglais (car à ce moment-là, on peut assurément les appeler ainsi) prennent effectivement le contrôle de tout le pays, et que le « lord of Ireland » devienne son roi.

Peut-être était-il inévitable, dans un monde violent, que la plus grande des deux îles conquière la plus petite. Deux choses cependant rendirent le processus encore plus violent : les divisions qui apparurent après la Réforme au sein de la chrétienté occidentale, et le fait que l'Irlande resta catholique et que la Grande-Bretagne, pour l'essentiel, adopta un nouveau culte. Dans le contexte des guerres de religion, qui sembla rendre cette conquête nécessaire, et de la colonisation concomitante de l'Amérique, qui en fournit le modèle, il n'était évidemment pas absurde pour la Couronne britannique d'exproprier les propriétaires terriens irlandais catholiques de l'Ulster (la plus septentrionale des quatre provinces historiques d'Irlande) et de donner leurs terres aux colons protestants anglais et écossais dont la loyauté au roi protestant était garantie. Cela fit cependant naître une société dans laquelle les divisions religieuses et nationales coïncidaient, et entraîna un cycle d'atrocités et de contre-atrocités que ne firent qu'amplifier les bouleversements politiques en Grande-Bretagne : la guerre civile anglaise du milieu du XVIIe siècle et le renversement du roi catholique Jacques par le roi protestant (et néerlandais) Guillaume quelques dizaines d'années plus tard. Et ce contexte religieux accrut encore la difficulté pour l'Irlande d'être pleinement intégrée dans cette entité politique plus large. Pour des Français, qui savent quelles furent les conséquences pour leur pays de la révocation de l'édit de Nantes, il paraîtra peut-être étonnant d'apprendre que les protestants, une fois au pouvoir, furent aussi capables d'intolérance ; ce fut pourtant bien le cas en Irlande, et la législation anticatholique a continué d'y être appliquée pendant plusieurs dizaines d'années[4]. Par ailleurs, comme nous l'avons déjà dit dans ce livre, le préjugé anticatholique (au contraire de la législation) a survécu en Grande-Bretagne au moins jusqu'au milieu du XXe siècle, ce qui n'a pas manqué de colorer les attitudes vis-à-vis de l'Europe. Cela ne pouvait pas aider les Irlandais catholiques à reconnaître la légitimité du pouvoir de Londres, pas plus que les représentants de celui-ci à accepter que les Irlandais soient leurs compatriotes.

En 1707, l'Angleterre et l'Écosse fusionnèrent pour former le Royaume-Uni de Grande-Bretagne. Le monarque était désormais roi du Royaume-Uni et (séparément) de l'Irlande. Cela changea un siècle plus tard : les révolutions en Amérique et en France, respectivement en 1776 et 1789, furent suivies en Irlande, en 1798, par une révolution républicaine, soutenue par la France, et qui ne put être réprimée qu'après un terrible bain de sang. Si ses dirigeants se firent remarquer par la manière dont ils intégrèrent à la fois les catholiques et les protestants, sur le terrain, des atrocités d'ordre confessionnel furent cependant commises des deux côtés. Conséquence, en partie, de la révolution, l'Irlande et la Grande-Bretagne fusionnèrent, le 1er janvier 1801, pour former le Royaume-Uni de Grande-Bretagne et d'Irlande. Si le républicanisme irlandais continua, pendant les siècles suivants, à rechercher l'indépendance vis-à-vis du joug britannique, le mouvement devint pour l'essentiel catholique.

À la fin du XIXe siècle, un autre courant nationaliste irlandais était passé au premier plan. Réformistes plus que révolutionnaires, les « Home Rulers », à l'instar du propriétaire terrien protestant du sud Charles Stewart Parnell, réclamèrent une réforme foncière, pour que les paysans irlandais puissent posséder leur propre terre, et le Home Rule, c'est-à-dire une part d'autonomie dans le gouvernement de l'Irlande, sous l'autorité de la Couronne britannique. Son Parti parlementaire irlandais devint la principale force de la politique nationaliste irlandaise et semblait, dans les années 1910, sur le point d'atteindre ses objectifs. Cette perspective provoqua cependant la création, en 1912, des Ulster Volunteers, une milice paramilitaire, bénéficiant d'un fort soutien chez les protestants opposés au Home Rule[5]. Cela suscita en réaction la création des Irish Volunteers, dont certains étaient favorables au Home Rule, et dont d'autres allaient plus loin et réclamaient la création d'une république irlandaise. Les Ulster Volunteers comme les Irish Volunteers importèrent des armes en Irlande. La crise prit une triste tournure constitutionnelle quand des éléments de l'armée britannique firent clairement savoir qu'ils n'agiraient pas contre les Ulster Volunteers même si les responsables politiques, à Londres, le leur ordonnaient. Qui sait ce qui serait arrivé si la Première Guerre mondiale n'avait pas éclaté : d'aucuns craignaient une guerre civile. Mais la guerre éclata en août 1914 et le Parlement vota le Home Rule à la condition qu'il n'entrât en vigueur qu'une fois la guerre terminée. Les Ulster Volunteers offrirent leurs services à l'effort de guerre britannique, tout comme la majorité des Irish Volunteers. Mais une minorité refusa, dont un petit groupe de républicains dirigé par Patrick Pearse, qui, en 1916, organisa une rébellion armée à Dublin.

Il était bien compréhensible qu'un soulèvement de ce genre, survenant en pleine guerre mondiale, soit réprimé sans pitié. On peut cependant se demander si l'on aurait osé faire usage d'obus d'artillerie pour réprimer une révolte dans un centre urbain surpeuplé en Grande-Bretagne. Quand les chefs du soulèvement furent exécutés, le sentiment public se radicalisa, et le parti républicain du Sinn Féin prit la relève du vieux Parti parlementaire irlandais et devint la voix du nationalisme irlandais. À l'élection générale de décembre 1918, il remporta une victoire écrasante, obtenant soixante-treize des cent cinq sièges irlandais. En Ulster, toutefois, les unionistes (c'est-à-dire les personnes qui voulaient garder l'Union avec la Grande-Bretagne) protestants emportèrent vingt-trois des trente-huit sièges.

En janvier 1919, les députés du Sinn Féin qui le purent (car il y en avait plusieurs en prison) participèrent à la première réunion du Dáil (Parlement), à Dublin, qui déclara l'indépendance de l'Irlande. Cette déclaration fut suivie d'une guérilla, menée par l'Armée républicaine irlandaise (IRA[6]), pour le compte du gouvernement qui avait été désigné par le Dáil. Signe de la radicalisation entamée en 1916, il y avait chez ces combattants républicains des hommes qui, à l'instar de mon grand-père, avaient combattu pour les Britanniques pendant la Première Guerre mondiale. Une trêve fut déclarée en juillet 1921 et, en décembre de la même année, un traité fut signé, qui donnait à l'Irlande « le même statut constitutionnel dans la communauté de nations appelée Empire britannique que le dominion du Canada, le Commonwealth d'Australie, le dominion de Nouvelle-Zélande et l'Union d'Afrique du Sud[7] ». Ce n'était pas la république espérée, mais c'était beaucoup plus que le Home Rule auquel avait aspiré la génération précédente. Le 6 décembre 1922 naissait l'État libre d'Irlande, et si le lien avec l'Empire et la Couronne britanniques n'était pas rompu, l'Irlande était effectivement indépendante.

Le lendemain, cependant, l'Irlande du Nord faisait usage du droit que lui reconnaissait le traité de sortir du nouvel État irlandais et de continuer de faire partie du Royaume-Uni : le Royaume-Uni de Grande-Bretagne et d'Irlande était désormais le Royaume-Uni de Grande-Bretagne et d'Irlande du Nord. Les termes « Irlande du Nord » et « Ulster » sont parfois utilisés de manière interchangeable, mais, comme dans le cas de la « Grande-Bretagne » et du « Royaume-Uni », cela n'est pas exact. L'Irlande du Nord ne comprend que six des neuf comtés de l'Ulster, six comtés choisis au motif qu'ils représentaient le plus large sous-ensemble de l'Ulster sur lequel on pût compter pour avoir durablement une majorité protestante, et donc unioniste. (Les catholiques ne représentaient en 1911 que 34,4 % de la population de ces six comtés[8].) Ainsi définie, l'Irlande du Nord trouvait ses origines dans le contexte de l'après-guerre, quand le gouvernement britannique avait essayé de trouver un moyen de mettre en application le Home Rule promis en 1914. Compte tenu des tensions avant la guerre entre les Irish Volunteers et les Ulster Volunteers, et du refus des protestants de l'Ulster de faire partie d'une Irlande sous Home Rule et gouvernée depuis Dublin, la solution (qui se traduisit par la loi sur le gouvernement de l'Irlande de 1920) fut de créer deux Parlements du Home Rule, un pour l'Irlande du Nord, à Belfast, et un autre pour le reste de l'île, à Dublin. Le Home Rule pour l'Irlande du Nord prit effet en mai 1921, date à laquelle l'île devint effectivement divisée en deux juridictions.

La séparation politique entre le Nord et le Sud s'accentua encore avec la création de l'État libre d'Irlande en décembre 1922 : la frontière entre les deux cessait d'être une limite interne au Royaume-Uni pour devenir internationale. Enfin, une forme physique fut donnée à la frontière entre l'Irlande du Nord et l'État libre d'Irlande le 1er avril 1923, quand ce dernier quitta l'union douanière du Royaume-Uni et retrouva la maîtrise de ses droits de douane et d'accise. Des postes de douane apparurent immédiatement le long de la frontière. Cet hilarant poisson d'avril allait durer soixante-dix ans[9].

L'Irlande après la partition

Au sud et à l'ouest de la nouvelle frontière (car comme le montre la carte 10.1 dans le chapitre 10, il faut toujours se rappeler que le comté le plus au nord de l'Irlande, Donegal, est en Ulster mais pas en Irlande du Nord), le changement constitutionnel est rapidement passé dans les faits. Les dirigeants du nouvel État, qui, encore quelques années auparavant, avaient souvent été impliqués dans une guérilla contre la Couronne britannique, entreprirent de faire de l'indépendance irlandaise une réalité. En même temps, ils acceptèrent le statut de dominion accordé à l'État libre d'Irlande conformément au traité, et participèrent aux conférences impériales que nous avons évoquées au chapitre 2. Le roi britannique restait le chef de l'État, comme en Australie, au Canada et en Nouvelle-Zélande. Ce lien continué avec la Couronne déclencha une guerre civile cruelle en 1922 et 1923, le Sinn Féin et l'IRA se divisant sur la question de l'acceptation du traité. La guerre fut finalement gagnée par le camp favorable à celui-ci, dont l'armée devint l'armée nationale de l'État libre d'Irlande ; les forces armées du camp vaincu gardèrent l'appellation d'« IRA », et l'IRA, après la guerre civile, continua d'exister dans l'illégalité, tout en se considérant comme la seule héritière légitime de ceux et celles qui avaient combattu en 1916 et pendant la guerre d'indépendance.

Nombreux sont les États nés à l'issue de la Première Guerre mondiale qui ont commencé sous un régime démocratique et qui sont rapidement devenus des régimes autoritaires. L'Irlande, à cet égard, est une honorable exception. En 1932, le parti qui représentait les forces opposées au traité et qui avait été vaincu pendant la guerre civile, Fianna Fáil, arriva au pouvoir et y resta les seize années suivantes. Ni l'armée ni la police, qui s'étaient battues et avaient remporté une guerre brutale contre ses nouveaux dirigeants moins d'une décennie auparavant, ne s'opposèrent au transfert du pouvoir, qui se fit en douceur. Le nouveau chef de gouvernement irlandais, Éamon de Valera, entreprit de défaire la plupart des liens avec la Couronne britannique. En 1936, il supprima les références au roi dans la Constitution de l'État libre d'Irlande : le seul rôle que jouait désormais le monarque concernait des formalités d'ordre diplomatique comme la présentation des lettres de créance des diplomates et la signature des traités internationaux. L'année suivante, une nouvelle Constitution remplaça le roi par un président élu au suffrage direct à la tête de l'État, et le nom de l'État lui-même fut changé pour « Irlande », sous lequel il est encore connu aujourd'hui. Comme le roi britannique continuait de remplir les fonctions diplomatiques susmentionnées, l'identité réelle du chef de l'État irlandais demeurait ambiguë. En 1948, cependant, l'Irlande mit fin à toute incertitude en se proclamant, unilatéralement, république, formalisant ainsi ce qui était en réalité le cas depuis douze ans[10]. Le dernier vestige de l'autorité monarchique avait désormais disparu, et l'Irlande quitta le Commonwealth britannique.

Le gouvernement britannique réagit en adoptant l'*Ireland Act*, en 1949. Le texte reconnaissait la légitimité de ce qui s'était passé, tout en affirmant cependant : « La République d'Irlande n'est pas un pays étranger au regard de toutes les lois en vigueur dans toutes les parties du Royaume-Uni. » De ce fait, les citoyens irlandais ont toujours bénéficié de conditions privilégiées au Royaume-Uni, même avant que les deux pays ne rejoignent les Communautés européennes, en 1973 : ils pouvaient par exemple voter à toutes les élections au Royaume-Uni[11]. Bien sûr, le fait que nous puissions également nous plaindre de l'octroi de ces privilèges, au motif que les Britanniques devraient reconnaître que nous sommes des étrangers mais ne le font pas, est un bonus supplémentaire.

L'*Ireland Act* garantissait aussi qu'« en aucun cas l'Irlande du Nord ou toute partie de celle-ci ne peut cesser de faire partie des dominions de Sa Majesté et du Royaume-Uni sans le consentement du Parlement d'Irlande du Nord ». Cette garantie aux unionistes contrastait profondément avec la Constitution irlandaise de 1937, qui affirmait : « Le territoire national se compose de la totalité de l'île d'Irlande, de ses îles et de ses mers territoriales. » Ce conflit territorial a duré encore cinquante ans et été une source permanente de tension entre l'Irlande et le Royaume-Uni, tension qui s'est même étendue à la manière dont les deux États se désignaient l'un et l'autre. Contrairement aux autres pays, le Royaume-Uni appelait l'Irlande (l'État, pas l'île) la « République d'Irlande », et l'Irlande répugnait à employer l'appellation « Irlande du Nord » et, par extension, celle de « Royaume-Uni de Grande-Bretagne et d'Irlande du Nord », préférant la simple « Grande-Bretagne ». Ce n'est qu'après l'accord du Vendredi saint (ou de Belfast), en 1998, que les deux États ont commencé enfin à s'appeler par leurs noms officiels respectifs[12].

L'Irlande du Nord : de la partition à l'accord du Vendredi saint

L'évolution politique en Irlande du Nord fut beaucoup plus lente ou, si vous préférez, le cadre institutionnel mis en place là-bas en 1921 fut beaucoup plus stable : le Parlement de l'Irlande du Nord du Home Rule institué cette année-là survécut pendant cinquante ans. L'Irlande du Nord se gouverna très largement elle-même, mais dans une société qui était divisée par des clivages nationaux, et où la nation et la religion coïncidaient de façon presque parfaite, ce fut une bénédiction à double tranchant. La politique se définissait par la question de la frontière irlandaise, les protestants étant presque toujours favorables à son maintien, et les catholiques y étant presque toujours opposés – d'où la tendance linguistique à utiliser de manière interchangeable les termes « protestants » et « unionistes », « catholiques » et « nationalistes ». Il y eut au début des années 1920, et c'était presque inévitable, de graves violences d'ordre confessionnel, qui coïncidèrent avec la guerre qui fit rage dans le reste de l'île, et si ces désordres finirent par se dissiper, l'ensemble de la société se divisa profondément autour de clivages religieux.

La démographie assurant une majorité protestante unioniste, la minorité catholique subit des discriminations en matière d'emploi et de logement[13]. En 1971, le taux de chômage chez les catholiques était de 17 %, contre 7,6 % pour le reste de la population[14].

Dans les années 1960, il y eut un apaisement dans les relations nord-sud : le Taoiseach d'Irlande (Premier ministre) Seán Lemass et le Premier ministre d'Irlande du Nord Terence O'Neill se réunirent à plusieurs reprises et il y eut des propositions de coopération transfrontalière. Ces mêmes années virent aussi apparaître en Irlande du Nord une campagne pour les droits civiques, sur le modèle de celle sévissant aux États-Unis, qui commença à contester activement les discriminations visant les catholiques. Elle réunit à la fois des représentants de la gauche politique non confessionnelle et certains jeunes unionistes, mais aussi des républicains irlandais (le mot « républicain », dans le contexte de l'Irlande du Nord à l'époque, désignait des militants nationalistes liés à l'IRA). Comme l'écrit ma collègue Senia Pašeta, « les chefs de ces organisations mettaient en avant leurs références non confessionnelles, mais il n'est pas certain que le gros de leurs partisans ait été de cet avis[15] ».

Un de mes premiers souvenirs télévisuels, ce sont les images d'une de ces manifestations pour les droits civiques brutalement attaquée par la police nord-irlandaise. Mon père me dit que c'était très grave, et il avait raison. 1969 fut marquée par une éruption générale de violence en Irlande du Nord ; le Taoiseach irlandais demanda (en vain) l'intervention des Nations unies, et des camps de réfugiés furent installés du côté sud de la frontière. L'armée britannique fut envoyée dans la province pour maintenir la paix, ce qui fut au départ salué par la population catholique ; l'IRA se divisa, l'IRA provisoire devenant la faction dominante et se lançant dans une campagne terroriste meurtrière qui ciblait les forces de sécurité, les civils protestants, et les catholiques passant pour traîtres à la cause. Cela provoqua, de la part des forces de sécurité, l'introduction de la détention sans jugement et de diverses autres mesures, qui leur aliénèrent le soutien de nombreux catholiques. Les terroristes loyalistes (« loyaliste » étant l'équivalent protestant de « républicain ») ciblèrent leurs « homologues » républicains ainsi que, plus généralement, les civils catholiques. Ian Paisley, qui avait dirigé l'opposition au mouvement pour les droits civiques, créa le très radical Parti unioniste démocrate, en 1971. L'année suivante, les parachutistes britanniques tirèrent sur 28 civils sans armes à Derry, dont 14 moururent ; à Dublin, la foule mit le feu à l'ambassade britannique.

Ce ne sont là que quelques-uns des premiers hauts faits des « troubles », comme on disait, et il devait y en avoir beaucoup d'autres. La violence dura jusqu'en 1998 et se poursuivit sporadiquement. Entre 1969 et 1998, 3 489 personnes furent tuées : 59 % par les terroristes républicains, 29 % par les loyalistes et 10 % par les forces de sécurité britanniques. La violence toucha le territoire britannique et la république irlandaise : il y eut 125 morts dans le premier et 116 dans la seconde. 18 personnes furent tuées sur le continent européen[16]. La famille royale britannique perdit le grand-oncle et parrain du prince Charles, lord Mountbatten, tué par l'IRA en 1979 ; Margaret Thatcher perdit, la même année, son collègue et ami britannique Airey Neave, un membre du Parlement. Une tentative d'assassinat à son encontre, en 1984, entraîna la mort de cinq personnes ayant des liens avec le Parti conservateur, dont un autre membre du Parlement, Anthony Berry, et fit une infirme à vie de la femme de Norman Tebbit, éminent ministre du gouvernement. En Irlande, le sénateur Billy Fox fut assassiné en 1974, l'année où plusieurs bombes explosèrent de concert dans le centre de Dublin et de Monaghan, tuant 33 civils, dont une femme enceinte de neuf mois. Pour la classe politique des deux pays, les « troubles » eurent une dimension personnelle.

Mais c'est l'Irlande du Nord qui compta le plus de victimes : 3 232 dans les trente années allant de 1969 à 1998. La population de l'Irlande du Nord était, en 1971, de 1,5 million d'habitants, à comparer avec une population française métropolitaine de 51,3 millions[17]. La mort de 3 232 Irlandais du Nord aurait donc eu pour équivalent celle de plus de 110 000 personnes en France, soit dix assassinats par jour, tous les jours, pendant trente ans. Pendant des dizaines d'années, le journal télévisé fut largement constitué d'assassinats, de condamnations de responsables politiques et d'ecclésiastiques, de funérailles et de procès. C'est avec cela que nous avons tous grandi, même ceux d'entre nous qui eurent la chance (selon nous) de vivre au sud de la frontière. Ce fut un conflit ravageur, traumatisant, qui éclipsa absolument tout le reste sur l'île.

L'accord du Vendredi saint

Les gouvernements britannique et irlandais firent plusieurs tentatives pour trouver une solution politique au conflit, dès 1973, avec la signature de l'accord de Sunningdale. Celui-ci proposait une nouvelle Assemblée d'Irlande du Nord, qui devait être élue à la proportionnelle, et non selon le système britannique de vote uninominal à un tour, afin d'assurer la juste représentation des deux communautés. Un partage du pouvoir devait être réalisé au niveau de l'exécutif, avec des représentants issus des nationalistes et des unionistes, et des institutions nord-sud devaient être mises sur pied : « Un Conseil des ministres ayant des fonctions exécutives et d'harmonisation, ainsi qu'un rôle consultatif, et une Assemblée consultative, aux fonctions de conseil et de contrôle[18]. » Le gouvernement irlandais « acceptait pleinement et déclarait solennellement qu'il ne pourrait pas y avoir de changement du statut de l'Irlande du Nord tant qu'une majorité de la population d'Irlande du Nord ne souhaitait pas un changement de ce statut », et le gouvernement britannique affirmait que « si, dans l'avenir, la majorité de la population d'Irlande du Nord indiquait un souhait de devenir membre d'une Irlande unie, [il] soutiendrait ce souhait ». L'accord périclita l'année suivante, à la suite de l'opposition de nombreux politiciens unionistes, de grèves et de violences.

Les années passaient et les violences continuaient, mais, sous la surface, les relations entre les responsables politiques britanniques et irlandais se mirent lentement à changer, du fait de l'entrée des deux pays dans les Communautés européennes en 1973. Les ministres se rencontraient régulièrement à Bruxelles pour participer aux réunions du Conseil des ministres ; le Premier ministre britannique et le Taoiseach irlandais se rencontraient régulièrement aux réunions du Conseil européen. Les deux pays découvrirent qu'ils avaient de nombreux intérêts en commun et, malgré les tensions persistantes à propos de l'Irlande du Nord, se mirent à coopérer sur un nombre toujours plus grand de sujets. Si, avant 1973, les deux États avaient ce qu'un ancien Taoiseach irlandais qualifiait de « relation bilatérale inégale, qui présentait toutes les difficultés qui vont de pair avec une relation bilatérale inégale, que ce soit en famille, entre États ou entre entreprises », cette relation se normalisa dans les décennies qui suivirent. Ne prenons qu'un exemple. Avant 1973, aucun Premier ministre britannique ne s'était jamais rendu à Dublin ; après, cela ne tarda pas à changer. Comme le déclarait l'ambassadeur d'Irlande devant la Commission sur l'Union européenne de la Chambre des lords britannique, en 2016, « il se tient probablement aujourd'hui à Bruxelles vingt-cinq réunions à différents niveaux. À chaque réunion, il y aura une délégation britannique et une délégation irlandaise. Dans la plupart des cas, elles prendront langue soit avant, soit après. Il peut s'agir d'une discussion sur le rugby ou sur tout autre sujet. Des relations et des amitiés se sont développées au cours des quarante dernières années ». La Commission en tira la conclusion que « l'appartenance commune à l'UE a été un élément vital dans la transformation positive des relations entre le Royaume-Uni et l'Irlande ces dernières années, et contribué à poser les bases du développement du processus de paix ». Cette conclusion est presque universellement partagée[19].

Mais l'intégration européenne a aussi contribué à changer les choses sur le terrain. Les frontières douanières qui avaient été mises en place en avril 1923 ne furent pas supprimées en 1965, quand l'Irlande et le Royaume-Uni signèrent l'accord sur la zone de libre-échange anglo-irlandaise et s'accordèrent pour supprimer la plupart des droits de douane sur leurs produits : comme nous l'avons vu dans le chapitre 3, une zone de libre-échange nécessite toujours des contrôles aux frontières. Si l'Irlande avait bien consenti à réduire ses droits de douane sur les importations de produits anglais, elle n'avait pas accepté de les baisser sur les importations venues d'ailleurs. Les inspecteurs des douanes devaient donc faire une distinction, par exemple, entre les importations d'agneau britannique et australien.

Mon collègue John Fitzgerald raconte souvent l'histoire d'une délégation irlandaise qui s'était rendue à Londres dans les années 1960 pour demander que les produits britanniques exportés en Irlande soient clairement étiquetés « *Made in Britain* » – ou quelque chose de similaire. Non sans quelque irritation, le ministre britannique Denis Healey avait demandé si l'on était censé mettre cette inscription sur les testicules de tous les bœufs qui étaient expédiés en Irlande, ce à quoi le ministre irlandais avait répondu que les bœufs n'avaient pas de testicules[20]. L'anecdote est pédagogique à plus d'un titre et nous fournit une illustration précoce d'une solution technique à des frictions frontalières qui, avec la meilleure volonté du monde, n'aurait jamais marché. Quitte à me répéter, et puisque de nombreux partisans du Brexit aujourd'hui semblent ne pas l'avoir compris, une simple zone de libre-échange nécessite toujours des contrôles aux frontières, pour s'assurer que les produits venant de pays tiers ne bénéficient pas du traitement préférentiel dont jouissent les pays signataires de l'accord.

Les contrôles aux frontières n'ont pas non plus disparu à partir de 1973, quand l'Irlande et le Royaume-Uni ont rejoint la CEE et son union douanière. Comme nous l'avons vu au chapitre 5, il y avait encore des barrières physiques aux échanges entre les États membres parce que les barrières techniques et fiscales rendaient les contrôles frontaliers indispensables. Mais, à la création du marché unique, ces contrôles cessèrent d'être nécessaires, et le 1er janvier 1993, ils furent, nous l'avons vu, supprimés au sein de l'Union européenne. À cette date, les seuls postes qui restaient à la frontière entre l'Irlande du Nord et l'Irlande étaient ceux que rendaient indispensables les problèmes de sécurité. Si ces raisons sécuritaires disparaissaient, une frontière physiquement visible ne serait plus du tout nécessaire.

À ce stade, divers pourparlers informels avaient lieu pour trouver un moyen de mettre fin aux violences[21]. Les détails en sont compliqués, et l'on sait qu'il y eut plusieurs cessez-le-feu annoncés puis rompus mais, en 1997, Tony Blair fut désigné Premier ministre et Sinn Féin, l'aile politique de l'IRA provisoire, s'engagea dans des pourparlers officiels multipartites à Belfast sur l'avenir de l'Irlande du Nord[22]. L'accord qui en est issu, signé le vendredi saint 1998, et dans lequel le gouvernement des États-Unis joua un rôle actif d'intermédiaire, marqua le triomphe de ce que les diplomates appellent l'ambiguïté constructive[23]. L'Irlande renonça à sa revendication territoriale sur l'Irlande du Nord et les articles correspondants de la Constitution irlandaise furent amendés par référendum. Le Royaume-Uni reconnut que le statut constitutionnel de l'Irlande du Nord ne concernait que la population de l'île (irlandaise). Les deux parties s'accordèrent sur le fait que tout changement du statut constitutionnel de l'Irlande du Nord ne pourrait jamais advenir sans le consentement de la population d'Irlande du Nord. Là, les deux traditions politiques devaient être considérées comme pareillement légitimes, et toute personne née en Irlande du Nord avait le droit « de s'identifier et d'être acceptée comme Irlandaise ou Britannique, ou les deux, comme elle le choisirait ». En pratique, cela signifiait qu'elle avait le droit aux deux citoyennetés, irlandaise et britannique, et qu'elle pouvait choisir d'avoir un des deux passeports ou les deux.

L'accord comportait trois « écheveaux » institutionnels. Le premier regardait l'Irlande du Nord elle-même : une assemblée nord-irlandaise fut mise sur pied, élue à la représentation proportionnelle ; par ailleurs, un exécutif partageant le pouvoir et représentant les deux communautés politiques devait gérer les affaires intérieures de l'Irlande du Nord. Une série de garde-fous fut prévue pour garantir l'équité et le respect des droits humains. Le deuxième « écheveau » créa un Conseil des ministres nord-sud pour coopérer sur plusieurs questions transfrontalières concernant l'Irlande. Le troisième « écheveau » institua un Conseil britanno-irlandais, comprenant des représentants des deux gouvernements et des exécutifs décentralisés d'Irlande du Nord, d'Écosse et du pays de Galles, ainsi que de l'île de Man et des îles anglo-normandes. Ainsi, une forme institutionnelle était donnée à l'identité de tous : ceux et celles pour qui toute l'île d'Irlande était une unité politique naturelle, et ceux et celles pour qui les liens est-ouest entre l'Irlande et la Grande-Bretagne étaient de toute première importance.

L'IRA provisoire et divers groupes terroristes loyalistes consentirent à désarmer et le firent enfin après plusieurs reports et les crises politiques qui les accompagnèrent. Les prisonniers qui appartenaient aux organisations observant le cessez-le-feu furent libérés : dans bien des cas, c'étaient des personnes qui avaient été condamnées pour de graves crimes terroristes, y compris des assassinats. Pour beaucoup de victimes, cela fut évidemment très difficile à accepter. Mais à l'injustice de cet aspect de l'accord doit être opposée la fin des violences politiques en Irlande du Nord et les nombreuses vies qui ont pu de ce fait être sauvées.

Les postes de contrôle de sécurité qui restèrent entre le Nord et le Sud finirent par être retirés et la frontière irlandaise devint pour l'essentiel invisible. Comme je l'ai souligné, cela fut rendu possible non seulement par le processus de paix et l'accord du Vendredi saint, *mais aussi par l'union douanière et le marché unique de l'Union européenne*. L'accord du Vendredi saint assurait que les personnes vivant en Irlande du Nord et qui se sentaient irlandaises pouvaient être irlandaises, et que cela était pleinement légitime. La frontière, désormais largement invisible, ne présentait plus beaucoup d'intérêt pour la vie des populations. Dans ces circonstances, qu'importait-il que la République abandonnât sa revendication constitutionnelle sur le Nord ? Et qu'importait-il que le Nord continuât *de jure* de faire partie du Royaume-Uni ?

L'essor d'une classe moyenne catholique affirmée et de plus en plus éduquée embarrassait peut-être de nombreux unionistes, mais l'accord du Vendredi saint était, pour eux aussi, une bonne nouvelle. En Irlande du Nord, la part de la population catholique était passée de 33,5 % en 1926 à 28 % en 1981, puis elle avait recommencé à augmenter considérablement, passant à 38,4 % en 1991, 40,3 % en 2001 et 45,1 % en 2011. Les démographes se mirent à envisager le jour où la majorité de la population d'Irlande du Nord serait catholique. Avec le processus de paix, de plus en plus de catholiques décidèrent cependant qu'ils vivaient bien en Irlande du Nord, qu'ils fussent citoyens irlandais ou britanniques. Et les sociologues se mirent alors sur la trace d'une nouvelle identité « nord-irlandaise », distincte de l'identité britannique ou irlandaise. Au recensement de 2011, 11 % seulement des catholiques s'identifièrent comme « seulement britanniques », comparé à 67 % de protestants[24]. Mais 11 % est bien plus grand que zéro et, en outre, 28 % de catholiques s'identifiaient à « seulement nord-irlandais[25] ». La démographie, semblait-il, n'était pas le destin : peut-être l'Irlande du Nord, qui avait été construite dans le but bien précis d'assurer une majorité protestante, survivrait-elle à la disparition de cette majorité.

L'Union européenne ne résolut pas le conflit nord-irlandais : de puissantes forces internes à cette société poussèrent de tous les côtés vers une résolution politique. Mais le fait que la Grande-Bretagne et l'Irlande étaient membres de l'Union européenne joua un rôle crucial pour faire advenir un contexte dans lequel le conflit pût enfin être résolu. Comme on l'a vu, il fut absolument essentiel dans la normalisation des relations entre les deux États concernés, à savoir l'Irlande et le Royaume-Uni. Il fut aussi crucial dans la suppression des contrôles aux frontières, ce qui permit ensuite aux nationalistes du Nord d'accepter plus facilement une solution par laquelle ils restaient résidents (mais pas nécessairement citoyens) du Royaume-Uni. Comme le disait en 2016 l'ex-Taoiseach John Bruton, « le fait que nous sommes pour le moment membres de l'Union européenne signifie qu'il n'y a effectivement plus de frontière en termes de barrière dans l'île d'Irlande. Cela donne aux gens la possibilité de ne pas se sentir isolés. Un sentiment d'isolement, d'être méprisé ou de faire partie pour toujours d'une minorité, est à l'arrière-plan de certaines des tactiques très agressives qui ont été adoptées par les républicains et quelquefois même, aussi, par les loyalistes[26] ». Comme cela se passa ailleurs en Europe, l'appartenance partagée à l'Union européenne rendit la frontière entre les États membres moins importante qu'elle ne l'avait été auparavant, et ce fut bon pour la paix.

Le préambule de l'accord du Vendredi saint parle de deux États « désireux de développer encore davantage la relation unique entre leurs peuples et la coopération étroite entre leurs pays en tant que voisins amicaux et partenaires au sein de l'Union européenne ». L'accord lui-même contient de nombreuses références à l'UE. Pour Bertie Ahern, le Taoiseach irlandais qui s'impliqua dans sa négociation, ces références furent vitales[27]. Comme le déclarait à la BBC George Mitchell, l'envoyé du président Bill Clinton en Irlande du Nord, qui joua un rôle crucial dans le processus, « je ne pense pas que l'Union européenne a été essentielle dans les pourparlers eux-mêmes [de l'accord du Vendredi saint], mais je crois que ceux-ci n'auraient jamais eu lieu s'il n'y avait pas eu d'Union européenne[28] ».

Et il y a là beaucoup d'ironie. L'attitude britannique traditionnelle à l'égard de l'Europe avait été de saluer ses aspects économiques, mais de se méfier de ses aspirations politiques et du discours continental selon lequel sa principale réalisation avait été de rendre la guerre inconcevable en Europe. Or le Royaume-Uni lui-même nous donne un des meilleurs exemples de l'Europe comme processus de paix. Seule la tendance britannique systématique à ignorer l'Irlande du Nord a pu faire que les gens, là-bas, ne voient pas ce fait remarquablement évident.

Nous avons l'habitude de voir nos responsables politiques se chamailler à Bruxelles sur des problèmes financiers, et cela est bel et bon, car ils le font au nom des contribuables à qui ils doivent rendre des comptes. Mais l'Europe a toujours été un projet politique qui a toujours eu pour objet la paix. Et pas seulement, jamais, uniquement l'argent.

CHAPITRE 7

L'Europe et le miracle économique irlandais

Comme nous venons de le voir, l'appartenance à l'Union européenne a eu un effet profondément transformateur sur la politique irlandaise. Elle permit d'abord de donner un cadre dans lequel un litige territorial et un conflit sanglant vieux de plusieurs décennies purent être résolus : pour l'Irlande, ce fut aussi un moyen de sortir de l'ombre de la Grande-Bretagne et de devenir pleinement indépendante. Loin d'être considérée comme une limite à la souveraineté de l'Irlande, l'appartenance à l'Union européenne fut comprise comme un facteur important de souveraineté et d'estime de soi nationale. De telles considérations politiques permettent de mieux comprendre pourquoi les attitudes en Irlande vis-à-vis de l'Union européenne sont si différentes des attitudes en Grande-Bretagne, mais pas totalement. Car l'appartenance à l'Union européenne contribua aussi à transformer l'avenir économique de l'Irlande, essentiellement en réduisant sa dépendance vis-à-vis de la Grande-Bretagne. Cette histoire économique continue d'avoir un impact profond sur la manière dont les responsables politiques et les citoyens ordinaires, en Irlande, considèrent l'Union européenne et permet de comprendre pourquoi presque personne dans le pays n'est tenté d'imiter la sortie de la Grande-Bretagne.

La performance de l'économie irlandaise quand l'Irlande était placée sous l'autorité de la Grande-Bretagne fut décevante et quelquefois tragique[1]. En 1845, la population irlandaise, juste avant la Grande Famine *, était d'environ 8,5 millions d'âmes. Pendant les cinq années qui suivirent, 1 million de personnes moururent, et un autre émigra. La Grande Famine provoqua une vague d'émigration massive, qui se poursuivit jusqu'au XXe siècle, et qui se traduisit par le spectacle pratiquement unique d'une population en déclin continu dans une période, la fin du XIXe siècle, où l'Europe dans son ensemble connaissait une véritable explosion démographique. La population des vingt-six comtés qui devaient former, en 1922, l'État libre d'Irlande ne cessa en effet de baisser : de 6,5 millions en 1845, elle passa à 3 millions en 1926 et seulement 2,8 millions en 1961[2].

Autre conséquence de l'histoire du pays, les économies britannique et irlandaise étaient étroitement imbriquées. L'État libre d'Irlande nouvellement indépendant était fortement spécialisé dans les activités agricoles, et ses exportations agricoles étaient destinées massivement au Royaume-Uni. Les marchés du travail irlandais et britannique étaient étroitement intégrés l'un à l'autre. L'État libre puis la République d'Irlande ont partagé avec la Grande-Bretagne un même système juridique et (jusqu'en 1979) une même monnaie, et ont eu aussi de nombreuses autres institutions communes. Pendant la plus grande partie du XXe siècle, on peut considérer l'Irlande comme un petit élément régional d'une économie britannique et irlandaise plus large. Et le problème était que cette économie, dans laquelle l'élément britannique avait une place exagérément dominante, avait de médiocres résultats par rapport au reste de l'Europe. Il fallut attendre que l'Irlande s'émancipât de sa dépendance excessive à son voisin le plus proche pour qu'elle

* La Grande Famine de la fin des années 1840, provoquée par une succession de mauvaises récoltes de pommes de terre, est considérée comme la dernière grande crise de subsistance en Europe occidentale (un titre auquel prétend aussi la famine finlandaise des années 1860). La référence classique sur le sujet est : Ó Gráda (1999).

puisse enfin croître aussi rapidement que les autres pays pauvres de la périphérie européenne.

Une évaluation des performances de l'Irlande

Pour évaluer les résultats économiques de l'Irlande, nous avons besoin d'un point de comparaison[3]. En raison de l'histoire de ce pays, on a naturellement tendance à prendre le Royaume-Uni, mais c'est une erreur. Le Royaume-Uni a eu des résultats relativement médiocres par rapport à la plupart des autres pays européens et, en le prenant pour référence, nous mettons la barre beaucoup trop bas.

La deuxième solution est de comparer l'Irlande à des régions similaires au sein du Royaume-Uni : l'Irlande du Nord, évidemment, mais peut-être aussi l'Écosse et le pays de Galles. Comme nous le verrons, cela peut nous apporter des informations utiles, mais, de nouveau, en comparant l'Irlande à des régions situées dans une économie britannique connaissant une faible croissance, nous mettons encore la barre trop bas.

La troisième solution, beaucoup plus intéressante, est de comparer l'Irlande à d'autres économies relativement pauvres de la périphérie de l'Europe. Au début du siècle dernier, l'Espagne, la Grèce et le Portugal étaient aussi pauvres que l'Irlande, sinon plus. Ils firent donc face aux mêmes obstacles, tout en bénéficiant d'un potentiel de croissance rapide identique, reposant sur le rattrapage des pays plus industrialisés et plus riches. Comment se comportait l'Irlande par rapport à ces trois économies ? Et, plus généralement, par rapport aux autres économies européennes ?

Statistiquement, il est un fait qu'en Europe occidentale, au XXe siècle, les pays qui étaient plus pauvres au départ ont crû plus rapidement que ceux qui étaient plus riches. Autrement dit, les économies les plus pauvres ont eu tendance à converger vers les économies les plus riches, en particulier parce qu'elles purent importer, dans le domaine de la technologie, les pratiques les meilleures, déjà adoptées ailleurs. Nous ne disposons pas de chiffres fiables sur le revenu national de l'Irlande avant 1926, aussi la figure 7.1 représente-t-elle les niveaux de revenu par habitant en 1926 par rapport à la croissance annuelle moyenne au cours des soixante-quinze années suivantes. J'ai fait cet exercice pour le plus large échantillon disponible de pays européens qui réussirent à ne pas devenir communistes au cours du siècle, et pour les États-Unis. Comme on peut le voir, il y a une relation clairement négative entre ces deux variables. Les pays pauvres au départ, comme le Portugal, crûrent bien plus rapidement que les pays riches au départ, comme la Suisse. La relation statistique moyenne entre les deux variables (appelée par les économistes la « régression linéaire ») est donnée par la ligne droite du graphique. Comme on le voit, la force prédictive de cette relation est remarquablement bonne, c'est-à-dire que les pays sont très étroitement regroupés autour de cette ligne.

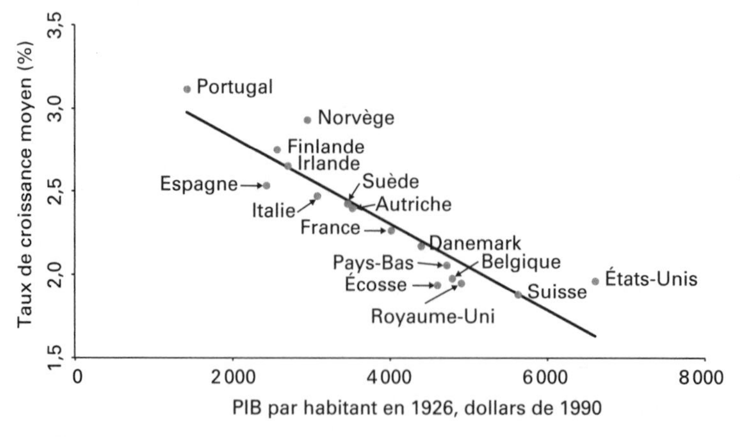

Figure 7.1. Revenu initial et taux de croissance, 1926-2001.

Source: Broadberry et Klein (2012). Pour l'Irlande, on utilise le PNB et non le PIB, en utilisant les ratios d'ajustement aimablement fournis par Rebecca Stuart. Ses données remontent à 1944, et j'ai donc pris pour hypothèse que le PNB était dans le même rapport au PIB les années précédentes.

Il apparaît de façon frappante que la performance de l'économie irlandaise entre 1926 et 2001 fut *exactement* ce qu'elle aurait dû être, compte tenu du niveau de revenu de ce pays au départ : l'Irlande n'est ni au-dessus ni en dessous, mais précisément sur la ligne.

La période de l'entre-deux-guerres et la Seconde Guerre mondiale : 1922-1950

Pendant les dix premières années de l'indépendance, la politique commerciale du nouvel État fut, comparativement à d'autres, remarquablement libérale. L'élection du Fianna Fáil en 1932 coïncida avec un tournant marqué vers le protectionnisme, mais sans qu'il y eût là rien d'original. *Tout le monde*, après l'irruption de la Grande Dépression de 1929, fit de même. Comme nous l'avons vu dans le chapitre 2, même les Britanniques, favorables traditionnellement au libre-échange, recoururent au protectionnisme à partir de novembre 1931, c'est-à-dire avant l'Irlande.

L'Irlande fut très protectionniste pendant les années 1930, mais ni plus ni moins que d'autres. Pendant ces dix années, sa politique économique présenta cependant un trait frappant, compte tenu de ce qui adviendrait plus tard : elle s'efforça de limiter la possibilité pour des étrangers d'être propriétaires d'entreprises irlandaises. L'Irlande ne fut toutefois pas la seule à adopter à cette époque de telles mesures, souvent contournées par le biais d'acrobaties juridiques, comme dans les autres pays. Plus inhabituelle fut la « guerre économique » avec le Royaume-Uni, qui dura de 1932 à 1938. Ses origines remontaient aux projets, antérieurs à l'indépendance, de transférer les terres des grands propriétaires terriens britanniques aux métayers irlandais. L'État libre d'Irlande hérita de l'obligation de transférer de l'argent en Grande-Bretagne pour rembourser ces propriétaires. Quand de Valera arriva au pouvoir, il refusa de continuer sur cette voie ; le gouvernement britannique prit des mesures de rétorsion en limitant les importations agricoles en provenance d'Irlande, et l'Irlande prit des mesures de contre-rétorsion. Le litige fut finalement réglé dans des conditions très favorables aux Irlandais. Une dette capitalisée de 100 millions de livres sterling fut réglée par un paiement de 10 millions, et l'Irlande obtint le contrôle de trois ports qui étaient restés, selon les termes du traité, sous le contrôle de la Royal Navy. Cela aida certainement le pays à rester neutre pendant la Seconde Guerre mondiale. Quoique peu glorieuse, la neutralité sauva la vie de nombreux Irlandais et évita sans doute de nombreuses destructions matérielles. Même en prenant en compte le coût incontestable de la guerre économique (qui frappa durement surtout les grands exploitants agricoles), il est parfaitement possible que son impact économique net ait été en réalité positif[4].

Si les *politiques* économiques de l'Irlande furent tout à fait caractéristiques de la période, ce fut aussi le cas de ses *performances*. Ce qui signifiait, malheureusement, en pleine Grande Dépression, que celles-ci ne pouvaient être que très mauvaises. La guerre qui suivit fut elle aussi très difficile pour l'économie irlandaise, même si fut épargnée au pays l'horreur des combats. Les importations d'énergie et d'autres denrées et équipements essentiels furent très faibles et l'industrie irlandaise en souffrit grandement. Largement agricole, et dépourvue d'industrie lourde, l'économie de l'État libre ne bénéficia pas de la demande de matériel de guerre, au contraire de l'Écosse et de l'Irlande du Nord. Pire encore, elle dut vendre sa production agricole à un client britannique en grande difficulté, qui, on le comprend, usa de sa position de monopole pour baisser les prix d'achat.

Comme la quasi-totalité de l'Europe occidentale, l'Irlande connut un boom économique considérable entre 1945 et 1950. Ainsi que nous l'avons vu au chapitre 5, dans les puissances hier encore belligérantes, en particulier sur le Continent, le boom prit largement la forme de la reconstruction. Dans le cas de l'Irlande, il fut bien davantage alimenté par la consommation, la population rattrapant le temps perdu en achetant des biens d'importation américains ou autres. La construction connut elle aussi un boom, ainsi que l'industrie[5]. Ce boom alimenté par la consommation fut évidemment moins durable que le boom tiré par l'investissement que connut à la même époque l'Europe continentale. Cependant, l'impression générale qui se dégage lorsqu'on place dans une perspective comparative les politiques économiques de l'Irlande entre 1922 et 1950, c'est qu'il n'y eut rien de particulièrement autodestructeur ou de pervers dans les choix politiques effectués. Les responsables politiques irlandais se montrèrent relativement libéraux pendant les années 1920 et, comme tout le monde, protectionnistes à partir de 1932. On ne peut guère leur reprocher les privations de la Seconde Guerre mondiale, pas plus qu'on ne peut les louer pour le redressement inévitable qui suivit. Et la performance économique du pays pendant les trente premières années de son indépendance fut tout aussi caractéristique de l'époque.

L'âge pas si doré de l'Irlande

En comparaison, les performances économiques de l'Irlande pendant les vingt-cinq années qui suivirent furent très décevantes. Alors qu'elle avait été dans la moyenne durant le désastreux entre-deux-guerres, elle passa très en dessous pendant l'« âge d'or » de l'Europe. La figure 7.2 montre que la croissance irlandaise de cette période fut très en dessous de ce qu'elle aurait dû être, compte tenu du niveau de pauvreté où se trouvait l'Irlande au départ. Les années 1950 furent particulièrement mauvaises, et les données relatives au PNB (le produit national brut) du graphique minimisent même la situation, si l'on s'intéresse au niveau de vie des citoyens ordinaires. Partout en Europe, les gouvernements édifièrent après la guerre des États providence modernes, tandis que l'Irlande resta loin en arrière. S'il est une période pendant laquelle on peut dire que l'Irlande indépendante a « échoué », il s'agit bien de cette décennie.

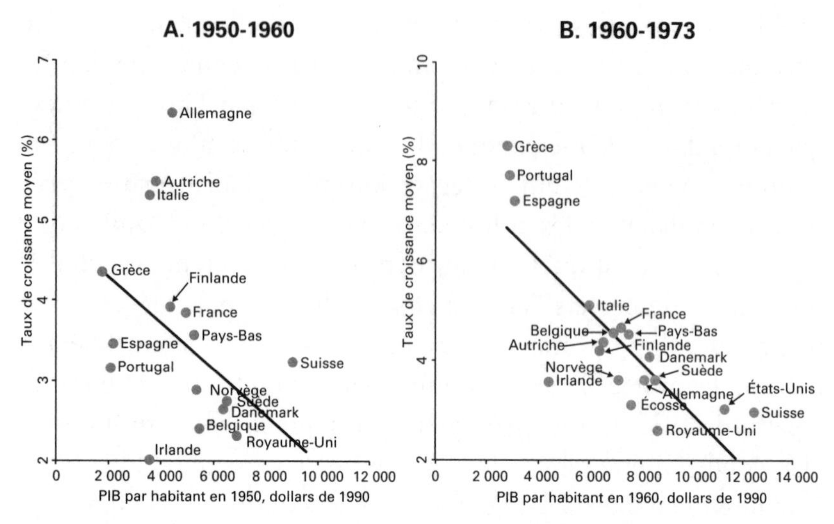

Figure 7.2. Revenu initial et taux de croissance, 1950-1960 et 1960-1973.
Source : voir figure 7.1.

Les mauvais résultats de l'économie irlandaise continuèrent dans les années 1960. Comme le montre le panel B de la figure 7.2, ce fut la décennie pendant laquelle l'Espagne, la Grèce et le Portugal connurent leur miracle économique. Il est important de noter qu'une comparaison avec la seule Grande-Bretagne éluderait cette réalité : à partir des années 1960, l'économie irlandaise crût plus rapidement que l'économie britannique. Mais croître plus vite qu'une économie elle-même mal en point ne fut pas suffisant pour empêcher l'Irlande de prendre encore plus de retard sur la plupart des pays d'Europe occidentale.

Pourquoi les résultats économiques de l'Irlande furent-ils si médiocres pendant ces vingt années décisives ? J'aimerais avancer ici deux raisons[6]. La première a un rapport avec le retard de la libéralisation, et la seconde avec la dépendance excessive de l'Irlande vis-à-vis d'une économie britannique elle-même très médiocre.

La première explication des mauvais résultats de l'économie irlandaise tout au long de l'« âge d'or » européen, et notamment pendant les années 1950, tient au retard pris dans l'inversion des politiques protectionnistes de l'entre-deux-guerres. Ces politiques n'avaient rien eu d'inhabituel dans le contexte des années 1930 et peut-être même étaient-elles parfaitement appropriées à une époque où tout le monde protégeait son marché intérieur, où une stratégie de croissance basée sur les exportations n'était donc plus praticable, et où les emplois se faisaient partout très rares. Mais, le protectionnisme, dans les années 1950, n'était à l'évidence plus adapté. Comme nous l'avons vu, les pays européens supprimaient peu à peu les barrières aux échanges et intégraient leurs économies entre elles, d'abord dans le cadre de l'OECE, puis dans celui de la CEE et l'AELE. Cela signifie qu'il était désormais possible d'adopter dans toute l'Europe occidentale des stratégies de croissance reposant sur les exportations (et c'est d'ailleurs ce que firent ces pays), mais aussi qu'en raison de la croissance rapide de la période, le protectionnisme n'était plus nécessaire pour créer des emplois. L'Irlande mit plus de temps que les pays du noyau européen à réduire ses barrières douanières, et se comporta plutôt comme les économies périphériques de l'Espagne, de la Finlande ou de la Grèce. Dans le cas de l'Irlande, cette diminution relativement lente des barrières douanières dura jusque dans les années 1960 – erreur qui s'avéra coûteuse. S'agissant d'attirer les investissements directs étrangers, en revanche, l'Irlande se montra précoce. Créée dès 1949, une Autorité du développement industriel (Industrial Development Authority, IDA) commença à chercher des moyens pour attirer dans le pays les investissements multinationaux. Des allègements fiscaux sur les profits à l'exportation furent mis en place en 1956[7].

Le calendrier de la libéralisation du commerce en Irlande et dans les autres pays de la périphérie de l'Europe fut largement lié à l'impact de la création de la CEE et de l'AELE. Aucun pays d'Europe occidentale, quelque périphérique ou économiquement attardé qu'il fût, ne put éviter de réagir à la rupture du système commercial existant. L'Espagne sortit de sa très ancienne autarcie en 1959, entra la même année dans l'OECE et se lança dans un processus de libéralisation des échanges. En 1960, elle supprima les restrictions quantitatives sur 90 % de ses importations ; les droits de douane furent peu à peu réduits au cours des années suivantes, et le pays s'ouvrit, dans une certaine mesure au moins, aux investissements étrangers entrants[8]. Le Portugal devint un membre fondateur de l'AELE, tout en réussissant cependant à négocier un accord de transition pour retarder la réduction des droits de douane sur des secteurs qui représentaient la moitié environ de ses importations[9]. La Finlande entama la réduction de ses tarifs douaniers en 1957 et signa un accord commercial avec l'AELE en 1961[10]. La Grèce signa un accord d'association avec la CEE en 1961. Il lui assurait une période de transition de vingt-deux ans, qui devait finalement conduire à son entrée dans les Communautés. Elle put réduire progressivement ses droits de douane vis-à-vis de la CEE, tout en bénéficiant d'une réduction immédiate des droits de douane de la CEE sur les exportations grecques[11].

Il n'est donc pas étonnant que l'Irlande ait aussi fait le grand plongeon, plus ou moins en même temps, et qu'elle ait proposé sa candidature à l'entrée dans la CEE en 1961, avec la Grande-Bretagne. Pas plus qu'il n'est étonnant qu'au moment du veto de Charles de Gaulle, en 1963, elle ait réduit unilatéralement ses droits de douane. Elle le fit à nouveau l'année suivante et signa en 1965 l'Accord de libre-échange anglo-irlandais (AIFTA). À cette date, l'Irlande était pleinement candidate à l'entrée dans la CEE, entrée qui se réalisa en 1973.

Ce qu'il y eut d'inhabituel dans la libéralisation des échanges en Irlande, c'est qu'elle resta largement tournée vers sa relation économique avec la Grande-Bretagne. Certes, l'Accord de libre-échange anglo-irlandais était considéré comme une première étape vers une candidature à la CEE, mais la réalité, malgré cette motivation européenne, est que l'Irlande était encore mal intégrée dans l'économie de l'Europe. Et c'était bien la difficulté, car l'accès au seul marché britannique était loin de présenter un attrait suffisant pour les potentiels investisseurs multinationaux que l'accès au marché de la CEE, beaucoup plus grand et dynamique.

Tout cela nous amène à la seconde explication de la relative médiocrité des résultats de l'économie irlandaise pendant l'âge d'or européen. Si elle eut bien pour cause, dans les années 1950, le protectionnisme, et si l'Irlande entama la libéralisation à la fin de cette décennie, alors pourquoi ses résultats furent-ils si décevants entre 1960 et 1973 ? La comparaison avec d'autres économies de la périphérie de l'Europe, en particulier la Grèce et le Portugal, est éclairante. Comme nous l'avons vu dans la figure 7.2, ces deux pays connurent une croissance extrêmement rapide durant cette période, pendant que l'Irlande stagnait. Pourtant, dans les années 1960, les droits de douane de la Grèce furent encore plus élevés que ceux de l'Irlande. Comment expliquer les résultats supérieurs de la Grèce et du Portugal ? Pourquoi l'Irlande ne put-elle pas les suivre ?

Une des clefs de la réussite de la Grèce fut l'accord d'association signé avec la CEE. Les investissements étrangers avaient été encouragés dès le début des années 1950, grâce à une série de mesures très favorables[12], mais l'accès sans droits de douane aux marchés de la CEE fournit un stimulus supplémentaire essentiel aux investissements entrants. Entre 1962 et 1964, plus des trois cinquièmes des investissements industriels étaient d'origine étrangère. Michael Kopsidis et Martin Ivanov estiment que les investissements directs étrangers, dans cette période, « diversifièrent et modernisèrent l'industrie grecque[13] ». Le marché continental pour les biens de consommation à bas prix fabriqués en Grèce bénéficia aussi à l'industrie légère traditionnelle du pays.

Au Portugal également, l'appartenance à l'AELE est considérée comme ayant joué un rôle crucial dans la promotion d'une économie plus dynamique et plus ouverte sur l'extérieur. D'après certaines estimations, les flux annuels d'investissements étrangers directs furent plus de trente fois supérieurs pendant les années 1960 qu'entre 1943 et 1960[14]. L'entrée du Portugal dans la CEE, dans les années 1980, conduira à une augmentation supplémentaire des investissements directs étrangers. Ce fut aussi le cas en Espagne[15].

La grande différence, donc, entre le cas irlandais et les cas grec et portugais, c'est que l'Irlande ne signa pas d'accord d'association avec la CEE et n'entra pas dans l'AELE[16]. Les historiens irlandais affirment souvent que, une fois que l'Irlande eut signé l'AIFTA, elle devint une fois pour toutes une nation libre-échangiste, et ce n'est pas totalement faux. Les firmes locales durent s'adapter à la concurrence britannique, et ce fut une bonne chose en termes d'efficacité. Mais il y a une grande différence entre accepter le libre-échange avec une seule économie (et qui, en plus, ne marche pas très bien) et faire partie d'une union douanière aux dimensions d'un continent. Jusqu'à l'entrée dans la CEE, l'Autorité du développement industriel s'efforça de vendre l'Irlande aux investisseurs étrangers comme une plateforme d'exportation vers le Royaume-Uni et le Commonwealth ; à partir de 1973, elle bénéficia d'un tout autre argument de vente. Désormais, l'Irlande commerçait avec l'ensemble de la CEE, et cela changeait tout.

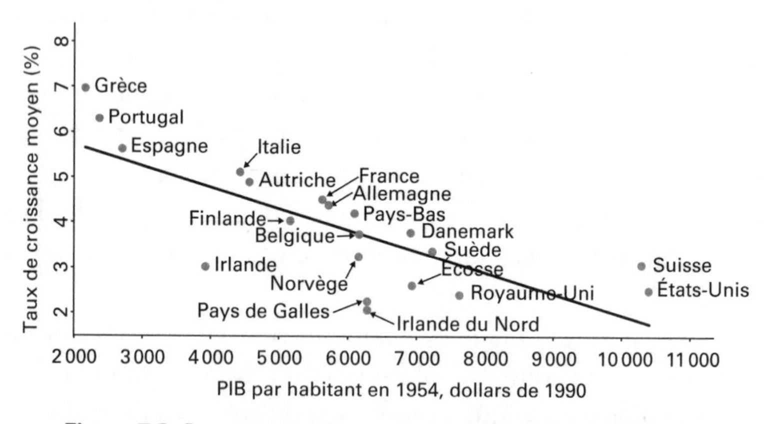

Figure 7.3. Revenu initial et taux de croissance, 1954-1973.

Source : voir figure 7.1. Pays de Galles et Irlande du Nord : les données sont utilisées par Dorsett (2013) et ont été aimablement fournies par l'auteur. Écosse : les données ont été fournies aimablement par Brian Ashcroft.

Ce qu'il y a de frappant dans les données sur le PIB entre 1954[17] et 1973, c'est que la performance de l'Irlande en termes de croissance ressemble beaucoup à celles de l'Irlande du Nord et du pays de Galles. On peut dire de ces trois économies qu'elles avaient de mauvais résultats de la même manière : elles croissaient moins vite qu'elles ne l'auraient dû, compte tenu du niveau de leurs revenus initiaux (figure 7.3). Cela suggère que les trois économies avaient un problème ou des problèmes communs. Certains étaient d'ordre institutionnel : ainsi la fragmentation des organisations syndicales rendait le compromis social, en vogue sur le Continent, difficile à réaliser[18]. L'autre explication possible, c'est que les trois pays dépendaient trop d'une économie britannique elle-même languissante.

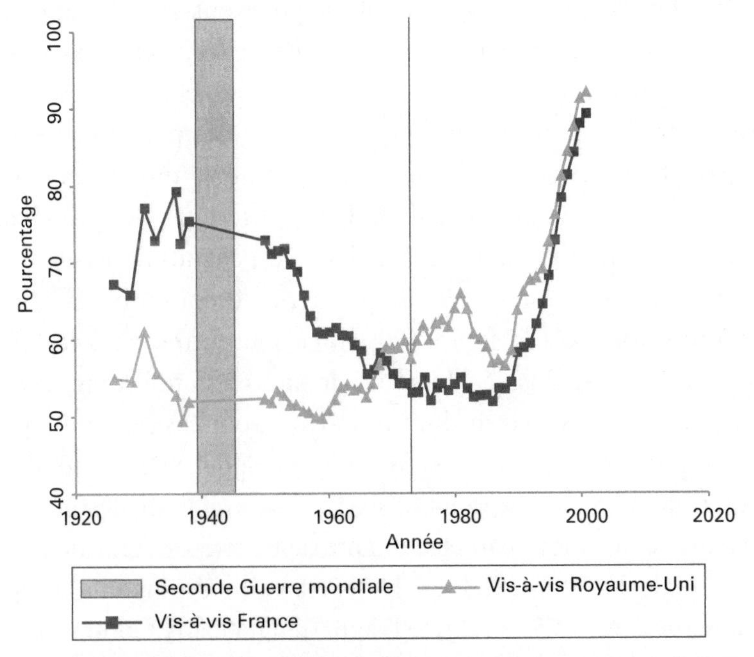

Figure 7.4. PNB par habitant de l'Irlande en pourcentage du PIB par habitant britannique et français.

Source : voir figure 7.1. Note : la ligne verticale est pour l'année 1973.

C'est pourquoi, bien que le PIB par habitant, dans les années 1960, ait crû plus rapidement en Irlande qu'au Royaume-Uni (figure 7.4), cela ne fut pas suffisant pour empêcher l'économie irlandaise de prendre encore plus de retard sur une grande économie continentale comme la France. Cela changerait en 1973.

L'Irlande dans l'Europe

Comme le montre la figure 7.4, l'Irlande cessa immédiatement de prendre du retard sur la France quand elle entra dans la CEE, en 1973. Selon une estimation de Nauro Campos, Fabrizio Coricelli et Luigi Moretti, cette entrée gonfla le taux de croissance par habitant de presque deux points de pourcentage[19]. Avant même le miracle économique irlandais des années 1990, l'Irlande connaissait à nouveau une croissance aussi rapide que celle qui aurait pu être prédite dans un cadre de convergence des pays pauvres vers les pays riches (figure 7.5). Les investissements directs étrangers, basés sur les ventes aux pays de la CEE, furent un des principaux facteurs de l'amélioration des résultats de l'économie irlandaise à partir de 1973, comme la Politique agricole commune. Comme le montre toutefois la figure 7.6, après son entrée dans la CEE, l'Irlande se caractérisa également par une réduction drastique de sa dépendance vis-à-vis du Royaume-Uni, pour ses importations et surtout pour ses exportations. Avant la Seconde Guerre mondiale, la quasi-totalité des exportations irlandaises étaient destinées au Royaume-Uni, et leur part était encore de 61 % en 1972. Elle n'était plus que de 37 % en 1983, de 31 % à la veille du marché unique, et de seulement 14 % en 2015. L'appartenance aux Communautés européennes amena l'économie irlandaise à se diversifier de plus en plus, à moins dépendre de son voisin immédiat, et donc à se porter mieux.

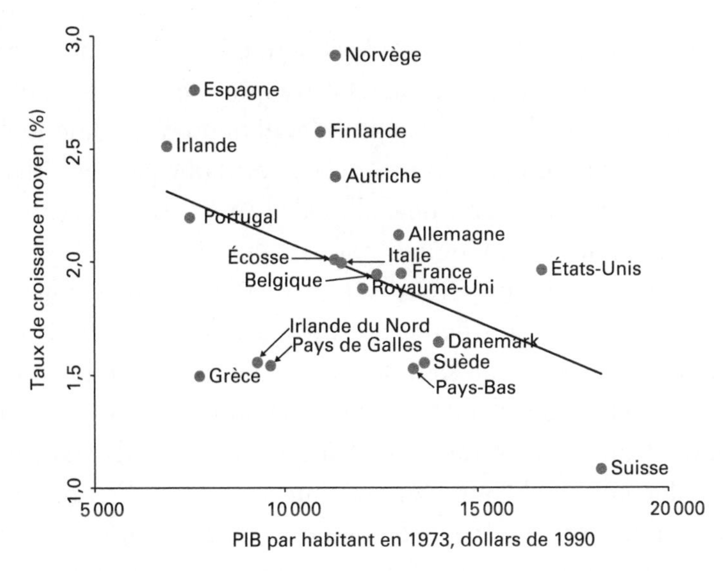

Figure 7.5. Revenu initial et taux de croissance, 1973-1990.

Source : voir figure 7.1.

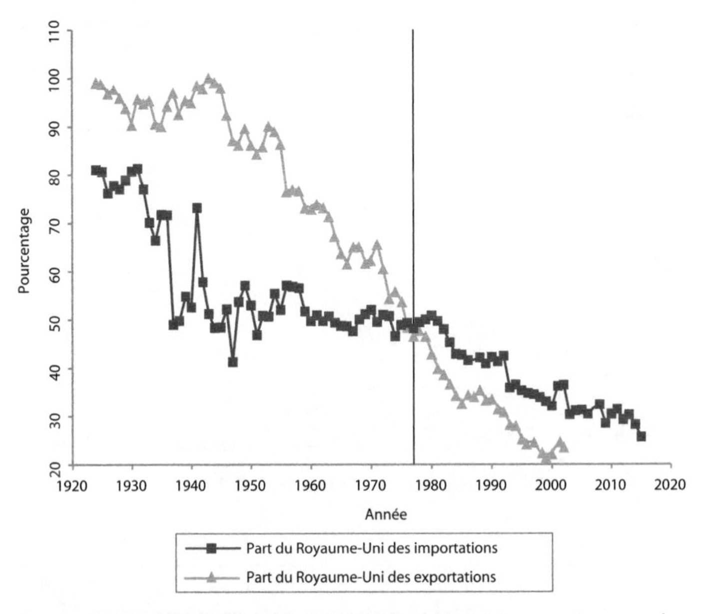

Figure 7.6. Part du Royaume-Uni dans les importations et les exportations de l'Irlande

Source : Mitchell (2003) et, à partir de 1972, www.cso.ie.

Le second grand tournant de l'économie irlandaise fut la transformation provoquée par le marché unique. Pendant les années 1990, l'Irlande eut des performances économiques exceptionnelles (figure 7.7). Une comparaison entre ce pays, d'une part, et l'Irlande du Nord, l'Écosse et le pays de Galles, de l'autre, est à cet égard très éclairante (figure 7.8). Comme nous l'avons vu, à partir de 1960, l'Irlande avait gagné du terrain sur ces régions du Royaume-Uni, ce qui représentait sans doute un processus progressif de convergence qui se déroulait au sein des économies britannique et irlandaise. L'accélération irlandaise à partir des années 1990 représente cependant quelque chose de tout à fait différent. Il paraît clair non seulement que l'Union européenne a joué un rôle primordial dans la transformation de l'économie irlandaise, mais aussi que l'indépendance de l'Irlande fut un facteur essentiel, qui lui permit d'exploiter les opportunités offertes par l'Union européenne. Comme on le voit sur le graphique, l'Irlande n'aurait jamais pu faire aussi bien, et de loin, si elle était restée une simple région du Royaume-Uni.

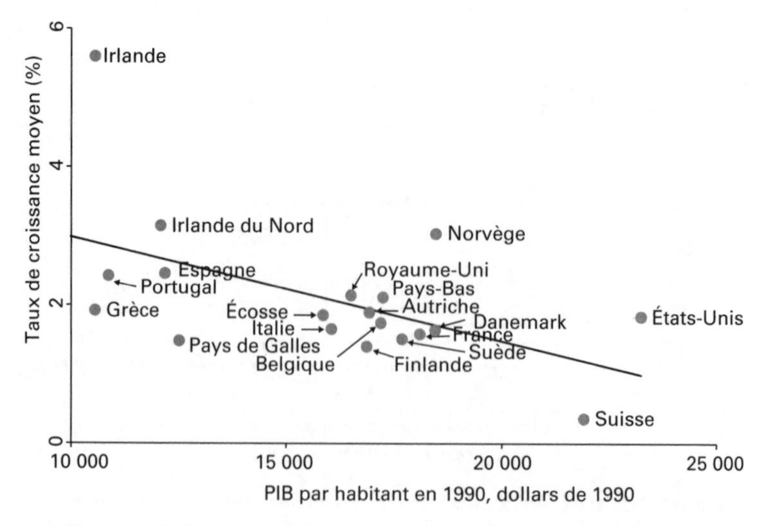

Figure 7.7. Revenu initial et taux de croissance, 1990-2001.

Source: voir figure 7.1.

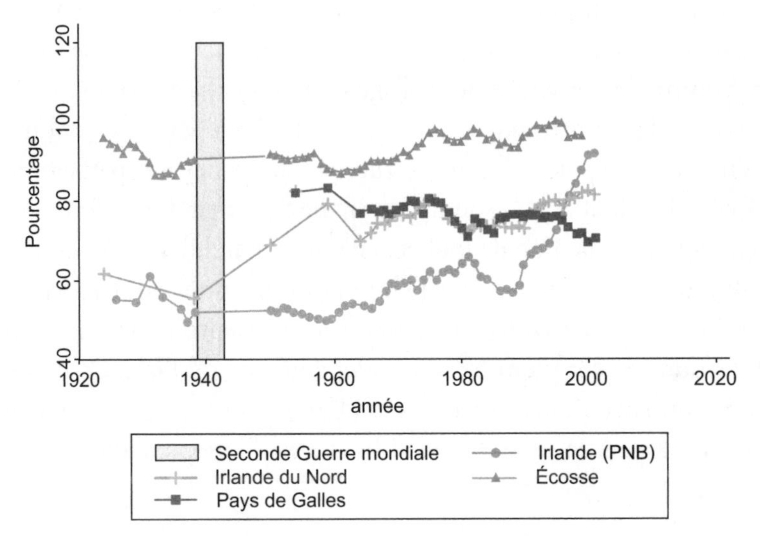

Figure 7.8. Revenus relatifs au Royaume-Uni, 1924-2001.
Source : voir figure 7.3.

À une époque de changement rapide, la souplesse de la politique économique était essentielle, et c'est précisément ce que l'indépendance donnait à l'Irlande. Il est important de noter que l'Irlande n'est pas le seul petit pays européen qui ait obtenu de bons résultats dans le cadre d'une économie en voie de mondialisation. En science politique, un corpus bien établi montre comment d'autres petits pays, en Scandinavie et ailleurs, furent capables, plus facilement que des pays plus grands, de réagir avec souplesse et agilité au changement des conditions du marché international[20]. Mais l'appartenance à l'Union européenne et le programme du marché unique de la fin des années 1980 et du début des années 1990 ont joué un rôle essentiel, permettant à l'Irlande de cueillir tous les fruits économiques de son indépendance.

Le *policy mix* adopté par l'Irlande est bien connu : une faible fiscalité sur les entreprises et diverses incitations aux investissements étrangers entrants, dont des investissements dans l'éducation et les infrastructures. Cormac Ó Gráda et moi-même estimons que le partenariat social joua aussi un rôle décisif : il permit de modérer la hausse des salaires et de fournir un environnement social stable, un peu comme le corporatisme de l'âge d'or de l'Europe continentale[21]. Mais deux facteurs furent à la base de tout : l'indépendance politique de l'Irlande, qui permit à celle-ci d'adopter un *policy mix* parfaitement adapté à la situation, et son appartenance au marché unique européen, sans laquelle rien de tout cela n'aurait marché. L'indépendance politique et l'appartenance à l'Union européenne n'ont jamais été en opposition en Irlande : chacune fut nécessaire pour que l'autre puisse donner son plein effet. L'indépendance de l'Irlande n'aurait pas été un succès aussi grand sans l'Union ; et son appartenance à celle-ci n'aurait pas marché aussi bien sans l'indépendance.

2016

Début 2016, l'Irlande était un pays prospère et en paix avec lui-même dans une Union européenne qui avait joué un rôle crucial pour arriver à ce double résultat. La principale préoccupation des responsables politiques du pays était le centième anniversaire de l'insurrection de Pâques 1916, évoquée dans le chapitre précédent. Contrairement au cinquantième anniversaire, en 1966, l'événement ne fut pas une répétition du nationalisme irlandais traditionnel : il n'y eut pas de discours antibritanniques, et l'on honora la mémoire de toutes celles et ceux qui moururent pendant l'insurrection, et pas seulement celle des révolutionnaires irlandais. Mais l'événement fut également très différent du soixante-quinzième anniversaire, en 1991. À cette date, il y avait eu tellement de morts pendant les « troubles » que les non-républicains s'inquiétaient de devoir rendre hommage à la première génération de révolutionnaires, craignant que cela fût interprété comme un soutien à l'IRA actuel et à sa campagne d'assassinats. Et il n'y eut presque personne.

La paix changea tout cela. Alors que le gouvernement avait annoncé de façon assez solennelle que le centenaire de l'insurrection ne serait pas célébré mais commémoré, les Irlandais décidèrent qu'ils le célébreraient quoi qu'il en soit. Des centaines de milliers d'entre eux envahirent le centre de Dublin pour assister au plus grand défilé militaire dans l'histoire du pays, et beaucoup d'autres le regardèrent à la télévision. Quelques semaines plus tard, il y eut une fête dans ma rue. Notre voisine la plus âgée, Claire Molloy, née le jour où Patrick Pearse se rendit aux Britanniques, fut amenée en fauteuil roulant jusqu'à une estrade qui avait été dressée au milieu de la chaussée. Vêtue d'un bel uniforme, une femme officier appartenant à la caserne voisine de Cathal Brugha, où le militant de la paix Francis Sheehy Skeffington avait été assassiné par des soldats britanniques en 1916, lut un exemplaire de la Proclamation d'indépendance. Les enfants se rapprochèrent furtivement du gâteau tricolore. Tout le monde applaudit.

Les révolutions américaine et française n'ont pas été particulièrement non violentes : la plupart des pays ont des origines troubles. Mais, quoi que l'on puisse penser de l'insurrection de Pâques – et il y eut en ce printemps 2016, autour de la table, bien des discussions animées à ce propos –, le fait demeure que c'est cet événement qui a fini par conduire à la création d'une République d'Irlande indépendante. Et, pour la plupart des Irlandais, c'était une très bonne chose.

Rétrospectivement, 2016 n'était sans doute pas la meilleure année pour que le Royaume-Uni pousse l'Irlande sous un autobus.

C'est pourtant bien ce qui s'est passé.

CHAPITRE 8

Le Brexit

Lorsque nous avons quitté la Grande-Bretagne des années 1980, à la fin du chapitre 5, le parti Labour était antieuropéen, et le Parti conservateur de Margaret Thatcher soutenait fortement la création du marché unique et la suppression des formalités aux frontières que prévoyait celui-ci. Avant l'élection générale de 1983, un jeune candidat travailliste du nom de Tony Blair déclarait : « Nous négocierons le retrait de la CEE, qui a épuisé nos ressources naturelles et détruit des emplois[1]. » Il n'y avait là rien d'étrange ni d'inhabituel, car c'était, comme nous l'avons vu, la politique officielle du Parti travailliste. En effet, la promesse de se retirer des Communautés européennes fut un des facteurs qui conduisirent un groupe de membres du Labour, parmi lesquels Roy Jenkins (qui était rentré au Royaume-Uni après avoir présidé la Commission européenne), à créer le Parti social-démocrate, en 1981. Celui-ci forma bientôt une alliance avec le parti libéral, et les deux finirent par fusionner pour devenir le parti démocrate libéral. Les démocrates libéraux sont aujourd'hui, avec le Parti national écossais, les partis politiques britanniques les plus européens.

Tony Blair fut élu à la Chambre des communes en 1983, mais l'élection fut un désastre pour le Labour et Thatcher fut à nouveau désignée Premier ministre. Le Labour commença alors, lentement, à recalibrer sa position sur l'Europe et sur d'autres positions politiques radicales (le désarmement nucléaire unilatéral, par exemple), considérées comme des handicaps électoraux. La visite célébrée de Jacques Delors au Trades Union Congress britannique (TUC), le « Congrès des syndicats », en 1988, marqua un tournant important : son discours suggérait que l'Europe n'était peut-être pas le complot capitaliste auquel la réduisait traditionnellement la gauche britannique. Le marché unique devait avoir une « dimension sociale » : était nécessaire « une plateforme de droits sociaux garantis, contenant des principes généraux, tels que le droit de tout travailleur à être couvert par un accord collectif[2] ». Hugo Young raconte qu'il fut reçu « comme un prophète », à qui les camarades donnèrent du « Frère Jacques, sur l'air de la seule chanson française qu'ils connaissaient[3] ». Inutile de dire que l'événement ne fut pas vu d'un bon œil à Downing Street. Au milieu des années 1990, le Labour était devenu un parti fondamentalement proeuropéen, tout en conservant quelques éléments eurosceptiques, qui jouent à nouveau un rôle important aujourd'hui.

Une des raisons pour lesquelles il était intéressant politiquement pour le Labour d'être moins hostile à l'Europe, c'est que le Parti conservateur l'était davantage. Il y a plusieurs explications à cela, à commencer par Thatcher elle-même. En 1988, elle qualifia d'« absurde » la déclaration de Jacques Delors devant le Parlement européen selon laquelle d'ici dix ans, « 80 % de la législation économique et peut-être même de la législation sociale et fiscale seront d'origine européenne » : elle avait déjà décidé que Delors était un « "euro-démagogue" qui souhaitait "rabaisser" la Grande-Bretagne », et il était clair qu'il avait désormais « dépassé les bornes[4] ». En septembre 1988, moins de deux semaines après le discours de Delors au TUC, Thatcher prit la parole à Bruges, au Collège d'Europe. Sans remettre en cause l'appartenance de la Grande-Bretagne aux Communautés européennes, elle prôna « une coopération volontaire et active entre des États indépendants et souverains », et contesta qu'il fût nécessaire pour cela que « le pouvoir soit centralisé à Bruxelles ou que les décisions soient prises par une bureaucratie attitrée ». Puis arriva la formule célèbre qui montrait que son opposition à Delors ne reposait pas seulement sur des préoccupations de souveraineté mais sur l'idéologie : « Nous n'avons pas fait reculer avec succès les frontières de l'État en Grande-Bretagne pour nous les voir réimposer au niveau européen par un super-État européen exerçant une nouvelle domination depuis Bruxelles[5]. »

Le discours de Bruges a, dans certains milieux de l'euroscepticisme britannique, le statut de sainte écriture. L'année suivante fut créé le Groupe de Bruges, qui, si l'on en croit son site Web, vise non seulement « à promouvoir le débat sur l'Union européenne et favoriser l'éducation du public sur les affaires européennes », mais aussi à « mener la bataille intellectuelle contre l'intégration européenne, le fédéralisme de l'Union européenne, la centralisation et l'élargissement ». Il devint un centre de l'euroscepticisme dans les années 1990, et compta en son sein plus de cent trente députés conservateurs[6]. Et s'ils furent si nombreux, c'est en raison des événements qui suivirent immédiatement Bruges.

En 1989 et 1990, la lutte se durcit entre Thatcher et ses principaux lieutenants, qui commençaient à s'inquiéter de l'étendue de sa rhétorique antieuropéenne ; il y eut par exemple sa réaction à la réunification imminente de l'Allemagne, qui mit au grand jour sa germanophobie latente. Lors d'une réunion du Conseil européen de décembre 1989, en présence du chancelier Helmut Kohl, elle annonça : « Nous avons battu les Allemands deux fois, et maintenant ils sont de retour[7]. » En mars de l'année suivante, un séminaire se réunit à Chequers, la maison de campagne du Premier ministre, pour discuter du « problème allemand ». On posa aux participants des questions comme « que nous dit l'histoire sur le caractère et le comportement des peuples germanophones d'Europe ? » et « à la lumière de l'histoire, comment peut-on "satisfaire" les Allemands ? Y a-t-il quelque chose qu'ils veuillent et que nous puissions leur donner, et qui permette de neutraliser leur tendance à étendre leur emprise, que ce soit politiquement ou territorialement ? » D'après un mémorandum qui fuita de la réunion, l'Allemand se caractérisait, entre autres, par « le mal-être, l'agressivité, l'assurance, la brutalité, l'égotisme, le complexe d'infériorité, la sentimentalité », même si l'un des experts présents contesta que ce fût là un aperçu exact des conclusions de la réunion[8].

Chez les conservateurs britanniques, Thatcher n'était pas seule à se méfier de l'Allemagne. En juillet 1990, son secrétaire d'État au Commerce et à l'Industrie, Nicholas Ridley, qualifiait l'Union monétaire européenne (UME) « de racket allemand conçu pour prendre le contrôle de toute l'Europe » et accusait les Français de « se comporter comme les caniches des Allemands [...]. Quand je regarde les institutions auxquelles il est proposé de transférer la souveraineté, je suis effaré. Dix-sept politiciens au rebut et non élus[9]. [...] Je ne suis pas opposé par principe à l'abandon de souveraineté, mais pas à ces gens-là. Franchement, on pourrait aussi bien la confier à Adolf Hitler ». L'intervieweur terminait l'entretien en suggérant que « la confiance avec laquelle M. Ridley exprimait ses idées sur la menace allemande devait devoir quelque chose au fait qu'il sait qu'elles ne sont pas très différentes de celles du Premier ministre, qui était opposée au départ à la réunification allemande, même si en public il est exigé qu'elle n'aille pas jusqu'à avoir l'indélicatesse de faire des comparaisons entre Herren Kohl et Hitler[10] ». Bien évidemment, l'interview provoqua un scandale, et Ridley dut démissionner.

Il y eut aussi une bataille féroce entre Thatcher et ses ministres sur le point de savoir si le Royaume-Uni devait rejoindre le « mécanisme de taux de change européen » ou MCE. Créé en 1979, c'était un système de taux de change quasi fixes. (L'Irlande l'avait rejoint, mais pas le Royaume-Uni. Jusqu'alors, la livre irlandaise et la livre britannique avaient été d'une valeur égale l'une par rapport à l'autre et, quand j'étais enfant, les pièces britanniques circulaient librement à Dublin. Depuis 1979, les deux monnaies sont totalement distinctes.) La question prit une importance nouvelle après la publication, en 1989, du rapport Delors, qui recommandait un processus en trois étapes devant aboutir à l'Union monétaire européenne. Pendant la première de ces trois étapes, les monnaies des États membres étaient censées rejoindre le MCE, ce qui rendait la question encore plus sensible en Grande-Bretagne. Finalement, les ministres l'emportèrent. Thatcher écrivit plus tard que Ridley, qui, nous l'avons vu, avait quitté le gouvernement, avait été « presque mon seul allié dans le cabinet[11] ». À l'ire de Thatcher, le Royaume-Uni entra dans le MCE en octobre 1990.

Peu après, le Premier ministre rendit compte à la Chambre des communes d'une réunion du Conseil européen, à Rome, qui avait été largement consacrée à l'UME. Lors de la séance de questions-réponses qui suivit sa déclaration, elle observa qu'il était « très ironique en effet qu'à un moment où l'Europe de l'Est faisait de grands efforts pour avoir plus de démocratie, la Commission en déployait tout autant pour anéantir la démocratie et mettre de plus en plus de pouvoir dans ses propres mains ou dans les mains d'organismes non élus ». Quant à Jacques Delors, il « dit dans une conférence de presse l'autre jour qu'il voulait que le Parlement européen soit l'organisme démocratique de la Communauté ; qu'il voulait que la Commission soit l'exécutif et qu'il voulait que le Conseil des ministres soit le Sénat. Non. Non. Non[12] ».

Ce fut trop pour ses ministres. Geoffrey Howe, un ancien secrétaire aux Affaires étrangères qui avait été marginalisé après Bruges mais qui était encore membre du cabinet, démissionna. Dans le discours qu'il fit à cette occasion, deux semaines plus tard, il affirma que « l'attitude perçue du Premier ministre vis-à-vis de l'Europe fait courir des risques de plus en plus graves à l'avenir de notre nation. Elle risque de minimiser notre influence et de maximiser nos chances d'être à nouveau laissés à la porte. Nous avons payé dans le passé un prix lourd pour nos démarrages tardifs et nos occasions manquées en Europe. Nous ne devons pas permettre que cela se reproduise. Si nous nous détachons complètement, comme parti ou comme nation, du terrain d'entente européen, les effets seront incalculables et très difficiles à corriger[13] ». Une semaine plus tard, Thatcher était partie.

De Major à Blair

Ce matricide commis par les europhiles du gouvernement donna un nouvel élan à l'euroscepticisme régnant au sein du parti conservateur. Peu après sa « défenestration », Thatcher devint présidente honoraire du Groupe de Bruges, et l'organisation devint, comme nous l'avons déjà noté, un centre de ralliement des eurosceptiques[14]. La signature du traité de Maastricht, en 1992, donna un nouveau coup de fouet à leur cause, même si sa rédaction avait été considérée comme un grand succès pour le nouveau Premier ministre John Major : « un triomphe exemplaire », selon le journaliste Boris Johnson[15]. Peut-être la « victoire » de Major – « Jeu, set et match pour la Grande-Bretagne », comme d'aucuns le proclamèrent à l'époque – fut-elle due au fait qu'il n'avait cessé de recevoir les conseils, pendant la réunion du Conseil européen, du représentant permanent britannique (c'est-à-dire l'ambassadeur) auprès des Communautés européennes, John Kerr, dont on sait qu'il resta caché derrière la table au moment où tous les conseillers étaient censés avoir quitté la salle[16]. Quelle qu'en fût la raison, Major obtint le droit pour le Royaume-Uni de ne pas faire partie de l'UME et de ne pas appliquer le nouveau chapitre social. Celui-ci engageait les onze autres États membres à agir pour « la promotion de l'emploi, l'amélioration des conditions de vie et de travail, une protection sociale adéquate, le dialogue social, le développement des ressources humaines permettant un niveau d'emploi élevé et durable et la lutte contre l'exclusion ». Major considéra que ce chapitre pouvait nuire aux affaires et il fut ravalé au rang de protocole qui ne s'appliquait expressément pas au Royaume-Uni.

Malgré ce succès incontestable, le traité de Maastricht représentait un approfondissement fondamental de l'intégration européenne. Il créa l'Union européenne, qui était bâtie sur trois « piliers », dont le premier était la continuation des anciennes Communautés européennes. La Communauté économique européenne, une de celles-ci, était désormais simplement la Communauté européenne, ce qui soulignait la nature politique de l'entreprise. Il y avait aussi le pilier de la politique étrangère et de sécurité, et celui de la justice et des affaires intérieures, qui serait cependant géré sur une base plus intergouvernementale que le premier. Le traité de Maastricht ouvrit aussi la voie à l'Union monétaire européenne (UME) et fixa les règles en matière de déficit budgétaire et de dette publique (respectivement 3 % et 60 % du PIB), qui ne sont aujourd'hui que trop connues[17]. Le traité introduisit aussi le concept de citoyenneté européenne : tout citoyen avait « le droit de se déplacer et de résider librement dans le territoire des États membres », et le droit de voter et de se présenter aux élections européennes et municipales[18]. Ces libertés fondamentales qu'ont en commun tous les citoyens européens font partie des bienfaits les plus visibles de l'appartenance à l'Union européenne. Mais l'idée de citoyenneté européenne est aussi un chiffon rouge pour certains eurosceptiques de base.

Malgré cela, tout aurait pu bien se passer, s'il n'y avait pas eu les Danois. En juin 1992, la patrie de ma mère rejeta par référendum le traité de Maastricht. Ce fut un mois mémorable pour le Danemark. Grâce à l'élimination de la Yougoslavie, en train de se disloquer, l'équipe de football danoise, sans être qualifiée, avait pu participer à la finale du championnat d'Europe des nations de l'UEFA. Mieux encore : elle le remporta. Cerise sur le gâteau : elle battit l'Allemagne (réunifiée) en finale. Et pour couronner le tout, tout cela se passa sous le nez des Suédois, puisque c'est en Suède qu'avait lieu la compétition. Le ministre des Affaires étrangères du pays, Uffe Ellemann-Jensen, eut à propos de cette improbable séquence d'événements ce commentaire philosophique : « Si vous ne pouvez pas vous joindre à eux, battez-les. »

Le référendum danois eut deux conséquences pour la politique britannique. Premièrement, il signifiait que le traité de Maastricht ne pouvait pas entrer en vigueur tant que les Danois n'auraient pas obtenu un certain nombre d'exemptions et qu'ils n'auraient pas revoté. Cela retarda en Grande-Bretagne le processus de ratification qui jusque-là s'était passé sans problème, tout en donnant aux eurosceptiques l'espoir que Maastricht pouvait être vaincu. Au fil du temps, le nombre de députés conservateurs désireux de se rebeller contre le gouvernement de Major s'accrut et, si la ratification eut finalement lieu, cela ne fut possible qu'après une lutte longue et brutale. Depuis, le Parti conservateur s'est scindé en deux sur l'Europe.

Deuxièmement, le résultat du référendum danois, et les sondages d'opinion suggérant que le résultat du référendum français, promis pour septembre, serait serré, jetèrent le doute sur la fiabilité du processus de Maastricht pour arriver à l'Union monétaire européenne. Cela eut aussi pour conséquence immédiate que les marchés des devises, déjà sceptiques sur le système de taux de change fixes du MCE, le furent encore davantage. Des spéculateurs comme George Soros commencèrent à parier contre la livre britannique et, en septembre 1992, celle-ci dut sortir du MCE. L'entrée de la livre britannique dans le mécanisme de taux de change avait été un des principaux objectifs des politiciens europhiles britanniques dans les années qui avaient précédé. Pour de nombreux observateurs, eux et leur cause semblaient désormais discrédités. À la fin des années 1990, Hugo Young écrivait ces mots, qui résument bien la transformation qui avait eu lieu au sein du Parti conservateur depuis le début de la décennie : « En 1998, il était vraiment choquant de rappeler que la première cause, ou du moins le prétexte indispensable, du retrait de Mme Thatcher était que les membres conservateurs du Parlement n'avaient plus confiance dans sa conduite hostile des relations de la Grande-Bretagne avec l'Europe[19]. »

Major continua à claudiquer quelques années de plus, les divisions de son parti sur l'Europe occultant tout le reste. Et personne ne fut surpris que Tony Blair et son « nouveau » Labour arrivent triomphalement au pouvoir. Si Blair décida finalement de ne pas faire entrer le Royaume-Uni dans la zone euro, une de ses premières décisions fut d'accepter le chapitre social européen que Major avait écarté : en actes comme en paroles, c'était un proeuropéen, du moins selon des critères britanniques. Plus largement, c'était un internationaliste libéral qui croyait dans l'intérêt de la coopération pour résoudre des problèmes communs. Vue de l'extérieur, la Grande-Bretagne retrouva une certaine normalité.

Rétrospectivement, les premières années Blair nous semblent un âge d'or, et c'est, à maints égards, ce qu'elles furent en effet. Mais ce ne fut pas aussi évident à l'époque[20]. Un usage excessif de la communication politique finit par éloigner de nombreux électeurs : une leçon qu'auront sans doute à cœur de retenir d'autres jeunes dirigeants médiagéniques. La guerre d'Irak porta un coup fatal à la crédibilité de Blair, dont il ne se remit jamais. Et la crise financière mondiale qui commença en 2008, une année après sa démission comme Premier ministre, assura la défaite du Labour à l'élection générale suivante. Ses dix années au pouvoir furent néanmoins, à plus d'un titre, réussies, et ce fut même, parfois, le Parti conservateur qui eut le visage d'un inéligible « méchant parti », comme le déclara Theresa May dans un discours, en 2002, lors d'un congrès de son parti.

Cameron arrive au pouvoir

Dans les années 1980, quand le Parti travailliste paraissait inéligible, cela avait suscité un déplacement politique vers le centre, et son euroscepticisme traditionnel avait cédé la place à une approche plus positive de l'Europe. En 2005, David Cameron fut élu à la tête du Parti conservateur après la troisième défaite électorale d'affilée de celui-ci. Il essaya de rendre son parti moins « méchant », par exemple en faisant en sorte qu'il adopte des positions plus libérales sur des questions comme le mariage homosexuel. Mais il n'y eut pas de tournant blairiste vers une position plus positive à l'égard de l'Europe : à ce stade, il aurait été difficile, voire impossible, pour un politicien ardemment europhile d'être élu chef par les membres conservateurs du Parlement. C'est pourquoi, pendant sa campagne électorale, Cameron promit qu'il ferait sortir son parti du Parti populaire européen (PPE), le principal groupe conservateur au Parlement européen, au motif qu'il était trop « fédéraliste ».

D'un autre côté, Cameron ne commença pas son mandat à la tête du parti dans le but de faire croisade contre l'Europe : il espérait, au moins, que le sujet pourrait être évité aussi longtemps que possible. Lors de son premier discours à la conférence du Parti conservateur, en 2006, il reconnut expressément que les divisions des tories sur l'Europe leur avaient coûté très cher : « Au lieu de parler des choses dont les gens se préoccupent le plus, nous avons parlé de ce qui nous préoccupait le plus. Tandis que les parents s'inquiétaient des structures d'accueil pour leurs enfants, se demandaient comment les emmener à l'école et comment équilibrer vie de famille et vie professionnelle, nous vaticinions sur l'Europe[21]. » La même année, il qualifia les membres du Parti de l'indépendance du Royaume-Uni, ou UKIP, de « bande de dingues, de malades et de racistes rentrés[22] ». En 2007, il est vrai, Cameron promit d'organiser un référendum sur le traité de Lisbonne, mais la promesse fut abandonnée quand le traité fut ratifié par tout le monde, y compris le gouvernement travailliste du Royaume-Uni. Vaticiner sur l'Europe était peut-être ce que Cameron voulait éviter, mais on ne peut pas dire qu'il y réussit.

Comme le soulignent Michael Kenny et Nick Pearce dans un récent livre, les années de traversée du désert des conservateurs virent aussi le regain d'une ancienne tradition intellectuelle britannique, selon laquelle les alliés les plus naturels du pays étaient les membres de ce que l'on appelait désormais de plus en plus l'« Anglosphère[23] ». Nous avons évoqué, dans les chapitres précédents, de premières variations sur ce thème : les projets de grande union douanière impériale de Joseph Chamberlain, la volonté de Churchill de sauver l'Empire, l'idée du Parti travailliste des années 1960 que le Commonwealth devait être le principal objet de la loyauté politique britannique. Cependant, l'Anglosphère pouvait aussi se définir comme incluant les États-Unis, avec lesquels la

Grande-Bretagne avait une « relation spéciale » et dont elle était l'allié le plus sûr. Margaret Thatcher avait assurément eu une relation spéciale avec Ronald Reagan, et Tony Blair avec Bill Clinton. Le fait que la relation spéciale entre Blair et George W. Bush eût conduit au désastre de la guerre d'Irak aurait pu avoir pour résultat, pouvait-on penser, de mettre fin au concept d'Anglosphère, mais ce ne fut pas le cas. Les historiens écrivirent des livres et des articles pour souligner les contributions positives de l'Empire britannique, tandis que journalistes et intellectuels spéculaient sur la manière dont l'Anglosphère pourrait être encore plus étroitement unie. En 2010, le parti UKIP réclama une zone de libre-échange du Commonwealth, et lors de l'élection générale de 2015, il affirma qu'il voulait « favoriser des liens plus étroits avec l'Anglosphère ». Et c'est là, selon Kenny et Pearce, que la notion d'Anglosphère prit une importance particulière : elle « alimenta la conviction grandissante qu'il y avait une réponse possible à la difficile question posée par les partisans de l'appartenance du Royaume-Uni à l'Union européenne : quelle pouvait en être la meilleure alternative[24] ? »

En 2010, Cameron arriva au pouvoir à la tête d'une coalition de gouvernement qui comprenait les démocrates libéraux. C'était comme au bon vieux temps : en quelque dix-sept mois, il y avait déjà eu vingt-deux rébellions des députés au sujet de l'Europe[25]. Puis vint une rébellion plus vigoureuse : en octobre 2011, quatre-vingt-un députés conservateurs désobéirent aux ordres et votèrent en faveur d'un référendum sur l'appartenance du Royaume-Uni à l'Union européenne. Pour Tim Shipman, ce fut le tournant décisif : « Un des conseillers les plus proches de Cameron déclara : “Pour moi, le moment clef fut la rébellion des quatre-vingt-un. Il était clair après cela que le parti parlementaire, d'ici la prochaine élection, n'accepterait qu'un référendum. Je pense que le PM [Premier ministre] savait, instinctivement, qu'il allait en finir par là[26]”. » En octobre 2013, soucieux de la montée du UKIP dans les sondages d'opinion, Cameron promit, dans une interview, que s'il était réélu il renégocierait les conditions de l'appartenance du Royaume-Uni à l'Union européenne, puis qu'il organiserait un référendum sur la question de savoir si le pays, avec ces conditions nouvelles, y resterait ou non. Après tout, cette stratégie avait bien marché du temps de Harold Wilson.

Cela n'aurait sans doute pas eu d'importance si l'élection générale de 2015 s'était passée comme prévu. Le soir du vote, à l'All Souls College, où j'étais professeur, les jeunes chercheurs installèrent un grand écran dans la Vieille Bibliothèque et apportèrent bières et pizzas. Je me souviens d'être resté assis là, éprouvant, à mesure que tombaient les résultats, un sentiment de naufrage, car il devenait clair que les conservateurs allaient emporter la majorité absolue, ce qui signifiait un référendum et la possibilité d'un Brexit. Tout le monde avait pensé que Cameron serait contraint de former une autre coalition avec les europhiles démocrates libéraux, et si nous ne saurons jamais avec certitude si, dans ces circonstances, un référendum aurait été organisé, cela paraît peu probable. Mais, ayant la majorité, il n'y avait pas de raison pour lui de ne pas tenir sa promesse électorale, et en tout état de cause, le référendum était bien ce que réclamait une large portion des députés de son parti. Et c'est ainsi que les négociations commencèrent.

Élargissement

Pour comprendre ce qui s'est passé ensuite, il est nécessaire de rappeler le contexte. Quand le traité de Maastricht entra en vigueur, la nouvelle Union européenne ainsi constituée comptait douze membres : les Six du début, les trois pays qui étaient entrés en 1973 (le Danemark, l'Irlande et le Royaume-Uni), la Grèce et les deux pays de la péninsule Ibérique. Peu après, cependant, en 1995, le nombre était passé à quinze, avec l'entrée de l'Autriche, de la Finlande et de la Suède. L'Acte unique européen et l'établissement du marché unique ont joué en cela un rôle fondamental : les trois pays concernés ne pouvaient pas se permettre d'en être exclus, sous peine d'être discriminés sur d'importants marchés d'exportation. Pas plus que ne le pouvaient, d'ailleurs, les autres États membres de l'AELE : l'Islande, le Liechtenstein, la Norvège et la Suisse. À la fin des années 1980, donc, les Communautés européennes et l'AELE avaient commencé à examiner s'il serait possible pour ce dernier groupe de pays de bénéficier du marché unique sans devenir membre des Communautés européennes, avec tout ce que cela impliquait inévitablement en matière de souveraineté. En 1989, Jacques Delors avait suggéré qu'un « système fondé sur des règles de la Communauté » était possible, mais qu'on ne pourrait pas faire son marché. En raison des similitudes avec les débats d'aujourd'hui sur le Brexit, il vaut la peine de le citer *in extenso*.

> On observe, en effet, que nos partenaires de l'AELE sont intéressés essentiellement, encore que les motivations soient nuancées selon les pays, par le fait de bénéficier des formidables potentialités d'un grand marché sans frontières. Mais chacun le sait déjà, celui-ci forme un tout, avec ses avantages et ses coûts, ses possibilités et ses contraintes. Peut-on en prendre et en laisser ? J'ai, à ce sujet, quelques doutes qu'il est facile d'illustrer.
> Le marché intérieur, c'est d'abord une union douanière. Nos partenaires sont-ils prêts à adhérer à la politique commerciale commune que toute entité de cette nature doit pratiquer avec les pays tiers ? [...] Le grand marché, c'est aussi l'harmonisation. Nos partenaires sont-ils disposés à transposer, dans leurs législations nationales, les règles communes indispensables à la libre circulation des produits et, par voie de conséquence, à accepter les contrôles de la Cour de justice, qui a fait la preuve de sa haute compétence et de son impartialité ? [...]
> Mais [...] la Communauté, ce n'est pas qu'un grand marché. C'est un espace économique et social sans frontières ayant vocation à se transformer en une union politique comportant une coopération croissante en matière de politique étrangère et de sécurité [...]. Dès lors, il est extrêmement délicat de vouloir établir, au sein de cette union qui se veut exhaustive, des menus à options[27].

Le résultat, ce fut l'accord de 1992 créant l'Espace économique européen (EEE), auquel appartiennent tous les États membres de l'Union européenne et de l'AELE (à l'exception de la Suisse). Delors n'obtint pas son union douanière, mais il réussit à obtenir « un système fondé sur les règles de la Communauté ». L'EEE a étendu la législation de l'Union européenne concernant lesdites quatre libertés, à savoir la libre circulation des biens, des services, des personnes et des capitaux, à tous ses États membres. L'objectif – obtenir l'accès au marché unique tout en restant en dehors de l'Union européenne (qui, comme nous l'avons vu, remplaça les Communautés européennes à partir de 1993) – avait été atteint. Mais alors pourquoi l'Autriche, la Finlande et la Suède, ainsi que la Norvège et la Suisse, se portèrent-elles candidates à l'entrée dans l'Union européenne presque immédiatement après ? (Les Norvégiens votèrent contre encore une fois, et restèrent dans l'AELE et l'EEE. Les Suisses votèrent contre l'appartenance à l'EEE, suspendirent les négociations sur l'entrée dans l'Union européenne, restèrent dans l'AELE et élaborèrent un mécanisme extrêmement lourd qui imitait pour l'essentiel les règles de l'Union en matière d'appartenance à l'EEE, tout en restant formellement en dehors.)

La réponse à cette question est simple : le fait de rester en dehors de l'Union européenne permettait de conserver théoriquement sa souveraineté, mais en étant obligé d'adopter une législation sur laquelle le pays concerné n'avait pas son mot à dire[28]. Un pays, même petit, appartenant à l'Union, a un droit de vote ; ce dont ne dispose pas un pays, même grand, qui n'appartient pas à l'Union.

L'élargissement de 1995 présente donc l'immense intérêt de pouvoir nous aider à réfléchir à ce que sera la vie après le Brexit. Mais c'est l'élargissement suivant qui fut important, au sens où il contribua à faire advenir le Brexit. Le Royaume-Uni avait toujours préféré l'« élargissement » de l'Union européenne à son « approfondissement » : il préférait admettre de nouveaux membres qu'approfondir l'intégration des membres existants. Et si l'élargissement rendait l'approfondissement plus difficile, c'était encore mieux ! Il y avait en outre un argument moral et stratégique convaincant en faveur de l'admission dans l'Union européenne de pays qui avaient subi l'oppression soviétique, qui voulaient désespérément appartenir à l'Occident et qui craignaient d'être de nouveau dominés par la Russie. Tony Blair se fit l'un des premiers avocats d'un élargissement rapide à l'Est et, en 2004, dix nouveaux États membres rejoignirent l'Union européenne : huit anciens pays communistes (l'Estonie, la Hongrie, la Lettonie, la Lituanie, la Pologne, la Slovaquie, la Slovénie et la République tchèque), plus Chypre et Malte. La Bulgarie et la Roumanie entrèrent en 2007, et la Croatie en 2013, portant le nombre total de membres à vingt-huit.

À partir de 2004, les citoyens d'Europe de l'Est eurent en principe le droit de vivre et de travailler partout dans l'Union européenne. En pratique, douze des quinze États membres existants exercèrent leur droit de repousser l'ouverture de leur marché du travail pendant une période pouvant aller jusqu'à sept ans. Trois pays seulement – l'Irlande, le Royaume-Uni et la Suède – adoptèrent immédiatement la libre circulation des personnes provenant des nouveaux États membres. Pour la première fois depuis l'indépendance, l'Irlande devint un pays de forte immigration nette : un changement vraiment historique. Mais les effets politiques furent encore plus importants en Grande-Bretagne, et plus particulièrement en Angleterre.

Le Brexit

David Cameron avait promis de renégocier les conditions de l'appartenance du Royaume-Uni à l'Union européenne. Mais quels objectifs devait-il poursuivre dans cette renégociation ? L'immigration, en provenance d'Europe de l'Est (qui n'était plus sous le contrôle du gouvernement britannique après l'expiration de la période de transition de sept ans susmentionnée) et du reste du monde (qui était tout aussi importante, et que le gouvernement britannique pouvait contrôler comme il jugeait bon), commençait à provoquer une violente réaction politique, et contribua à faire monter le parti UKIP dans les sondages d'opinion et aux élections. En 2014, UKIP arriva en tête de l'élection au Parlement européen. Au mois d'octobre, Cameron déclara au congrès de son parti : « J'irai à Bruxelles, je ne tolérerai pas un non et, s'agissant de la libre circulation [des personnes], j'aurai ce dont la Grande-Bretagne a besoin[29]. » Il n'y avait cependant aucune chance que les collègues européens de Cameron acceptent de renégocier les traités garantissant la libre circulation uniquement pour satisfaire aux desiderata du Premier ministre britannique. En affirmant qu'il obtiendrait quelque chose qui était en réalité infaisable, Cameron s'était lui-même condamné à l'échec. Et en affirmant qu'il renégocierait les dispositions concernant la libre circulation [des personnes], il avait reconnu que le parti UKIP et les autres groupes ou partis hostiles à celle-ci avaient, en réalité, raison.

Cameron obtint malgré tout plusieurs concessions[30]. La libre circulation elle-même n'était pas limitée, mais les États membres auraient le droit de faire usage, pendant une période pouvant aller jusqu'à sept ans, d'un « frein d'urgence » sur les allocations versées aux travailleurs immigrés venus du reste de l'Union européenne, au cas où un niveau d'immigration « exceptionnel » soumettrait à trop de tensions le système de sécurité sociale, le marché de l'emploi ou les services publics. Les allocations familiales versées aux immigrés dont les enfants vivaient dans d'autres États membres pourraient être calculées aux conditions appliquées dans ces pays, plutôt qu'aux conditions du pays d'accueil du travailleur immigré. Et le Royaume-Uni, qui était déjà en dehors de l'Union monétaire européenne et du système de Schengen, lequel permet une liberté de circulation sans passeport, et qui restait à l'écart de plusieurs autres initiatives, se voyait désormais garantir la plus grande de toutes les exemptions : l'engagement de tous les États membres de l'Union européenne à « une union encore plus étroite » ne s'appliquait plus au Royaume-Uni. Sur cette base, Cameron revint au pays et annonça qu'il allait faire campagne pour le « Remain » [c'est-à-dire rester dans l'Union européenne] au référendum qui devait avoir lieu au mois de juin.

L'histoire de la campagne est trop complexe pour être racontée ici en détail. Le livre de Tim Shipman, qui en décortique tous les tenants et aboutissants, fait plus de six cents pages et réussit à ne jamais être inintéressant. Je vais me limiter ici à un rappel des faits les plus importants.

Il y eut deux campagnes pour le « Leave » [c'est-à-dire pour quitter l'Union]. La première, « Vote Leave », se considérait comme la campagne officielle pour la sortie de l'Union européenne et fut finalement désignée comme telle par la Commission électorale. C'est l'organisation à laquelle appartenaient les principaux députés eurosceptiques du Parti conservateur, du Parti travailliste et du Parti unioniste démocratique d'Irlande du Nord (DUP). Beaucoup d'entre eux avaient fait campagne pendant des années pour le retrait britannique de l'Union européenne : le camp dans lequel ils se rangeraient n'a jamais fait de doute. Et puis il y avait Boris Johnson, qui – il est difficile de s'en souvenir aujourd'hui – était à l'époque un des politiciens les plus populaires de Grande-Bretagne, et qui décida, au tout dernier moment, de faire campagne pour le « Leave » plutôt que pour le « Remain ». On pense généralement que sa décision fut prise pour des motifs carriéristes, et qui suis-je pour penser différemment ? La seconde campagne pour le « Leave », « Leave.EU », était associée à l'homme d'affaires Arron Banks et au chef du parti UKIP, Nigel Farage. C'est Farage qui sortit l'ignoble affiche où l'on voyait un nombre énorme de réfugiés syriens attendant d'entrer en Europe, et dont le slogan était « Breaking Point », c'est-à-dire « Le point de rupture ». Le racisme de l'affiche fut largement dénoncé, y compris par des membres éminents de « Vote Leave ».

Shipman cite un « personnage clef » de « Vote Leave », qui affirme que les prises de position de Farage auraient aliéné des électeurs hésitants et coûté des votes au camp du Brexit. Mais il est aussi possible, toujours selon Shipman, que l'existence de deux campagnes pour le « Leave » leur ait été bénéfique. Il y eut en effet, d'un côté, une campagne « respectable » et, de l'autre, une campagne délivrant des « messages plus limites, conçus pour plaire aux électeurs de la classe ouvrière[31] ». Un grand nombre de ces messages étaient populistes, nativistes ou anti-immigrés : ils en appelaient à un nationalisme anglais (et non pas britannique) largement rétrograde. Mais la campagne officielle se rendit, elle aussi, coupable de mauvais comportements. Son slogan officiel était : « Reprendre le contrôle », mais on se souviendra surtout, et toujours, du grand autocar rouge sur lequel on pouvait lire : « Nous donnons à l'UE 350 millions de livres par semaine, finançons plutôt notre NHS [National Health Service ou Service national de santé, équivalent de la Sécurité sociale en France]. » L'affirmation selon laquelle l'appartenance à l'Union européenne coûtait au Royaume-Uni 350 millions de livres par semaine, et qu'on pourrait les consacrer au NHS en cas de retrait, était un mensonge. La campagne « Vote Leave » produisit elle-même une affiche qui disait : « La Turquie (population : 76 millions) va rentrer dans l'UE. » Il n'y avait pas d'image montrant des hordes de musulmans pressés de pénétrer en Europe, et, par extension, au Royaume-Uni, mais le message était clair. Et Boris Johnson comparait même les tentatives de l'Union européenne pour unifier l'Europe à celle d'Adolf Hitler.

La campagne officielle pour le « Remain » avait pour nom « Britain Stronger in Europe » [« La Grande-Bretagne plus forte en Europe »]. Mais le Parti travailliste mena sa propre campagne : « Labour In for Britain » [« Le Labour dedans pour la Grande-Bretagne »]. La campagne fut handicapée par le fait que le nouveau chef du parti, Jeremy Corbyn, était un eurosceptique de longue date. Corbyn fit campagne en faveur du « Remain », mais nombreux sont ceux qui considèrent qu'il l'a fait sans éclat et sans conviction.

L'idée générale de la campagne officielle pour le « Remain » était que sortir de l'Union européenne serait économiquement coûteux : « Project Fear » [« Projet Peur »], tel est le nom sous lequel les partisans du Brexit rangèrent les arguments invoqués, malgré le fait que la plupart des experts étaient d'accord. (Cela conduisit à la fameuse déclaration du « brexiteur » Michael Gove selon laquelle « les gens de ce pays en ont assez des experts des organisations à acronyme qui disent savoir ce qui vaut mieux pour eux et qui ont toujours tort[32] ».) Pour un observateur extérieur comme moi, qui vient d'un pays qui a tant bénéficié de l'appartenance à l'Union européenne et dont la population est si majoritairement pro-européenne, il y a deux choses qui m'ont paru curieuses dans la campagne du « Remain ». La première, c'est que les principaux messages venus de ce camp étaient le plus souvent négatifs : faites attention, la sortie va vous coûter de l'argent. En toute justice, il est vrai que cette stratégie avait marché pour Cameron lors du référendum sur l'indépendance de l'Écosse, en 2014, mais l'incapacité à présenter l'Union européenne, la citoyenneté européenne et les libertés qui en découlent, comme quelque chose de fondamentalement positif m'a frappé comme elle a frappé beaucoup d'Européens. La seconde chose, que j'ai déjà évoquée dans le chapitre 6, c'est qu'il ne fut pratiquement jamais question de l'Irlande dans cette campagne.

Le soir du 23 juin 2016, je me suis à nouveau retrouvé devant un grand écran, dans la Vieille Bibliothèque des All Souls. La plupart des gens s'attendaient encore à une victoire du « Remain », malgré des sondages d'opinion qui montraient que ce serait très serré. D'ailleurs, à 22 h 03, Nigel Farage avait la mine d'un vaincu ; peu après, il déclara que la guerre pour le Brexit continuerait, que cette première bataille fût gagnée ou perdue[33]. Mais il devint vite clair que le « Leave » faisait mieux que prévu, et nous nous sommes réveillés, le lendemain matin, en apprenant que le Royaume-Uni allait quitter l'Union européenne. En Écosse, 62 % des votants avaient voté pour rester, tout comme 55,8 % en Irlande du Nord, où quatre grands partis politiques sur cinq avaient défendu le « Remain » (le DUP étant l'exception). À Gibraltar, 96 % des votants votèrent pour le « Remain », et à Londres ils furent 59,9 %. Mais dans toutes les autres grandes régions de l'Angleterre, ainsi qu'au pays de Galles, le « Leave » l'emporta. Au total, l'écart était serré : 51,9 % contre

48,1 %. Deux des nations qui composaient le Royaume-Uni avaient voté pour rester. Mais le Royaume-Uni était sur la voie de sortie.

Ce qui me frappa fortement, ce 24 juin, c'est à quel point la nouvelle fut un véritable bouleversement pour plusieurs de mes collègues qui avaient voté pour le « Remain ». Cela n'avait rien à voir avec l'économie, même si la campagne du « Remain » n'avait pratiquement parlé de rien d'autre. Mes collègues étaient tout simplement aussi européens que moi, tout en se sentant profondément britanniques. Mais leur identité de citoyen européen allait leur être retirée, en même temps que leur identité britannique semblait être en danger : car le Brexit était un coup porté par le nationalisme anglais au reste du Royaume-Uni, et personne ne savait comment l'Écosse allait réagir.

Nous avons tendance à considérer la citoyenneté européenne comme allant de soi. Ce n'est qu'au moment où l'on en est privé que l'on comprend à quel point elle est précieuse.

CHAPITRE 9

Expliquer le Brexit

Comment expliquer le Brexit ? La question va donner du travail aux heureux historiens pour encore de longues années. Si vous m'avez bien suivi jusqu'ici, la réponse vous paraît peut-être évidente. La Grande-Bretagne a toujours eu une relation ambivalente avec l'Europe. Elle essaya d'abord de saboter l'intégration européenne ; puis, quand le gouvernement décida que c'était dans l'intérêt bien compris du Royaume-Uni, celui-ci y entra, mais avec, pour le moins, des réserves. Traditionnellement, les Britanniques appréciaient à leur juste valeur les opportunités économiques que leur permettait l'Europe, mais ils ont toujours été bien moins enthousiastes par rapport aux ambitions supranationales des Communautés européennes. Et quand celles-ci ont cédé la place à l'Union européenne, une quasi-guerre civile a éclaté au sein du Parti conservateur : nombreux étaient ceux et celles qui pensaient que cette dilution de la souveraineté allait trop loin. Si l'on ajoute à cela l'ambivalence d'une partie – petite mais influente – du Parti travailliste et en particulier de son chef depuis 2015, ainsi que l'ascension de UKIP, le Brexit, pourrait-on croire, était inévitable.

Or le Brexit n'était pas inévitable. Le « Leave » n'a gagné que d'une courte majorité. Il y eut au référendum 33,6 millions de votants. Il aurait suffi que 635 000 d'entre eux votent « Remain » au lieu de « Leave », et je n'aurais pas écrit ce livre. C'est pourquoi il convient de faire une distinction importante entre les explications structurelles, qui soulignent les racines profondes du phénomène, et les explications circonstancielles, qui soulignent le rôle de la contingence et du hasard. Si l'on devait généraliser, on pourrait dire que les économistes et autres spécialistes des sciences sociales tendent à privilégier les premières, et les historiens les secondes. Et si vous êtes, comme moi, un historien de l'économie, avec un pied dans chaque camp, vous aurez sans doute tendance à conclure qu'il est nécessaire de prendre en compte à la fois des forces historiques profondes (la structure) et, à partir de 2010, une série d'événements aléatoires (la contingence).

L'autre grande distinction qu'il convient de faire, ce sont les explications qui portent seulement sur le Royaume-Uni et celles qui replacent le Brexit dans un contexte plus large. Comme nous le savons, 2016 fut l'année non seulement du référendum britannique, mais aussi de l'élection de Donald Trump aux États-Unis ; l'année suivante, le Front national réussit à se hisser au second tour de l'élection présidentielle en France, et l'extrême droite (le FPÖ ou Parti de la liberté d'Autriche) arriva au pouvoir en Autriche au sein d'une coalition. En 2018, un gouvernement populiste fut élu en Italie. Quand on observe plusieurs tendances similaires et concomitantes dans plusieurs pays, une explication commune semble nécessaire.

Quelle forme cette explication commune pourrait-elle prendre ? Un débat fait rage aujourd'hui, en Grande-Bretagne et aux États-Unis, sur le point de savoir si le Brexit et Trump sont le reflet de l'« économie » ou de la « culture ». Pour certains, les deux phénomènes sont le produit de la mondialisation, du changement technique, ou de quelque autre force économique impersonnelle mettant à mal des communautés vulnérables. (Le mot « mondialisation » est employé ici au sens économique, pour désigner l'intégration internationale des marchés par le commerce, les migrations, les opérations internationales de prêt et d'emprunt, et les investissements multinationaux.) Pour d'autres, ils sont le produit du racisme, de la xénophobie, du nationalisme et de diverses autres formes d'extrême conservatisme culturel. La question de savoir si ces deux événements politiques décisifs s'expliquent par l'économie ou par la culture est, à bien des égards, une question idéologique. À gauche, d'aucuns répugnent à reconnaître que le Brexit ou Trump puissent avoir une explication d'ordre économique, craignant de justifier leurs propres électeurs. À droite, certains sont heureux d'afficher leur solidarité avec les personnes laissées au bord du chemin et de faire des bouleversements politiques de 2016 une victoire des gens ordinaires, alors même que ni les conservateurs britanniques ni les républicains américains ne se sont jamais vraiment distingués pour leur compassion pour le sort des pauvres.

Tableau 9.1. Explications structurelles du Brexit

	Culturel	**Économique**
Anglocentrique	Euroscepticisme britannique	Austérité
International	Interférence russe, Brietbart News, *fake news*	Mondialisation

De façon schématique, on pourrait imaginer une liste d'explications d'ordre structurel, comme dans le tableau 9.1, où l'on croiserait les explications anglocentriques ou internationales, d'une part, économiques ou culturelles, d'autre part. L'explication anglocentrique et culturelle, que peuvent suggérer les précédents chapitres de ce livre, est une possibilité qui est rangée ici en haut à gauche du tableau ; la thèse selon laquelle le Brexit et Trump représentent une révolte contre la mondialisation est rangée en bas à droite (elle est à la fois internationale et économique). On pourrait imaginer des explications qui soient à la fois internationales et culturelles : l'emploi systématique de l'Internet par la Russie pour déstabiliser les démocraties occidentales, la diffusion de fausses nouvelles par des organisations d'extrême droite comme Breitbart News, les réseaux internationaux de politiciens et d'experts populistes, ou encore le mésusage des données personnelles dont se sont rendues coupables des entreprises comme Cambridge Analytica (laquelle travaillait à la fois pour la campagne de Trump et pour celle du « Leave »). Et il y a des explications qui sont à la fois spécifiquement britanniques et économiques, comme celles qui soulignent le rôle de la politique d'austérité radicale mise en œuvre par le gouvernement de David Cameron et de son chancelier de l'Échiquier (ministre des Finances) George Osborne.

Il reste enfin la question, jugée importante par les économistes et par un certain type de politologues, de savoir si les électeurs ont voté de façon rationnelle ou irrationnelle. Si un électeur ou une électrice de la Rust Belt a voté pour Donald Trump parce qu'il ou elle souffrait du commerce international, et pensait qu'il serait protectionniste, alors son vote peut être considéré comme rationnel. À l'inverse, on peut considérer les partisans de Trump et ceux et celles qui ont voté pour le Brexit comme ayant été abusés par des politiciens sans scrupule. Les économistes ont tendance à croire que les gens agissent toujours dans leur meilleur intérêt et, dans la vie ordinaire, il est raisonnable de penser que ceux et celles avec qui l'on a affaire font ce qui est le mieux pour eux. Mais ce n'est pas parce que quelque chose est généralement vrai qu'il l'est toujours et, en tout état de cause, s'il est coûteux de trouver des informations sur les coûts et les bénéfices de l'intégration européenne ou de la mondialisation, un individu rationnel peut décider de rester ignorant.

Les gens pensent souvent que parce qu'un vote a des explications d'ordre économique il est nécessairement rationnel, mais ce n'est pas le cas. Certes, notre hypothétique électeur (électrice) de la Rust Belt vote en fonction de ses intérêts économiques, et c'est ce que les économistes tendent à définir comme un comportement « rationnel ». Mais que dire d'un hypothétique votant qui aurait choisi le Brexit à cause de la politique d'austérité du Parti conservateur ? Il serait difficile d'affirmer qu'il ne l'a pas fait pour une raison d'ordre économique, mais il le serait tout autant de soutenir que son vote était rationnel, compte tenu du fait que la politique d'austérité d'Osborne avait peu sinon rien à voir avec l'Europe. Le Royaume-Uni n'est pas membre de l'Union monétaire européenne (UME) et n'a pas signé le Pacte budgétaire européen. L'obligation de limiter le déficit budgétaire et l'endettement public ainsi que les règles budgétaires connexes, prévues par le Pacte de stabilité et de croissance, ne sont pas directement contraignantes pour le Royaume-Uni (encore plus d'exemptions pour celui-ci !)[1]. Comme les bœufs de Dennis Healey, l'austérité de George Osborne était « *made in Britain* ». Si notre votant hypothétique a voté pour le Brexit parce qu'il était mécontent de l'austérité, il s'est trompé de cible.

Si je devais enseigner le Brexit dans cinquante ans, c'est probablement ainsi que je présenterais le sujet. Mes étudiants écriraient ensuite des dissertations répondant à la question de savoir si les causes du Brexit étaient culturelles ou économiques, britanniques ou internationales, rationnelles ou irrationnelles, structurelles ou contingentes. Pédagogiquement, ces distinctions ont un sens et permettent de comprendre ce qu'est un phénomène social complexe. Je crains cependant que, après avoir parcouru tous ces arguments, évalué la totalité des données empiriques et lu les ouvrages faisant autorité sur l'histoire du Brexit, on en tirerait la conclusion que le Brexit a été quelque chose de compliqué, où tous les facteurs susmentionnés ont eu quelque rôle à jouer. Car c'est pratiquement toujours la conclusion à laquelle on aboutit sur des sujets comme celui-ci.

Deux années seulement ont passé depuis 2016, et pas cinquante, et il est encore trop tôt pour expliquer pourquoi les Britanniques, ou, plus exactement, les Anglais et les Gallois, ont décidé que sortir de l'Union européenne serait une bonne idée. Je vais malgré tout vous présenter quelques-uns des facteurs qui ont sans doute compté.

Le contexte européen

Je n'ai encore rien dit de ce qui se passait dans le reste de l'Europe en 2015 et 2016, et c'est probablement une erreur. C'était une période très difficile. La figure 9.1 représente le PIB aux États-Unis, en Allemagne, au Royaume-Uni et dans la zone euro hors Allemagne. Comme vous pouvez le constater, la crise financière de 2008 entraîna l'année suivante une forte contraction de l'activité économique, qui fut suivie, en 2010, d'un redressement rapide. (La contraction initiale et le redressement furent plus prononcés en Allemagne qu'ailleurs.) Après 2010, cependant, la performance de la zone euro hors Allemagne divergea rapidement de celle de la Grande-Bretagne, des États-Unis et de l'Allemagne. Le redressement se poursuivit dans ces trois pays, y compris, il est intéressant de le noter, au Royaume-Uni. Dans la zone euro (hors Allemagne), en revanche, la croissance s'arrêta totalement.

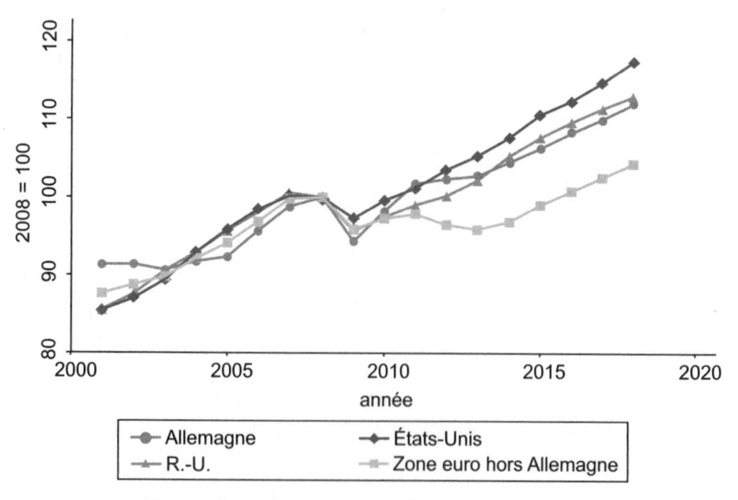

Figure 9.1. PIB 2001-2016 (2008 = 100).

Source : Ameco Macroeconomic Database (Commission européenne).

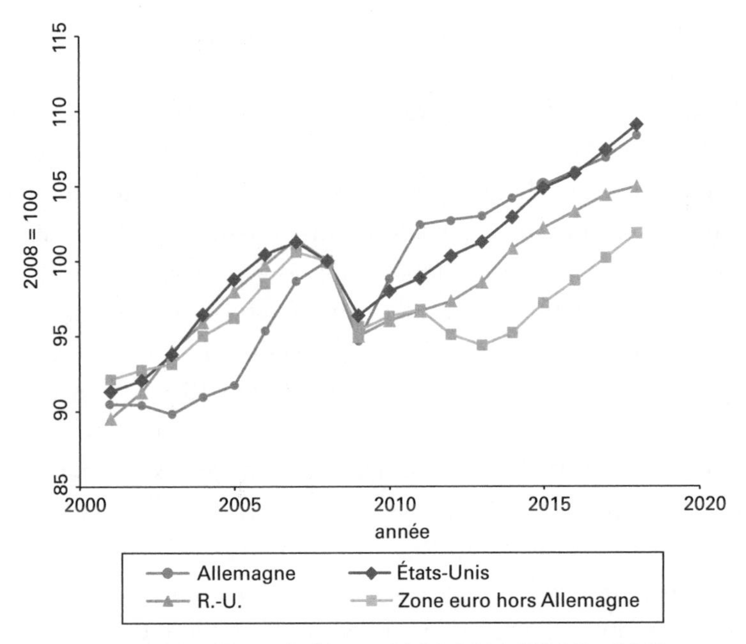

Figure 9.2. PIB par habitant 2001-2016 (2008 = 100).

Source : Ameco Macroeconomic Database (Commission européenne).

Les raisons en sont bien connues. Le redressement initial de 2009 fut dû à une politique coordonnée de reflation : face à un effondrement de la production du même niveau que celui de la Grande Dépression des années 1930, les gouvernements, partout dans le monde, décidèrent non pas de tailler dans les dépenses et d'augmenter les taux au pire moment possible, mais de réduire les taux d'intérêt et de laisser filer leurs déficits budgétaires. Les États-Unis et le Royaume-Uni se lancèrent dans un programme d'« assouplissement quantitatif », les banques centrales augmentant directement l'offre monétaire en achetant divers actifs[2]. (La Banque centrale européenne, en revanche, réagit à la Grande Récession de façon bien trop conservatrice jusqu'à l'arrivée de Mario Draghi à Francfort, en 2011.) Cet effort coordonné fut facilité par un sommet réussi du G20, réuni à Londres par Gordon Brown, le Premier ministre travailliste qui avait succédé à Tony Blair :

c'était l'internationalisme libéral du New Labour au sommet de son efficacité.

Mais on apprit l'année suivante que le gouvernement grec avait falsifié ses statistiques en matière de finances publiques : son déficit budgétaire et sa dette publique étaient de beaucoup supérieurs à ce que l'on pensait. Cela donna aux tenants du conservatisme budgétaire de la zone euro le prétexte dont ils avaient besoin. Les politiques reflationnistes de 2009 furent remplacées par des politiques d'austérité, à un moment où les économies ne s'étaient pas encore pleinement redressées : aux politiques stimulantes encore nécessaires on substitua des politiques qui eurent pour effet de réduire la demande. Le résultat, parfaitement prévisible, fut le suivant : alors que l'économie américaine retrouvait son pic d'avant la crise en 2011, et celle du Royaume-Uni en 2012, l'économie de la zone euro (hors Allemagne) ne retomba sur ses pieds qu'en 2016, soit huit ans après la crise. J'ai eu l'occasion de donner une version antérieure de ces chiffres dans un séminaire, à Oxford, en 2015 et, à l'époque, une grande figure de la scène publique allemande m'avait reproché de me servir du PIB : j'aurais évidemment dû me servir du PIB par habitant, m'avait-il dit, ce qui aurait permis de montrer la zone euro sous des couleurs bien plus favorables. Alors au cas où il lirait ceci, et pour lui montrer que j'ai bien écouté, j'ai représenté dans la figure 9.2 le PIB par habitant : or il apparaît que cela ne fait absolument aucune différence. La zone euro (hors Allemagne) fait même encore pire : on voit qu'elle ne retrouve son pic d'avant la crise de 2008 qu'en 2017.

Or ce résultat déplorable était parfaitement évitable. Pour aggraver encore les choses, il y eut les interventions de la troïka : en Irlande, où le contribuable fut contraint de renflouer les grands investisseurs du secteur privé qui avaient prêté de l'argent à des banques ayant fait faillite ; au Portugal ; à Chypre, où les déposants des banques finirent par perdre de l'argent ; et surtout en Grèce, qui subit fermetures de banques, rétablissement des contrôles sur les capitaux et bataille permanente entre le FMI, qui estimait (à raison) que la dette grecque était insoutenable, et les autorités européennes, qui n'ont jamais voulu regarder l'évidente vérité en face. L'impact sur le PIB de la Grèce fut et reste catastrophique, et cela a eu des conséquences graves pour les gens ordinaires, y compris en termes de santé.

2015 fut aussi le sommet de la crise des réfugiés : plus de un million de demandeurs d'asile essayèrent cette année-là de traverser la Méditerranée pour trouver refuge en Europe. La moitié environ fuyaient la guerre en Syrie. Dans plusieurs pays européens, les gens eurent le sentiment que les gouvernements perdaient le contrôle, et l'unité européenne subit de vives tensions : quoi que l'on pense de la décision de la chancelière Angela Merkel d'ouvrir les frontières de l'Allemagne aux réfugiés, ce fut une décision unilatérale qui eut des conséquences pour ses voisins. Les autres pays réagirent en prenant à leur tour des décisions unilatérales. Le contrôle frontalier des passeports réapparut à l'intérieur de l'espace Schengen, où les gens peuvent en principe circuler sans passeport. Une dimension importante et visible de l'intégration européenne semblait tomber en miettes (même si de telles mesures sont en réalité conformes, dans certaines circonstances, aux règles de Schengen).

Qu'est-ce que tout cela a à voir avec le Brexit, vous demandez-vous peut-être ? Après tout, le Royaume-Uni ne faisait pas partie de la zone euro, n'était pas contraint par Bruxelles d'adopter des politiques d'austérité, disposait d'une banque centrale qui se montra beaucoup plus proactive que la Banque centrale européenne pour combattre la Grande Récession, et se redressera du coup beaucoup plus rapidement. Quant à la crise des réfugiés, certains de ceux qui furent admis en Allemagne émigrèrent vers le nord, en Scandinavie, mais la Grande-Bretagne est une île et le Royaume-Uni ne fait pas partie de l'espace Schengen. Les immigrés ne peuvent tout simplement pas entrer à pied en Grande-Bretagne sans y avoir été invités, comme ne le savent que trop bien les habitants de Calais. Aussi, ni la crise de la zone euro ni la crise des réfugiés n'ont particulièrement concerné le Royaume-Uni.

Et pourtant, elles ont fourni le contexte dans lequel a eu lieu la campagne du référendum. La crise des réfugiés a donné à Nigel Farage l'occasion de sortir son ignoble affiche des réfugiés syriens, et à la campagne plus « respectable » pour le « Leave » celle de mettre en garde les votants contre l'entrée soi-disant imminente dans l'Union européenne de la Turquie et de ses 73 millions de musulmans. Les partisans du Brexit ne se sont jamais attardés sur la distinction entre la liberté de circulation des citoyens européens entre États membres et l'immigration au Royaume-Uni des non-Européens, qui a toujours dépendu du seul gouvernement britannique. La crise des réfugiés, qui fut incontestablement une crise pour l'Union européenne, leur a permis plus facilement d'entretenir cette confusion dans l'opinion. Enfin, la crise des réfugiés et la crise de la zone euro ont contribué à créer l'impression que l'Union européenne n'était pas compétente et ne savait pas gérer les crises : la Grande-Bretagne n'avait pas à avoir peur de sortir d'une pareille organisation. Le moment choisi pour le référendum était donc extrêmement propice pour les partisans du Brexit : il aurait été bien plus difficile pour eux de mener la même campagne en 2018.

La mondialisation

En janvier, chaque année, les grands et les beaux de ce monde descendent dans les Alpes suisses, arborant leur plus belle parka et quantité de chapeaux ridicules, pour opiner sur l'état du monde. S'il y a bien une chose sur laquelle tout le monde est d'accord à Davos, c'est que la mondialisation est une bonne chose. Et c'en est d'ailleurs une si l'alternative s'appelle l'autarcie de l'entre-deux-guerres. Personne ne peut nier que les exportations ont été ces dernières années la clef de la croissance en Chine et dans plusieurs autres pays en voie de développement, ni que cette croissance a permis à des centaines de millions de nos congénères de sortir de la pauvreté. Quiconque ayant un ethos un tant soit peu ouvert sur le monde devrait souhaiter que cela continue. Mais il est toujours intéressant de se demander si l'on ne peut pas avoir trop, même d'une bonne chose.

La théorie classique du commerce international enseigne que le commerce accroît les revenus en général, mais que tout le monde n'en profite pas : il aide certains groupes de la société au détriment d'autres groupes. Mais les manuels expliquent ensuite que, puisque les revenus ont augmenté dans l'ensemble, les perdants pourraient être dédommagés par les gagnants et que tout le monde s'en trouverait mieux. Si c'était ainsi que marche le monde, il n'y aurait plus besoin de se préoccuper des effets de la mondialisation en termes de répartition des richesses ; mais, bien sûr, il ne marche pas comme ça. En 2007, l'ancien secrétaire américain au Trésor, Larry Summers, résumait cette thèse par une formule simple : « le mensonge de Davos[3] ».

Depuis le 23 juin 2016, il est devenu banal, même à Davos, de dire que la mondialisation laisse des gens sur le bord de la route, et que cela peut avoir des conséquences politiques graves. Si cette reconnaissance de l'aveuglante évidence est heureuse, elle arrive un peu tard, vraiment tard. Les catastrophes de 2016 ne sont pas sorties de nulle part, comme l'éclair dans un ciel bleu et serein. L'accroissement des inégalités, en particulier aux États-Unis et au Royaume-Uni, et les tensions liées à la mondialisation durent depuis des années sinon des dizaines d'années. La seule chose dont il convient de s'étonner, c'est le temps qu'a pris cette réaction pour se manifester.

La vague actuelle de mondialisation a commencé dans les années 1980 et s'est fortement accélérée au début du XXIe siècle[4]. En 1995, le GATT (voir le chapitre 2) est devenu l'Organisation mondiale du commerce (OMC). Alors que le GATT portait exclusivement sur le commerce des marchandises, les règles de l'OMC touchent aussi le commerce des services et la propriété intellectuelle. Plus important encore, l'OMC a créé une nouvelle procédure de règlement des conflits qui permet que les litiges commerciaux entre nations se règlent par le droit plutôt que par la loi de la jungle. Comme nous l'enseignent les années 1930, les bienfaits des mécanismes mutuellement acceptés de règlement des conflits vont bien au-delà de la sphère économique : ils rendent le monde plus sûr et plus pacifique.

En 2001, la Chine est devenue membre de l'OMC. L'Union européenne lui a accordé le statut de nation la plus favorisée en 1985, et à la fin du XXe siècle, les États-Unis en avaient fait autant ; cependant, il n'a jamais été certain qu'ils poursuivraient cette politique dans le futur. L'appartenance à l'OMC a permis de faire cesser cette incertitude car, comme nous l'avons vu, tous les membres du GATT (et donc de l'OMC) sont obligés de se reconnaître entre eux le statut de nation la plus favorisée. Il était désormais illégal de discriminer les exportations chinoises (même si des arrangements transitoires ont été laissés en place pour le textile). La mondialisation semblait irrépressible.

Mais les historiens de l'économie savent que la mondialisation n'est ni nouvelle ni irréversible. Ils le savent parce que la mondialisation, dans le passé, a déjà existé et s'est déjà inversée. En 1999, Jeff Williamson et moi avons écrit un livre à ce sujet qui porte sur la mondialisation au XIXe siècle, que nous avons évoquée au chapitre 2. À l'époque, les propriétaires terriens européens, soudain concurrencés par l'offre abondante de terres bon marché du Nouveau Monde, comptèrent parmi les perdants du commerce international : les prix des denrées alimentaires chutèrent en Europe, et avec eux les revenus des propriétaires terriens et des paysans. En conséquence, en Allemagne et en France, en Italie et en Suède, la tendance à la libéralisation du commerce qui durait depuis plusieurs années connut un coup d'arrêt, et fut remplacée par une tendance au protectionnisme, qui profita à la fois aux intérêts des agriculteurs et des industriels. Pendant ce temps, de l'autre côté de l'Atlantique, les restrictions à l'immigration furent peu à peu renforcées, car les travailleurs américains, bénéficiant de bons salaires, étaient concurrencés par des immigrés européens venus de pays toujours plus pauvres.

Dans le chapitre concluant notre livre, nous écrivions ceci :

> Ce livre examine notamment les implications politiques de la mondialisation ; les leçons qu'il convient d'en tirer donnent à réfléchir. Les politiciens, les journalistes et les analystes du marché ont tendance à extrapoler le passé immédiat dans un futur sans fin ; or cette manière de penser sous-entend que le monde se dirige irréversiblement vers des niveaux toujours plus grands d'intégration économique. Les données historiques disent le contraire [...] si les responsables politiques ne se préoccupent pas de qui gagne et de qui perd, les électeurs pourraient bien les contraindre à cesser leurs efforts visant à renforcer les liens économiques mondiaux, et peut-être même à les défaire[5].

La raison pour laquelle Jeff et moi avons formulé ainsi notre thèse, c'est que les années 1990 connurent un vif débat sur la question de savoir si la mondialisation était responsable de l'accroissement des inégalités observées à l'époque aux États-Unis. À la fin du XXe siècle, les homologues évidents des propriétaires terriens européens de la fin du XIXe étaient les travailleurs non qualifiés des pays riches, qui se sont retrouvés concurrencés par la très abondante main-d'œuvre non qualifiée d'Asie. Et dans les années 1990, cela faisait déjà longtemps que la situation des travailleurs non qualifiés des pays comme les États-Unis se dégradait : le salaire réel horaire moyen n'augmentait plus depuis déjà vingt-cinq ans. Comme le montre la figure 9.3, celui-ci n'a dépassé de façon durable ses niveaux du début des années 1970 qu'à partir de 2007 et, en 2016, il n'était supérieur au niveau de 1972 que de 7,6 %[6]. Comme l'économie américaine a crû de façon substantielle pendant cette période de quarante-cinq ans, le fait que le salaire moyen des ouvriers n'ait pas augmenté signifie nécessairement que leur situation s'est dégradée par rapport aux groupes qui ont gagné le plus : les travailleurs très qualifiés et les propriétaires de capital[7].

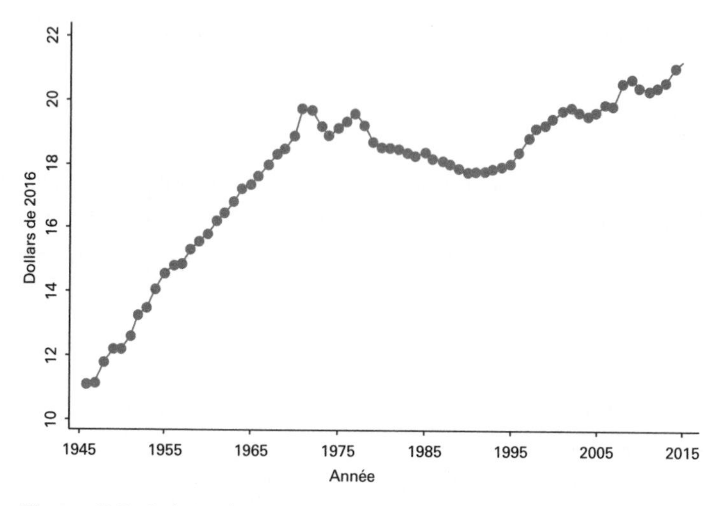

Figure 9.3. Salaire horaire moyen réel, secteur privé, ouvriers dans la production et travailleurs ne remplissant pas de fonctions de maîtrise ou d'encadrement, États-Unis 1947-2016.

Source : Economic Policy Institute, State of Working America Data Library, « Historical Wage Series, 2018 », données du Bureau of Labor Statistics Current Employment Statistics.

L'histoire ne se limite pas cependant à la stagnation des salaires réels, ni d'ailleurs aux États-Unis. Selon des estimations récentes de Thomas Piketty, Emmanuel Saez et Gabriel Zucman, entre 1946 et 1980, les revenus des 50 % des Américains les plus pauvres ont augmenté de 102 %. Entre 1989 et 2014, ils n'ont augmenté que de 1 %, alors que les revenus des plus riches ont explosé[8]. Le revenu médian * des ménages est aujourd'hui inférieur, aux États-Unis, à ce qu'il était en 1999. Au Royaume-Uni, le salaire réel du travailleur médian a baissé de 10 % depuis 2008[9]. Ces chiffres sont une condamnation sans appel des économies concernées.

* C'est-à-dire les revenus des ménages situés au milieu de la distribution des revenus, le même nombre de ménages étant plus riches et plus pauvres qu'eux. Le revenu médian est un meilleur indicateur du niveau de vie « typique » que le revenu moyen, car les revenus extrêmement élevés du haut de l'échelle peuvent tirer la moyenne vers le haut de façon excessive.

Dans les années 1980 et 1990, le consensus chez les économistes était que ces inégalités croissantes n'étaient pas dues tant au commerce international qu'au changement technologique, qui favorisait systématiquement les travailleurs qualifiés au détriment des non qualifiés. L'explication par la mondialisation se heurtait au fait que la prime à la compétence (l'écart entre les salaires des travailleurs qualifiés et non qualifiés) augmentait aussi dans des pays en développement, comme le Mexique : si les inégalités s'accroissaient dans les pays riches en raison de l'augmentation des exportations de biens intensifs en travail non qualifié venant des pays en développement, alors ces exportations auraient dû aussi pousser vers le haut les salaires non qualifiés dans les pays pauvres et y réduire les inégalités. Or ce n'est pas ce qui se passa.

Plus récemment, cependant, le débat est revenu à l'idée que le commerce jouait un rôle important dans l'accroissement des inégalités, non seulement dans les pays riches, mais également dans des pays en développement comme le Mexique. D'une part, le Mexique est en concurrence avec des pays comme la Chine, et pas seulement comme les États-Unis. D'autre part, les activités externalisées des firmes multinationales peuvent redistribuer les tâches entre les différents pays d'une manière qui n'était pas prise en compte par la théorie économique traditionnelle. Ainsi, les emplois de service très peu qualifiés et les emplois très qualifiés nécessitant des capacités d'abstraction peuvent être difficiles à externaliser, alors que c'est beaucoup plus facile à faire pour les tâches routinières intermédiaires. Et il semble bien en effet qu'il y ait eu ces dernières années un « creusement » de la distribution des revenus aux États-Unis : les salaires au sommet de la pyramide ont distancé les revenus moyens et, dans certains cas, les bas revenus ont convergé vers la moyenne. Mais les travaux les plus influents sur le lien entre le commerce et la distribution des revenus aujourd'hui sont, à juste titre, la remarquable série d'articles publiés par David Autor, David Dorn et Gordon Hanson[10]. Ils montrent qu'aux États-Unis les régions qui ont été le plus gravement exposées à la concurrence des importations chinoises entre 1990 et 2007, au sens où elles étaient spécialisées dans la production de biens qui allaient devoir faire face à la concurrence chinoise dans les années à venir, ont subi à la fois un chômage plus élevé, un taux d'activité plus faible et des salaires plus faibles. Des résultats similaires ont été observés dans plusieurs pays européens.

Pour expliquer le Brexit, ce qui compte, bien sûr, ce sont les conséquences politiques de la mondialisation. Et nous savons depuis longtemps que, dans les pays riches, les travailleurs non ou peu qualifiés sont plus protectionnistes, en moyenne, que les travailleurs qualifiés. Cela a été largement documenté par les économistes qui travaillent à partir de résultats d'enquête, mais nous en avons aussi eu des preuves directes dans d'autres référendums européens. On se souvient qu'en 2005, les Français rejetèrent par référendum, et sans ambiguïté, un projet de « Traité constitutionnel européen ». Si les réformes que ce traité se proposait de mettre en œuvre étaient largement d'ordre procédural, le débat s'était vite porté sur la nature du processus d'intégration européenne, considéré comme un exemple régional de la mondialisation. À gauche, les opposants au traité dénoncèrent le risque d'externalisation des emplois français en Europe de l'Est, ainsi que les plans du commissaire européen Frits Bolkenstein prévoyant la création d'un grand marché européen des services. Des craintes furent exprimées à l'égard du plombier polonais et l'on avança que la concurrence inégale des pays où la fiscalité et la réglementation étaient faibles provoquerait un dumping social qui menacerait, à terme, l'existence même du système de protection sociale français.

Ces arguments s'avérèrent convaincants, et les électeurs rejetèrent le Traité constitutionnel par 55 % des voix contre 45 %, provoquant une puissante onde de choc dans l'establishment politique européen. Quelques jours plus tard, les Néerlandais rejetaient le même texte avec un écart encore plus grand. Ce qui est particulièrement frappant, dans le cas français, c'est la manière dont les votants se divisèrent sur la base de clivages sociaux. Chez les professions libérales, 35 % seulement votèrent contre le traité ; mais le chiffre atteignit 53 % chez les cadres moyens, 67 % chez les employés, 70 % chez les agriculteurs et jusqu'à 79 % chez les ouvriers[11].

Les gouvernements, honteusement, réagirent en changeant le nom et l'emballage du texte, et en le faisant adopter quand même, une basse manœuvre qui ne fit pas peu pour alimenter l'euroscepticisme en France. Il n'y eut, bien sûr, pas de référendum dans ce pays sur ce qui devint le traité de Lisbonne, mais il y en eut un en Irlande, en 2008, et, à nouveau, un fossé entre les classes sociales apparut au grand jour. Dans les quartiers aisés du sud de Dublin, plus de 60 % des votants approuvèrent le traité, que rejetèrent plus de 60 % des habitants des quartiers populaires.

Il y a au moins deux manières d'interpréter ces tendances. La première, c'est de soutenir que les électeurs ayant fait de bonnes études sont plus avertis sur le plan politique, et mieux à même de comprendre une modification complexe des fondements institutionnels de l'Union européenne. J'ai, quant à moi, la conviction que les universitaires devraient au moins hésiter à accepter des arguments qui sont, de mon point de vue, aussi gratifiants pour eux que celui-ci ! Et les économistes devraient y répugner tout particulièrement, puisqu'ils prennent généralement pour hypothèse, comme nous l'avons vu, que les gens sont rationnels. La seconde interprétation, c'est, au contraire, que les pauvres et les riches sont tout à fait capables de comprendre où est leur intérêt économique et de voter conformément à celui-ci. L'idée serait que la mondialisation en général et l'intégration européenne en particulier ont très largement favorisé les salariés qualifiés, au moins dans des pays riches comme la France, l'Irlande et les Pays-Bas ; et que les travailleurs non ou peu qualifiés se sentent au contraire menacés par la concurrence roumaine ou asiatique, ou par les immigrés venus d'Europe de l'Est ou de plus loin encore.

L'analyse des données d'une enquête réalisée pour le gouvernement irlandais permet d'étayer les deux positions. D'un côté, il apparaît clairement que plus les gens ont eu d'informations sur le contenu du traité, plus ils ont eu tendance à voter pour. D'un autre côté, les craintes suscitées par la baisse des salaires ont été une des raisons majeures du vote pour le non, mais seulement quand les votants étaient des actifs. De même, les gens ayant bénéficié d'une éducation supérieure ont eu davantage tendance à voter oui, mais, là encore, seulement quand ils étaient des actifs. Or, si les études supérieures n'expliquent le comportement électoral que parce qu'elles permettent aux gens de mieux comprendre des questions complexes, cela devrait conduire les diplômés du supérieur à voter oui même s'ils ne sont pas des actifs. Le fait que l'éducation supérieure et les craintes suscitées par la baisse des salaires n'influencent que les votes des travailleurs et des chômeurs – c'est-à-dire des personnes dont le niveau de vie est potentiellement affecté par l'intégration européenne et la mondialisation – semble indiquer, pour moi, que les intérêts économiques ont joué un rôle important dans ces référendums.

S'agissant des États-Unis, Autor *et al.* ont découvert que ce sont les régions les plus exposées au « choc chinois » qui sont politiquement les plus polarisées depuis 2000 : « Les circonscriptions exposées au commerce et qui étaient au départ républicaines ont eu davantage tendance à élire un républicain conservateur, et celles exposées au commerce mais qui étaient au départ démocrates ont eu davantage tendance à élire soit un démocrate de gauche, soit un républicain conservateur. » Si l'on ajoute à ces résultats ceux cités précédemment, on voit se dessiner un argument empirique convaincant qui établit un lien entre la mondialisation, d'un côté, et le déclassement économique et Donald Trump, de l'autre. Il est cependant difficile de dire précisément comment fonctionne le mécanisme. Certains partisans de Trump ont sans doute voté en faveur du protectionnisme, comme auraient pu le faire au XIXe siècle les propriétaires terriens européens. Autor *et al.* observent cependant que les électeurs populistes, aux États-Unis, auraient tout aussi bien pu voter pour des politiciens promettant aux électeurs blancs une plus grande part du gâteau des services publics, à une époque de concurrence accrue dans ce domaine. Il est quelquefois difficile de démêler les explications purement économiques du populisme de celles reposant sur des motivations racistes.

Il existe également des données qui montrent, de façon frappante et convaincante, qu'il y a eu, dans le vote pour le Brexit, un lien avec le commerce international et l'immigration. Dans un article important publié récemment, Italo Colantone et Piero Stanig constatent que « la part du Leave était systématiquement supérieure dans les régions qui, en raison de leur spécialisation sectorielle historique, ont été le plus exposées au choc des importations chinoises[12] ». Ils avancent que cela pourrait s'expliquer par le fait que les électeurs souhaitaient être mieux protégés contre les importations chinoises, mais aussi qu'ils ont voulu sanctionner le gouvernement et les dirigeants économiques pour les mauvais résultats obtenus dans leurs régions. C'est là peut-être quelque chose qui paraîtra familier à des Français. Dans une autre étude, Sascha Becker, Thiemo Fetzer et Dennis Novy observent que les régions où il y avait à la fois des salaires faibles, un chômage élevé, une tradition industrielle et des travailleurs peu ou pas qualifiés furent celles où les électeurs ont eu le plus tendance à voter pour le Brexit, avec les régions qui avaient connu un récent afflux d'immigration d'origine est-européenne[13]. Ces découvertes sont parfaitement cohérentes avec l'idée que le Brexit a eu un rapport avec les angoisses suscitées par la mondialisation.

L'austérité

Si la mondialisation met à mal certaines régions en Occident, et incite les électeurs à exprimer leur mécontentement en votant pour des partis ou des causes populistes, alors la question se pose de savoir ce qui aurait pu être fait pour empêcher le Brexit et ce qui devrait être fait pour empêcher, à l'avenir, des événements similaires ailleurs. La réponse classique est que le gouvernement a un rôle important à jouer pour fournir un filet de sécurité aux individus, aux familles et aux régions. Les données dont nous disposons montrent que les pouvoirs publics peuvent en effet changer les choses, et qu'il n'y a rien d'inévitable dans l'accroissement des inégalités dans un monde mondialisé. Il est important de le souligner. Dans de nombreux pays d'Europe continentale, les États ont bien mieux protégé les travailleurs qu'aux États-Unis ou au Royaume-Uni, et les résultats s'en sont ressentis. En France, par exemple, d'après Piketty *et al.*, le revenu des 50 % de la population les plus pauvres a augmenté de 32 % depuis 1980, évolution évidemment à l'opposé de la situation des États-Unis, décrite précédemment.

Un des problèmes qui se sont posés au Royaume-Uni, c'est que les communautés locales ont dû prendre en charge les conséquences de la mondialisation, sans beaucoup d'aide du gouvernement. Comme on l'a vu, Cameron et Osborne imposèrent à l'économie britannique un programme d'austérité radicale, dont l'objectif avoué n'était pas seulement de diminuer l'endettement public, mais aussi de réduire la taille de l'État. Une des études les plus complètes sur le référendum montre qu'il y a bien eu un lien entre le vote pour le Brexit, l'austérité et l'insuffisance des services publics. En outre, l'austérité a joué un rôle bien plus important dans ce vote que l'immigration venue d'Europe de l'Est : alors qu'une forte diminution du flux d'immigrés n'aurait pas été suffisante pour inverser le résultat, une atténuation même modeste de l'austérité l'aurait, elle, permis[14].

Dans une étude prudente et très approfondie, Thiemo Fetzer analyse avec encore plus de précision le lien entre l'austérité et le vote pour le Brexit[15]. Ses conclusions sont saisissantes : « Les réformes de l'État providence provoquées par l'austérité sont un facteur essentiel du soutien croissant au parti populiste UKIP [...], ont contribué au développement de sentiments antiestablishment et sont fortement liées au soutien populaire pour le vote "Leave". Les résultats montrent qu'en l'absence d'austérité, le référendum sur l'UE aurait pu soit ne pas avoir lieu, soit aboutir à une victoire du “Remain”. » Ces réformes ont eu un impact politique particulièrement important dans les régions où les populations déjà vulnérables sont devenues, du fait de l’accroissement des inégalités, encore plus dépendantes de l’État. Avant 2010, l’État providence freinait cet accroissement, mais il ne le fit plus après le passage à l’austérité : ainsi, « l’austérité a joué un rôle clef pour *activer ces griefs* et les transformer en mécontentement politique, dont le Brexit a été le point culminant ».

L’austérité a créé les conditions dans lesquelles une campagne comme celle de l’autocar rouge, et sa promesse de récupérer l’argent versé à Bruxelles et de l’investir dans les services de santé, a pu devenir d’une aussi redoutable efficacité. Cette histoire est pleine d’ironie mais devrait aussi servir d’avertissement. L’ironie, c’est qu’en 2010, quand ils sont arrivés au pouvoir, les conservateurs ont pensé que réduire le périmètre de l’État était une bonne idée parce que cela favoriserait les entreprises, en vertu de l’équation bien connue : moins d’État, moins d’impôts, plus de compétitivité. Mais, en réalité, cette politique a abouti à la plus grande catastrophe depuis la guerre pour les entreprises britanniques : le Brexit. Cette débâcle constitue une démonstration exemplaire d’un constat qui a souvent été fait par l’éminent économiste turc Dani Rodrik. Les débats politiques entre la gauche et la droite donnent souvent l’impression que le marché et l’État sont des substituts : plus de l’un signifierait moins de l’autre, et *vice versa*. Mais, sitôt que l’on prend la politique en compte, cela n’est plus vrai. Un État efficace est nécessaire pour protéger les citoyens contre les risques liés au marché. Affaiblissez l’État et vous risquez d’affaiblir le soutien politique au marché. Dans le contexte britannique, un programme de réduction du périmètre de l’État a contribué à aboutir au Brexit, ce qui risque, comme on le verra, de provoquer une destruction historique de marchés qui étaient avant cela intégrés.

L’avertissement est clair : les dirigeants politiques qui souhaitent préserver l’efficacité du marché doivent veiller à ce que leur projet bénéficie d’un soutien politique suffisant. En faisant trop de réformes impopulaires, ils ouvrent la porte aux populismes de tous bords. En réduisant trop les filets de sécurité aménagés par l'État, ils risquent de mettre à mal le marché, dont ils voulaient au départ favoriser l'activité.

Le hasard et la contingence

Peut-être êtes-vous convaincu désormais que le Brexit (et Trump) était en réalité inévitable. Ces dernières décennies, ce sont les économies anglo-saxonnes qui ont eu le plus tendance à aller dans le sens du marché et qui se sont le plus éloignées de l'interventionnisme étatique, qui peut protéger les travailleurs quand les choses tournent mal. Dans un monde en voie de mondialisation rapide, c'est finalement devenu insoutenable, et une réaction politique populiste en a été l'inéluctable résultat. À cela s'est ajouté le fait qu'un grand nombre d'électeurs britanniques aisés, pour des raisons idéologiques, étaient depuis longtemps eurosceptiques : dans ces conditions, la coalition du Brexit a vu un boulevard s'ouvrir devant elle. Comme le disait cependant Dominic Cummings, le cerveau de la campagne « Vote Leave », « la réalité est faite de ramifications, il n'y a pas de "grand pourquoi" ». Très peu de choses sont inévitables *ex ante*, même si elles semblent l'être une fois qu'elles se sont produites. Comme je le rappelais au début de ce chapitre, le « Remain » aurait pu très facilement l'emporter, et il a d'ailleurs bien failli le faire[16].

Cummings et Tim Shipman ont recensé plusieurs facteurs qui ont contribué à ce que l'histoire aille dans le sens du Brexit et pas dans un autre. Boris Johnson aurait fort bien pu décider de faire campagne pour le "Remain" : il a d'ailleurs écrit un article expliquant pourquoi c'était une bonne idée (mais il ne l'a jamais publié). Selon Cummings, « sans Boris, Farage aurait bien davantage occupé les écrans de télévision dans les cruciales dernières semaines, il aurait même sans doute été *le* principal visage de la campagne [...]. Il est extrêmement probable que cela nous aurait fait perdre plus de 600 000 votes dans la classe moyenne ». Jeremy Corbyn aurait pu ne pas avoir été élu à la tête du Parti travailliste, et un chef plus européen que lui aurait pu faire plus efficacement campagne pour le Remain dans les zones ouvrières. David Cameron aurait pu organiser le référendum plus tard, ce qui aurait pu l'aider et aider le Remain. Il aurait aussi pu éviter des erreurs grossières, comme celle de laisser entendre qu'il pouvait obtenir une réforme fondamentale des règles du marché unique en supprimant le droit des citoyens européens de vivre et de travailler dans l'État membre de leur choix. Cette possibilité était, en réalité, totalement illusoire, ce qui signifie que Cameron se condamnait à l'échec avant même que la campagne ne commence[17].

Enfin, et surtout, on peut se demander si Cameron était réellement obligé de promettre un référendum en 2013. Comme je l'ai indiqué dans le chapitre précédent, Shipman croit que le référendum est devenu inévitable après la rébellion des bancs conservateurs à la Chambre des communes en 2011, mais Cummings le conteste fortement, et il vaut la peine de le citer :

> J'ai également trouvé idiot que Cameron cède à la pression et promette un référendum en 2013. Tout comme Gove et Osborne, qui ont dit à Cameron de ne pas le faire. Il a commis l'erreur de penser qu'il ferait tomber le vent qui gonflait les voiles du UKIP et n'a pas compris pourquoi il a au contraire donné un coup de fouet au UKIP et à Farage [...]. L'idée qu'une force irrésistible exigeait un référendum est défendue par les partisans de Farage et de Cameron. Ils se trompent tous les deux. Le pays a été pour, mais sans aucune passion, en dehors de la petite fraction pour qui cela a toujours été un sujet passionné. La plupart des députés tories n'en voulaient pas. La plupart des donneurs de fonds conservateurs pensaient que le moment n'était pas le bon [...]. La plupart des députés qui en voulaient auraient pu être achetés ou distraits d'une manière ou d'une autre – un mélange de politique, d'honneurs, de cadeaux, etc., bref, le truc habituel.

Dans une campagne référendaire aussi serrée, tout compte. Cummings est convaincu que « si Boris, Gove et Gisela ne nous avaient pas soutenus et n'avaient pas brandi la batte de base-ball portant l'inscription "Turquie/NHS/£350 millions", alors qu'il restait encore cinq semaines de campagne, nous aurions pu perdre 650 000 votes ». Et il est sans doute mieux placé que beaucoup pour porter ce jugement[18]. Des facteurs structurels plus profonds – l'appauvrissement dans les anciennes régions industrielles, le nationalisme anglais à l'ancienne – ont sans doute compté eux aussi. Tout comme la guerre interne qui déchire depuis longtemps le Parti conservateur, et les choix faits en conséquence par une poignée d'hommes ambitieux. En 2012, au moment où Cameron s'acheminait vers sa promesse de référendum, il confia à Nick Clegg, le chef des démocrates libéraux : « Il faut que je le fasse. C'est une question de gestion du parti[19]. »

Rarement un pari politique aura raté aussi spectaculairement que celui fait par Cameron. Il imaginait qu'il gagnerait le référendum, mais il le perdit. Quant à la gestion du parti, qui était l'objet de l'exercice, la guerre interne, comme nous le verrons, continue.

CHAPITRE 10

Après le vote

Au matin du 24 juin 2016, l'Europe était plongée dans l'incertitude. Au Royaume-Uni, la première conséquence du vote britannique fut la démission de David Cameron. Elle donna immédiatement lieu à une course pour le pouvoir, dans laquelle Boris Johnson parut d'abord avoir l'avantage, perspective qui horrifia de nombreux conservateurs partisans du Remain. Ils s'arrêtèrent bientôt sur une autre candidate, Theresa May. May était Home Secretary, c'est-à-dire ministre de l'Intérieur et, comme beaucoup de ses homologues au Royaume-Uni et ailleurs, elle était hostile à l'immigration. En octobre 2015, lors d'un congrès du Parti conservateur, elle avait fait un discours dans lequel elle avait déclaré sans détour que « le nombre [de migrants] venus d'Europe était insoutenable et [que] les règles devaient changer ». Elle faisait aussi un lien direct entre la question des flux de réfugiés et d'immigrés illégaux en Europe, d'une part, et les règles de l'Union européenne sur la libre circulation des citoyens européens, de l'autre[1]. Ces considérations l'avaient conduite à soutenir avec force l'engagement de Cameron de renégocier ce principe, car, comme elle l'avait déjà écrit par ailleurs, « le premier facteur qui nous empêche de réaliser notre objectif [réduire l'immigration nette], ce sont les flux nets de migrants venus de l'Union européenne[2] ».

On peut penser que ce genre de propos ne faisait pas nécessairement de Mme May la candidate idéale pour rassembler derrière elle le camp du Remain. Son discours au congrès de 2015 avait d'ailleurs inspiré à un député, faisant référence au fameux politicien antimigrant, cette réflexion : c'est un « Enoch Powell en robe[3] ». Or Theresa May soutint pourtant le Remain, même si elle ne le fit pas vraiment de gaieté de cœur. Cela la mettait en position de rassembler éventuellement les camps du Leave et du Remain au sein du Parti conservateur, et surtout de stopper Boris Johnson. La tâche lui fut rendue plus facile le 30 juin, quand le principal soutien de ce dernier, Michael Gove, annonça qu'il était arrivé à la conclusion que Johnson n'était pas à la hauteur et qu'il se portait donc candidat à sa place. Finalement, Theresa May resta la dernière en lice et succéda à David Cameron au poste de Premier ministre le 13 juillet. La question était de savoir quel type de Brexit choisirait son gouvernement.

L'Irlande était incontestablement le pays pour lequel cette question avait le plus d'importance. Comme nous l'avons vu au chapitre 6, le fait que l'Irlande et le Royaume-Uni fussent tous deux membres de l'Union européenne avait joué un rôle crucial dans la résolution du long et sanglant conflit en Irlande du Nord. Les deux communautés y restaient certes profondément divisées, mais l'on avait vu, au fil des années, des symboles émouvants de réconciliation, l'un des plus saisissants étant l'amitié qui était née entre Ian Paisley, créateur du Parti unioniste démocrate (DUP) et adversaire du mouvement pour les droits civiques des années 1960, et Martin McGuinness, ancien membre de l'IRA. Les deux hommes furent respectivement Premier ministre et Premier ministre adjoint de l'Irlande du Nord en 2007 et 2008. La frontière entre l'Irlande et l'Irlande du Nord était devenue pratiquement invisible, apportant de grands avantages pratiques aux citoyens ordinaires. Quelles seraient les conséquences du Brexit pour le processus de paix et pour les populations vivant des deux côtés de la frontière, et pour le reste de l'Irlande ? L'indépendance et la prospérité de l'Irlande avaient largement bénéficié de l'appartenance à l'Union européenne (voir chapitres 6 et 7), et il n'était donc pas question que l'Irlande imite la Grande-Bretagne et sorte de l'Union. Mais la

Grande-Bretagne restait un partenaire commercial majeur pour une économie qui sortait tout juste d'une crise bancaire dévastatrice : les choix britanniques importaient donc beaucoup pour l'Irlande.

Il y avait enfin les vingt-six autres États membres de l'Union européenne, et les institutions européennes, par exemple la Commission ou le Parlement. En France, Jean-Marie Le Pen loua le courage de l'électorat britannique et appela à un référendum similaire en France. Sa fille Marine tweeta : « Victoire de la liberté : comme je le demande depuis des années, il faut maintenant le même référendum en France et dans les pays de l'UE. » Le résultat fut aussi salué immédiatement par le parti d'extrême droite allemand Alternativ für Deutschland (AfD) et par le populiste néerlandais Geert Wilders.

La réaction de François Hollande fut, évidemment, tout autre. Il qualifia le résultat de « choix douloureux » et ajouta : « Je le regrette profondément pour le Royaume-Uni et pour l'Europe. Mais ce choix est le leur, et nous devons le respecter, en en tirant toutes les conséquences. Le danger est immense face aux extrémismes et aux populismes. Il faut toujours moins de temps pour défaire que pour faire, pour détruire que pour construire[4]. » Il y eut d'autres réactions similaires ailleurs sur le Continent. Mais au-delà des regrets inspirés par le résultat du référendum, la question restait de savoir comment l'Union européenne répondrait aux défis que représentait le Brexit. Comme le Brexit était une décision unilatérale des Britanniques, cela dépendrait largement de la conduite qu'allait adopter le gouvernement du Royaume-Uni.

Que veut le Royaume-Uni ?

Le Royaume-Uni avait certes voté pour sortir de l'Union européenne, mais encore fallait-il savoir quel type de relation il entendait conserver avec elle. Le référendum ne donnait guère d'indications à cet égard, puisque l'on avait simplement demandé aux votants : « Le Royaume-Uni doit-il rester membre de l'Union européenne ou quitter l'Union européenne ? » Le bulletin de vote n'évoquait ni l'union douanière ni le marché unique, et ceux et celles qui avaient voté pour le « Leave » avaient sans doute des idées très diverses à ce sujet. Au premier abord, la logique électorale semblait devoir conduire le gouvernement britannique à tenter d'obtenir un « Brexit doux », c'est-à-dire un Brexit qui permettrait au Royaume-Uni de rester soit dans le marché unique, soit dans une union douanière avec l'Union européenne, soit encore dans les deux. Après tout, 48 % des votants avaient voté pour rester dans l'Union, et de nombreux partisans du « Leave » avaient indiqué avant le référendum qu'ils ne voyaient aucun inconvénient à rester dans le marché unique. Il semblait donc raisonnable de penser que si l'on demandait aux votants de se prononcer sur leur type de Brexit préféré, une majorité d'entre eux soutiendrait celui qui permettrait au pays de conserver avec l'Union européenne des liens aussi étroits que possible, et qu'un « Brexit doux » serait un moyen de rassembler une société profondément divisée.

C'est sans doute ce que beaucoup d'observateurs, hors du Royaume-Uni, espéraient, en particulier dans les pays qui dépendaient beaucoup des échanges avec le Royaume-Uni, comme le Danemark, les Pays-Bas et surtout l'Irlande. Les premiers signes n'augurèrent cependant rien de bon. Theresa May prit la décision hallucinante de faire de Boris Johnson son secrétaire d'État aux Affaires étrangères. On s'en souvient, Johnson venait de comparer l'Union européenne à Adolf Hitler ; il était aussi connu pour avoir tenu des propos qui auraient certainement valu à un simple citoyen une accusation de racisme[5]. Jean-Marc Ayrault, le ministre français des Affaires étrangères, rappela à ses compatriotes que « dans la campagne, il a beaucoup menti aux Britanniques ». May nomma aussi à des postes clefs deux grands partisans du Brexit : David Davis à la tête du nouveau ministère de la Sortie de l'Union européenne (DExEU pour l'acronyme anglais) et Liam Fox au nouveau ministère du Commerce international. Davis avait déclaré pendant la campagne référendaire que le Royaume-Uni pourrait, après le Brexit, négocier des accords commerciaux bilatéraux avec des États membres de l'Union européenne. En mai, il avait tweeté : « Le premier point d'appel du négociateur du R.-U. sitôt après #Brexit ne sera pas Bruxelles mais Berlin, pour conclure un accord[6]. » Apparemment, il semblait encore ignorer que les États membres de l'Union européenne n'ont pas le droit de négocier des accords commerciaux bilatéraux avec d'autres pays : comme nous l'avons souligné au chapitre 3, dans une union douanière, tous les membres doivent avoir les mêmes droits de douane extérieurs vis-à-vis des pays tiers, et tous les États membres de l'Union européenne sont donc liés par la politique commerciale extérieure commune de celle-ci. Quant à Fox, son ministère avait été créé pour conclure des accords commerciaux avec des pays n'appartenant pas à l'Union européenne, un des principaux avantages supposés du Brexit, bien que le Royaume-Uni ne puisse légalement pas le faire avant d'être effectivement sorti de l'Union. La mission qui avait été confiée à M. Fox indiquait donc clairement que Theresa May ne croyait pas que le Royaume-Uni dût rester membre d'une future union douanière avec l'Union européenne *.

Il restait le marché unique. Mais, à l'été 2016, même les anciens partisans du Remain semblaient accepter le présupposé fondamental de la campagne du Leave, c'est-à-dire qu'il y avait trop d'Européens en Grande-Bretagne. Des commentateurs mais aussi des personnalités publiques, comme Gordon Brown, affirmaient que le Royaume-Uni devait rechercher un accord qui lui permettrait de rester dans la zone économique européenne (voir le chapitre 8) et dans le marché unique européen, tout en lui permettant en même temps de limiter la libre circulation des personnes. Le Liechtenstein (population : 37 000 habitants) ne bénéficiait-il pas d'un accord spécial

* J'avoue me montrer ici un peu pointilleux. On dit généralement que le Royaume-Uni veut quitter *l'union* douanière, mais par définition, il devra le faire après avoir quitté l'Union européenne. La question est donc de savoir s'il voudra ou non rejoindre *une nouvelle union* douanière.

en matière d'immigration[7] ? Avec de pareils partisans du Remain, ceux du Leave pouvaient dormir tranquilles[8].

Theresa May était elle-même, comme on l'a vu, instinctivement hostile à la liberté de circulation des personnes, et un de ses principaux conseillers, Nick Timothy, était un fervent admirateur du chantre de la préférence impériale Joseph Chamberlain : autre indication que le gouvernement ne semblait pas se diriger vers un Brexit doux. Il n'en fut pas moins choquant pour un Irlandais comme moi d'entendre Mme May déclarer au congrès du Parti conservateur d'octobre 2016 que le Royaume-Uni serait désormais libre de décider seul « sur toute une série de questions, de la manière dont nous étiquetons nos produits alimentaires à celle dont nous choisissons de contrôler l'immigration [...]. Cette négociation ne servira donc pas à établir une relation similaire à celle que nous avons depuis au moins quarante ans. Ce ne sera pas le “modèle norvégien” [...]. Nous ne quitterons pas l'Union européenne pour renoncer de nouveau à contrôler l'immigration. Et nous ne partirons pas pour nous retrouver sous la juridiction de la Cour de justice européenne[9]. »

C'est au moment où Theresa May parla de l'étiquetage alimentaire que les choses s'éclaircirent : elle ne voulait plus que le Royaume-Uni soit lié, comme la Norvège, par les règles communes qui avaient rendu inutiles les formalités aux frontières depuis 1993. La référence à la Cour de justice européenne confirmait cette première impression, car quand il y a des règles communes, une forme d'arbitrage est nécessaire pour assurer leur respect. Le message était fort : pour le Premier ministre britannique, le Royaume-Uni quitterait le marché unique. Pour l'Irlande, c'était une mauvaise nouvelle : cela signifiait (comme le chapitre 5, je l'espère, l'a abondamment montré) que des contrôles seraient rétablis aux frontières entre le Royaume-Uni et l'Union européenne.

La vision dure de Theresa May fut exprimée de manière encore plus explicite le 17 janvier 2017. Ce jour-là, le Premier ministre fit à la Lancaster House un discours qui, rétrospectivement, avait les accents des dernières manifestations d'hubris des triomphalistes du

Brexit, avant que tout le monde revienne à la réalité. Elle commença par rappeler à son auditoire les liens historiques entre le Royaume-Uni et le Commonwealth, et expliqua, au cas où des Européens auraient écouté, que « beaucoup de gens en Grande-Bretagne ont toujours eu le sentiment que la place du Royaume-Uni dans l'Union européenne s'était faite aux dépens de nos liens planétaires et d'une adhésion plus audacieuse au libre-échange avec le monde entier ». En voisine amicale, elle conseilla à l'Union européenne de chérir la différence et la réforme plutôt que de traiter les intérêts de ses membres en « les serrant dans un étau qui finit par réduire en miettes les choses que l'on cherche à protéger ». Mais surtout, elle énuméra la série de lignes rouges que se fixerait le Royaume-Uni dans les négociations à venir. Le Royaume-Uni « mettrait fin sur son sol à l'autorité de la Cour de justice de l'Union européenne », car « nous n'aurons pas réellement quitté l'Union européenne tant que nous ne contrôlerons pas nos propres lois ». Le Royaume-Uni ne serait pas membre du marché unique, car il ne pourrait accepter ni les quatre libertés de circulation (des biens, des services, des capitaux et des personnes), ni les réglementations décidées dans d'autres pays, ni la compétence de la CJUE. Le Royaume-Uni ne verserait donc plus chaque année d'« énormes » contributions financières à Bruxelles. Et comme il souhaitait conclure des accords de libre-échange avec le reste du monde, il ne serait plus lié par les tarifs extérieurs communs et la politique commerciale commune de l'union douanière de l'Union européenne[10].

Les partisans du Brexit apprécièrent beaucoup ce discours, mais il y avait un problème : des pans entiers de l'économie britannique dépendaient du marché unique. Il y avait la City de Londres, bien sûr, car depuis les années 1990 un nombre croissant de services financiers avaient obtenu un droit de *passeporting* qui reposait « sur le principe de reconnaissance mutuelle et sur l'harmonisation des mesures prudentielles ». Le *passeporting* signifie qu'« une institution financière agréée par ses autorités nationales a le droit de créer une agence ou de fournir des services dans un autre État membre de l'Espace économique européen (EEE), sans être obligée d'obtenir une autre autorisation ou un autre permis ». Ainsi, une banque française souhaitant travailler en Belgique peut se contenter d'y créer une agence et n'est pas obligée d'y créer une filiale belge. Comme une filiale constituerait une entité juridique nouvelle et distincte de la maison mère, soumise à la législation et la réglementation belges, et devrait donc respecter certaines obligations relatives, par exemple, à la quantité de capitaux qu'elle devrait détenir, l'option du *passeporting* présente évidemment de nombreux avantages. Les banques ne sont d'ailleurs pas les seules à en profiter : c'est aussi le cas des fonds d'investissement, des agences de notation, des courtiers, des entreprises travaillant sur les marchés des titres et des produits dérivés, et de bien d'autres[11].

Si les sociétés de services financiers britanniques perdaient le *passeporting*, leur capacité à continuer de travailler dans l'Union européenne serait mise en doute. Peut-être certaines pourraient-elles être autorisées à le faire si la Commission européenne estimait que les réglementations du Royaume-Uni sont « équivalentes » aux réglementations européennes ; mais cette équivalence n'est donnée à des pays tiers qu'au coup par coup, et la Commission serait toujours libre de revenir là-dessus dans l'avenir. Cette incertitude ne pouvait que nuire fortement à la City. C'est pourquoi le gouvernement britannique estimait que le Royaume-Uni et l'Union européenne devaient continuer à reconnaître l'équivalence de leurs réglementations financières : autrement dit, le Royaume-Uni souhaitait que le principe de « reconnaissance mutuelle » continue de s'appliquer dans ce domaine après le Brexit. Comme le déclarait encore en mars 2018 le nouveau chancelier de l'Échiquier, Philip Hammond, « le régime d'équivalence créé par l'Union européenne pour les pays tiers [...] serait tout à fait inadapté à l'échelle et à la complexité des échanges de services financiers entre le Royaume-Uni et l'Union européenne. Jamais il n'a été question qu'il supporte un tel fardeau. Le régime de l'UE est unilatéral et l'accès peut être retiré sans préavis ou presque. Ce n'est évidemment pas une plateforme sur laquelle nous pouvons asseoir une relation commerciale de plusieurs milliers de milliards de livres. Le principe de reconnaissance mutuelle et d'équivalence réglementaire réciproque, en revanche, [...] pourrait fournir la base effective de ce partenariat[12] ».

De leur côté, les constructeurs automobiles, entre autres industriels, dépendent de chaînes logistiques internationales d'une grande complexité. Prenons Honda, par exemple, qui fabrique la Honda Civic près de Swindon[13]. Deux millions de pièces fabriquées par des fournisseurs installés au Royaume-Uni et dans le reste de l'Union européenne alimentent chaque jour, « comme de l'eau courante », sa ligne de production, mais avec les pièces stockées dans l'entrepôt de l'usine, la production n'est assurée que pour trente-six heures. Avec la méthode du juste-à-temps, les pièces sont commandées uniquement quand on en a besoin : celles qui proviennent d'autres pays membres de l'Union européenne peuvent arriver dans un délai de cinq à vingt-quatre heures. Si des contrôles aux frontières étaient réintroduits entre l'Union européenne et le Royaume-Uni, ces délais de livraison seraient de deux à neuf jours, et si Honda voulait stocker suffisamment de pièces pour pouvoir produire pendant neuf jours d'affilée, il lui faudrait un entrepôt de 300 000 mètres carrés, soit 42 terrains de football. Les coûts seraient tels qu'ils feraient peser un sérieux doute sur la capacité de grands employeurs comme Honda, Nissan et Airbus de continuer à produire en Grande-Bretagne.

La question était particulièrement sensible pour le gouvernement dans le cas de Nissan, un des plus gros employeurs de Sunderland, une ville qui a voté pour le Brexit. C'est pourquoi le ministre britannique aux Affaires, à l'Énergie et à la Stratégie industrielle, Greg Clark, a écrit une lettre secrète à l'entreprise contenant des assurances pour l'avenir, sur la base desquelles Nissan annonça qu'il construirait deux nouvelles gammes de voitures dans la ville. Le contenu précis de la lettre reste inconnu à ce jour, mais nous savons que le gouvernement a promis qu'il s'efforcerait d'établir avec l'Union européenne, dans le domaine de l'industrie automobile, des relations commerciales sans frictions. En octobre 2016, quand certaines informations ont commencé à être divulguées sur le contenu de la lettre, certains ont suggéré que le Royaume-Uni chercherait en effet à conclure avec l'Union européenne un accord sectoriel qui permettrait aux industries ayant bénéficié particulièrement du marché unique et de l'union douanière de continuer à le faire dans le futur.

Mais les grandes firmes des secteurs de l'automobile et de l'aérospatial n'étaient pas les seules à se sentir menacées par la réintroduction de contrôles aux frontières : les conséquences de contrôles même minimums, dans une situation où ils n'existaient pas auparavant, pourraient être considérables pour toutes les entreprises ayant des activités commerciales à l'international. Les autorités du port de Douvres estiment ainsi qu'un retard à la frontière de seulement deux minutes par camion provoquerait une queue de 27 kilomètres sur l'autoroute M20. Il n'est donc pas étonnant que Theresa May, dans son discours de janvier 2017 à Lancaster House, ait aussi déclaré qu'elle souhaitait que les échanges commerciaux futurs avec l'Union européenne se fassent avec le « moins de frictions possible ».

C'était bien sûr ce que souhaitaient aussi d'anciens conservateurs partisans du Remain. La position initiale du gouvernement britannique était donc la suivante : il voulait limiter l'immigration provenant de l'Union européenne, retrouver le contrôle de sa législation, quitter la juridiction de la CJUE, et par conséquent le marché unique ; malgré cela, il voulait également conserver l'accès privilégié de la City aux marchés européens ; il voulait passer des accords de libre-échange avec d'autres pays partout dans le monde, et donc ne pas entrer dans une nouvelle union douanière post-Brexit avec l'Union européenne ; mais, en même temps, il voulait que les échanges commerciaux avec celle-ci se fassent sans frictions, ou avec le moins de frictions possible. Autrement dit, le Royaume-Uni voulait garder les éléments de son appartenance à l'Union européenne qui lui semblaient présenter un intérêt, et se débarrasser du reste : elle voulait le beurre et l'argent du beurre. C'est d'ailleurs ce qu'avait dit un jour Boris Johnson et, en novembre 2016, un conseiller sortant du ministère de la Sortie de l'Union européenne (DExEU) fut photographié serrant un bloc-notes sur lequel on pouvait lire en toutes lettres : « Le modèle ? Le beurre et l'argent du beurre[14]. » Un nouveau mot entra ainsi dans le jargon politique européen, le « beurrisme * », que l'on peut définir comme la politique consistant à vouloir le beurre et l'argent du beurre.

De ce point de vue, une solution à la norvégienne, par laquelle le Royaume-Uni resterait dans l'Espace économique européen, était impossible : elle supposait la libre circulation des personnes, des contributions financières à l'Union européenne et l'acceptation des réglementations de celle-ci. Un accord de libre-échange à la canadienne était tout aussi inenvisageable, puisqu'il ne permettrait pas de garantir à la City de Londres une position privilégiée sur les marchés européens et impliquerait des contrôles aux frontières. Et donc, passant d'un proverbe paysan au jargon de la mode, le gouvernement du Royaume-Uni affirma que ces modèles « prêts à porter » ne convenaient pas et qu'un accord « sur mesure » était indispensable.

Ces deux dernières années, les responsables politiques britanniques ont donc fait toute une série de propositions, plus fantaisistes les unes que les autres, expliquant ce que le Royaume-Uni comptait faire pour avoir le beurre et l'argent du beurre, c'est-à-dire comment il allait quitter le marché unique, mener une politique commerciale indépendante et, en même temps, éviter la réintroduction de contrôles aux frontières avec l'Union européenne, faire en sorte que les échanges commerciaux se poursuivent sans frictions, et sauver les emplois qui en dépendaient. Rien ne serait plus simple à obtenir que cet accord : « Un des plus faciles dans l'histoire de l'humanité », comme le disait Liam Fox en juillet 2017. Mais très vite, les ministres firent montre d'une incompréhension inquiétante des règles non seulement de l'Union européenne mais

---

* En anglais, le dicton est : « *To have one's cake and eat it.* » Et le mot nouveau du jargon politique européen est « *cakeism* ».

aussi de l'Organisation mondiale du commerce. Prenons par exemple l'idée qu'il pourrait y avoir des accords sectoriels spéciaux pour l'automobile et pour la City : cela supposerait que le Royaume-Uni et l'Union européenne s'accordent mutuellement un accès privilégié à leurs marchés pour ces seuls secteurs. Or, comme nous l'avons vu au chapitre 2, les règles du GATT (et depuis de l'OMC) ne permettent pas à l'Union européenne de traiter les importations du Royaume-Uni plus favorablement que les importations des autres pays membres de l'OMC. La seule exception à la règle non discriminatoire de la nation la plus favorisée est le cas où le Royaume-Uni et l'Union européenne accepteraient de former soit une zone de libre-échange, soit une union douanière ; mais elles devraient concerner « l'essentiel des échanges commerciaux ». La signification exacte de cette formule est, il est vrai, sujette à débat, mais il est certain qu'un arrangement ne concernant que certains secteurs ne serait pas légal, et que les autres membres de l'OMC s'y opposeraient certainement. Cela veut dire que l'approche sectorielle ne mènerait nulle part, du moins s'agissant des secteurs industriels – comme nous l'avons vu, le Royaume-Uni fait depuis longtemps de grands efforts dans les négociations pour protéger les intérêts de la City.

Cependant, la position britannique recelait une incohérence encore plus fondamentale. En effet, pour que le Royaume-Uni continue de commercer sans frictions avec l'Union européenne, il lui faudrait rester dans le marché unique et dans le régime de TVA de l'Union européenne, et créer avec celle-ci une nouvelle union douanière post-Brexit. Or les lignes rouges de Mme May excluaient tout cela. Son gouvernement avait sans doute le droit de vouloir le beurre et l'argent du beurre, mais, à la fin, il lui faudrait malgré tout, faire un choix. Et si le discours de Lancaster House suggérait que s'il était contraint de faire un choix il opterait pour un « Brexit dur » et pour la réintroduction de contrôles aux frontières, le gouvernement continuait aussi de dire qu'il serait possible de conserver des relations commerciales sans frictions avec l'Union européenne, ou du moins avec « aussi peu de frictions que possible ». Sans doute ne pouvait-il faire autrement compte tenu des divisions existant au sein du parti conservateur, les partisans du Leave voulant l'indépendance réglementaire et de nouvelles politiques commerciales cocardières, ceux du Remain voulant, eux, maintenir des relations sans frictions avec l'Union européenne. Mais le gouvernement britannique ne faisait ainsi que repousser le moment où des décisions devraient être prises. Et l'on ne savait toujours pas de quel côté il sauterait quand ce moment arriverait.

Néanmoins, le 29 mars 2017, le représentant permanent du Royaume-Uni auprès de l'Union européenne remit à Donald Tusk, le président du Conseil européen, une lettre l'informant de l'intention du Royaume Uni de quitter l'Union. La lettre disait que celui-ci souhaitait conserver un « partenariat approfondi et spécial » avec l'Union ; il le souhaitait même tellement que la formule était répétée pas moins de sept fois dans ce document de six pages[15]. Comment y répondit l'Union européenne ?

La réaction de l'Union européenne

L'Union européenne a fait montre sur la durée d'une grande cohérence par rapport au Brexit. Au matin du 24 juin 2016, Donald Tusk (le président du Conseil européen), Martin Schulz (le président du Parlement européen), Jean-Claude Junker (le président de la Commission européenne) et Mark Rutte (le Premier ministre néerlandais – les Pays-Bas occupant à l'époque la présidence du Conseil de l'Union européenne) rappelèrent dans une déclaration conjointe un certain nombre de réalités élémentaires quant à ce qui allait maintenant se passer :

> Nous attendons maintenant du gouvernement du Royaume-Uni qu'il donne suite aussi rapidement que possible à la décision du peuple britannique, aussi douloureux cela soit-il. Tout délai prolongera

> inutilement l'incertitude. Nous avons des règles pour traiter de cette situation d'une manière ordonnée. L'article 50 du traité sur l'Union européenne établit la procédure à suivre dans le cas où un État membre décide de quitter l'Union. Nous nous tenons prêts à lancer rapidement des négociations avec le Royaume-Uni sur les termes et conditions de son retrait de l'Union européenne…

Les quatre hommes soulignèrent que les concessions obtenues par David Cameron en février, et sur la base desquelles il avait mené la campagne référendaire, étaient désormais nulles et non avenues. Puis ils ajoutèrent :

> En ce qui concerne le Royaume-Uni, nous souhaitons qu'il soit à l'avenir un proche partenaire de l'Union européenne. Nous espérons [qu'il] formulera des propositions à cet égard. Tout accord qui sera conclu avec le Royaume-Uni comme pays tiers devra prendre en compte les intérêts des deux parties et être équilibré en termes de droits et d'obligations[16].

Cette réaction immédiate des dirigeants européens précisait plusieurs points ayant une grande importance politique. Premièrement, le Brexit serait appliqué conformément aux règles de l'Union européenne. Deuxièmement, il serait mis en œuvre rapidement. Troisièmement, il appartenait au Royaume-Uni de décider de la nature de ses relations futures avec l'Union. Quatrièmement enfin, toute relation future entre l'Union européenne et le Royaume-Uni devrait être dans l'intérêt de l'Union et présenter « un équilibre entre droits et obligations ».

Quelles étaient les règles qu'il faudrait suivre pour le Brexit ? Le traité de Lisbonne les avait exprimées expressément pour la première fois : c'est le fameux article 50 dont il est fait mention dans la précédente déclaration. Il fut rédigé par John Kerr en personne, qui, la dernière fois que nous l'avons rencontré, se cachait sous la table à Maastricht. Voici ses principales dispositions :

> L'État membre qui décide de se retirer notifie son intention au Conseil européen. À la lumière des orientations du Conseil européen, l'Union négocie et conclut avec cet État un accord fixant les modalités de son retrait, en tenant compte du cadre de ses relations futures avec l'Union [...]. Les traités cessent d'être applicables à l'État concerné à partir de la date d'entrée en vigueur de l'accord de retrait ou, à défaut, deux ans après la notification visée au paragraphe 2, sauf si le Conseil européen, en accord avec l'État membre concerné, décide à l'unanimité de proroger ce délai.

Autrement dit, le Royaume-Uni devrait d'abord notifier son retrait au Conseil européen. L'Union européenne négocierait ensuite un accord de retrait, fondé sur les règles établies par le Conseil européen (c'est-à-dire les chefs d'État ou de gouvernement des vingt-sept États membres restants). Cet accord fixerait surtout les modalités et les conditions du retrait du Royaume-Uni. Il ne devait que « tenir compte du cadre des relations futures » de ce pays avec l'Union. Si un accord de retrait n'était pas négocié dans les deux ans suivant la notification officielle du retrait du Royaume-Uni, celui-ci sortirait sans accord, à moins que les vingt-sept États membres restants consentent à prolonger le délai. Cela signifiait que si le Royaume-Uni ne demandait pas de prolongation, et que tout le monde était d'accord, il quitterait l'Union au plus tard le 29 mars 2019.

L'article 50 évoque une succession d'événements : d'abord la notification, puis la négociation. Il ne dit pas explicitement que c'est ainsi que les choses devront se passer, mais il suggère au minimum que les États membres restants ne seront pas dans l'obligation de négocier tant qu'ils n'auront pas reçu la notification, qui déclenchera le processus[17]. La déclaration rendue publique le 29 juin par les chefs d'État et de gouvernement des vingt-sept États membres restants était sans ambiguïté sur ce point : « Il ne saurait y avoir de négociations d'aucune sorte tant que cette notification n'aura pas eu lieu[18]. » C'était logique ! Pourquoi négocier avant que le Royaume-Uni ne notifie officiellement son intention de quitter l'Union ?

Cela signifiait aussi que le Royaume-Uni serait soumis à un délai très court : il n'aurait que deux ans pour négocier sa sortie, faute de quoi il devrait le faire sans accord. En réalité, il n'aurait même pas deux ans, puisque les vingt-sept chefs d'État et de gouvernement décidèrent aussi que le Conseil européen ne s'accorderait sur les grandes lignes de la négociation qu'une fois la notification reçue : là encore, pourquoi se mettre en peine de s'entendre sur ce point avant d'être certain que le gouvernement du Royaume-Uni veuille réellement mettre en œuvre le Brexit ? Bien entendu, le processus prévu à l'article 50 n'est pas favorable aux intérêts du pays qui souhaite se retirer.

L'accord de retrait doit seulement « tenir compte » du cadre des relations futures entre le pays sortant et l'Union européenne. Mais, en Grande-Bretagne, beaucoup furent scandalisés d'apprendre qu'il serait en réalité impossible aux deux parties de s'entendre sur les futures relations commerciales tant que la sortie ne serait pas effective. Il y eut des débats sur ce point en 2016, les Britanniques estimant que les négociations commerciales devaient se faire en même temps que les négociations de retrait, mais ils finirent par l'accepter. Quelle serait la base juridique d'une négociation d'un accord commercial avec un futur ex-État membre, et comment cela se ferait en pratique ? C'est l'Union européenne en tant que telle qui négocie les accords commerciaux avec des pays tiers, mais comment pouvait-on se trouver dans la situation où l'Union, dont le Royaume-Uni était encore membre, négocierait un accord avec un Royaume-Uni appelé à ne plus l'être ? Les implications de tout cela étaient très dérangeantes, car il faut généralement des années pour négocier un accord commercial : l'accord de libre-échange entre le Canada et l'Union européenne n'a ainsi été signé qu'après sept ans de négociation. Durant la période séparant le Brexit de la négociation et de la ratification d'un nouvel accord commercial, l'Union européenne et le Royaume-Uni seraient contraints d'imposer des droits de douane sur leurs marchandises respectives, sous peine de violer les clauses de la nation la plus favorisée de l'OMC.

Le dilemme a une solution logique. Celle-ci suppose que l'on s'entende sur une période de transition post-Brexit pendant laquelle le Royaume-Uni ne serait plus membre de l'Union européenne, mais où tout demeurerait comme avant. Il resterait membre, en particulier, du marché unique et de l'union douanière. En principe un nouvel accord commercial entre les deux parties pourrait être négocié pendant cette période de transition. Ainsi, les entreprises n'auraient à s'adapter qu'une seule fois au nouvel environnement commercial, lorsque le Royaume-Uni sortirait de la transition et entamerait sa nouvelle relation avec l'Union, quelle qu'elle puisse être. Savoir si cette période de transition serait assez longue pour permettre à cette nouvelle relation d'être négociée est une tout autre question, sur laquelle je reviendrai.

Que dire enfin de la condition selon laquelle toute relation future devrait présenter un « équilibre entre droits et obligations » ? La déclaration du 29 juin était sans ambiguïté sur ce point : « L'accès au marché unique passe obligatoirement par l'acceptation des quatre libertés. » Le Royaume-Uni devrait choisir : soit il aspirait à des relations futures supposant un haut niveau de droits et d'obligations, auquel cas il pouvait rester dans le marché unique pour les biens, les services, les capitaux s'il le souhaitait, mais il lui faudrait alors accepter la quatrième liberté associée au marché unique, celle concernant la circulation des personnes ; soit il aspirait à un faible niveau de droits et d'obligations et quitter entièrement le marché unique. Il ne pouvait pas rester uniquement là où se trouvait son intérêt : comme les dirigeants politiques européens le disent souvent, le Royaume-Uni ne pourra pas avoir les droits de la Norvège et les obligations du Canada. La formule concernant les quatre libertés fut intégrée à la demande insistante d'Angela Merkel : aucun des autres États membres ne présenta d'objection. Il ne serait pas question d'avoir le beurre et l'argent du beurre ou, pour employer une autre métaphore, il n'y aurait pas de Brexit à la carte pour le Royaume-Uni[19].

Cette insistance sur le fait que le Royaume-Uni ne pourrait pas garder les éléments du marché unique qui l'intéressaient et se débarrasser du reste est facile à comprendre. Le marché unique fut négocié à une époque où les Communautés européennes ne comptaient que douze membres – et même dans ces conditions, ce fut une réussite diplomatique et politique étonnante. Un accord international d'une telle complexité est, par définition, un accord sur lequel tout le monde s'est entendu : si l'on permettait à des pays d'en refuser les éléments qui ne leur plaisent pas, c'est tout l'édifice qui risquerait de s'écrouler. Permettre à un État membre de faire son marché était donc dangereux (en plus d'être illégal par rapport aux traités) ; mais le permettre à un État non membre ou à un « pays tiers » était absurde. C'était, pour l'Union européenne, une simple question d'autoconservation, car l'Union est définie par les traités : si ceux-ci n'étaient plus appliqués, elle cesserait d'exister.

L'insistance sur le fait que toute future relation commerciale devait reposer sur des droits et des obligations équilibrés avait des conséquences immédiates quand on les combinait avec les lignes rouges du discours de Theresa May à Lancaster House. Comme celle-ci refusait d'appartenir à une union douanière et qu'elle ne souhaitait pas non plus rester dans le marché unique, le mieux qu'elle pouvait espérer était un accord de libre-échange à la canadienne. Ce qui, nous l'avons suffisamment souligné dans ce livre, excluait la possibilité d'un accord commercial « sans frictions » entre l'Union européenne et le Royaume-Uni. D'un autre côté, si les lignes rouges de Mme May évoluaient, alors une relation plus consistante devenait possible.

Bien évidemment, l'Union européenne avait également intérêt à conserver sa pleine autonomie de décision. S'il y a une chose qui donne à l'Union de l'influence sur la scène mondiale, c'est certainement son marché unique et le fait qu'elle en définit seule les règles. Si les entreprises de pays tiers veulent participer au marché unique, elles doivent respecter ces règles. Toute proposition ayant pour effet d'affaiblir cette autonomie réglementaire constitue donc une menace existentielle pour l'Union européenne. C'est l'écueil sur lequel se sont brisées toutes les propositions britanniques de reconnaissance mutuelle des réglementations en matière de services financiers, par exemple. L'idée que l'Union européenne puisse ne pas garder un entier pouvoir de décision sur les règles s'appliquant aux services financiers est absolument intouchable, en particulier depuis la crise financière de 2008.

L'Union européenne craignait aussi que le Royaume-Uni ne profite de sa nouvelle liberté réglementaire pour déréglementer, réduire les coûts pour les entreprises britanniques et leur donner un avantage concurrentiel sur le marché européen. Comme nous l'avons vu au chapitre 1, un des principaux objectifs des institutions européennes supranationales est de contribuer à empêcher une course au moins-disant réglementaire, mais on se souvient aussi de la crainte exprimée par Mme Thatcher à Bruges, à savoir que la législation adoptée au niveau de l'Union européenne ne mette à mal la déréglementation décidée au Royaume-Uni. Il y avait donc toutes les raisons de s'inquiéter de ce que feraient ses héritiers au Parti conservateur après le Brexit, et ces inquiétudes devinrent d'ailleurs palpables en janvier 2017, quand Philip Hammond évoqua la possibilité que le Royaume-Uni abandonne le modèle social européen[20]. Soumettre la possibilité pour le Royaume-Uni d'avoir accès au marché unique à la condition qu'il offre un environnement concurrentiel équivalent à celui de l'Union européenne était donc pour celle-ci un objectif important des négociations à venir : cela va au-delà de l'adhésion aux règles du marché unique, et n'est pas sans implications (notamment) pour la future politique fiscale britannique.

L'Union européenne avait aussi des préoccupations plus terre à terre, à commencer par l'argent. Elle s'était entendue sur un budget qui devait aller jusqu'à 2020 ; le Royaume-Uni y avait consenti comme les autres et avait pris en conséquence un certain nombre d'engagements financiers. Comme ce pays est un contributeur net à l'Union, celle-ci avait un intérêt évident à s'assurer qu'il paierait la plus grande part possible, et de préférence la totalité, de ce qu'il s'était engagé à payer. Il fallait enfin tenir compte des plus de 3 millions de citoyens européens vivant au Royaume-Uni : comment leurs droits seraient-ils garantis à partir de 2019 ?

La frontière irlandaise

Enfin, les objectifs de négociation de l'Union européenne ont pris très largement en compte les intérêts d'un des plus petits de ses membres, l'Irlande. Cela témoigne bien sûr du travail remarquable accompli par la diplomatie irlandaise ; il est vrai que l'on peut aussi avoir le sentiment que l'Irlande n'a fait qu'enfoncer des portes ouvertes, la plupart des autres gouvernements de l'Union comprenant naturellement que celle-ci est d'abord un projet politique et un projet de paix. Le fait que Fine Gael, le parti au pouvoir à Dublin, était membre du Parti populaire européen, que David Cameron avait naguère abandonné, s'avéra utile pour créer des liens avec les autres partis de gouvernement en Europe. Le choix de Michel Barnier pour mener les négociations du Brexit au nom de l'Union européenne a sans doute également aidé. Ce Savoyard a compris d'instinct les préoccupations des populations rurales qui seraient le plus touchées ; et ses racines rurales ont été utilement complétées par son expérience de commissaire européen, qui lui a permis de superviser la signature du deuxième programme de l'Union européenne pour la paix et la réconciliation en Irlande du Nord et dans la région frontalière de l'Irlande (2000-2004).

À l'automne 2016, les dirigeants, les chefs d'entreprise et les commentateurs irlandais ont commencé à se préoccuper des signaux envoyés par Londres pour un Brexit dur. Ils craignaient pour l'avenir des petites entreprises irlandaises à forte intensité de main-d'œuvre qui exportent sur le marché britannique et étaient véritablement alarmés par les possibles conséquences du Brexit sur la frontière irlandaise. Car si le Royaume-Uni sortait effectivement du marché unique ou ne formait pas une nouvelle union douanière avec l'Union après le Brexit, les contrôles aux frontières feraient inévitablement leur réapparition. Ils réapparaîtraient aussi si le Royaume-Uni sortait du régime de TVA de l'Union européenne, même s'il fallut un peu de temps aux commentateurs pour en prendre conscience. Ce qui pouvait avoir des conséquences catastrophiques pour les petites entreprises, les citoyens et peut-être même le processus de paix.

Les Britanniques disaient clairement ne pas vouloir non plus de contrôles aux frontières, et cela en rassura d'abord certains en Irlande ; mais, comme nous l'avons vu, ce réconfort ne signifiait pas nécessairement grand-chose, puisque les Britanniques semblaient penser qu'ils pourraient avoir à la fois un Brexit dur et des échanges commerciaux « sans frictions » avec l'Union européenne. Des signes inquiétants montraient aussi que le ministre en charge du Brexit, David Davis, ne prenait réellement au sérieux ni le problème ni le gouvernement irlandais. En juillet, il parla en effet de « la frontière intérieure que nous avons avec l'Irlande du Sud », ce qui fut plutôt mal reçu à Dublin[21] ; et ce même mois, un responsable irlandais reçut du DExEU cet e-mail devenu célèbre : « Le ministre me dit qu'il veut rencontrer Kenny. Faites-nous savoir s'il vous plaît si Kenny est libre. » « Kenny » était Enda Kenny, le Premier ministre de l'Irlande. Les Irlandais informèrent immédiatement le DExEU qu'on ne parlait pas du chef du gouvernement de façon aussi familière, et qu'en tout état de cause l'interlocuteur du Taoiseach (Premier ministre) était Theresa May et pas un de ses ministres[22].

En juillet 2016, Enda Kenny rencontra donc Theresa May, et tous deux s'accordèrent à dire qu'ils souhaitaient que la frontière irlandaise reste ouverte. Mais lorsqu'un négociateur de l'Union européenne demanda aux responsables britanniques comment l'on pourrait éviter de rétablir une frontière physique si le Royaume-Uni quittait l'union douanière, on lui répondit simplement : « Nous ne savons pas. Nous n'avons pas la réponse[23]. » Le livre passionnant de Tony Connelly sur les négociations du Brexit foisonne d'exemples de petites entreprises irlandaises qui risquent d'être ruinées par le rétablissement des contrôles aux frontières : cultivateurs de champignons, éleveurs de bovins, producteurs de cheddar, etc. Mais l'impact sur les populations rurales vivant de part et d'autre de la frontière pourrait être encore plus grave.

J'écris ces mots à Saint-Pierre-d'Entremont, un petit village de la Chartreuse que divise le Guiers Vif, une rivière séparant les départements de l'Isère et de la Savoie, et qui était jusqu'en 1860 une frontière internationale[24]. La frontière départementale est à la fois omniprésente et caduque. Elle rend nos vies plus intéressantes et est quelquefois la cause de quelques inconvénients, mais elle est surtout sans importance : nous avons deux communes mais une école, un bureau de poste, un code postal, une vie associative commune, un cinéma, une paroisse, etc. Il y a des communautés rurales similaires à cheval sur la frontière irlandaise : Pettigo, par exemple, est un village divisé entre County Fermanagh, en Irlande du Nord, et County Donegal, en république d'Irlande (voir la carte 10.1). Une vieille cabane de douaniers se dresse encore à côté de la rivière qui marque la frontière. Celle-ci compte certainement plus que celle de Saint-Pierre-d'Entremont : de part et d'autre, les monnaies et les systèmes éducatifs sont différents, par exemple. Mais elle compte beaucoup moins qu'autrefois.

L'irrationalité de la frontière irlandaise, longue de cinq cents kilomètres, est célèbre, ce qui s'explique parfaitement puisqu'elle n'a jamais été conçue pour être une frontière internationale. Elle reflète en réalité des frontières entre comtés vieilles de plusieurs siècles. Loin de suivre un grand fleuve comme le Rhin, où les points de passage sont rares, elle serpente dans la campagne irlandaise, divisant des communautés naturellement unies et traversant ici et là des fermes et même des bâtiments. Il y a plus de points de passage entre l'Irlande du Nord et l'Irlande qu'entre l'Union européenne et tous les pays qui bordent sa frontière orientale[25], et il serait à l'évidence impossible d'y établir partout des contrôles douaniers. La solution trouvée après 1923 fut de choisir seize points de passage « agréés » : toutes les marchandises taxables, y compris les véhicules

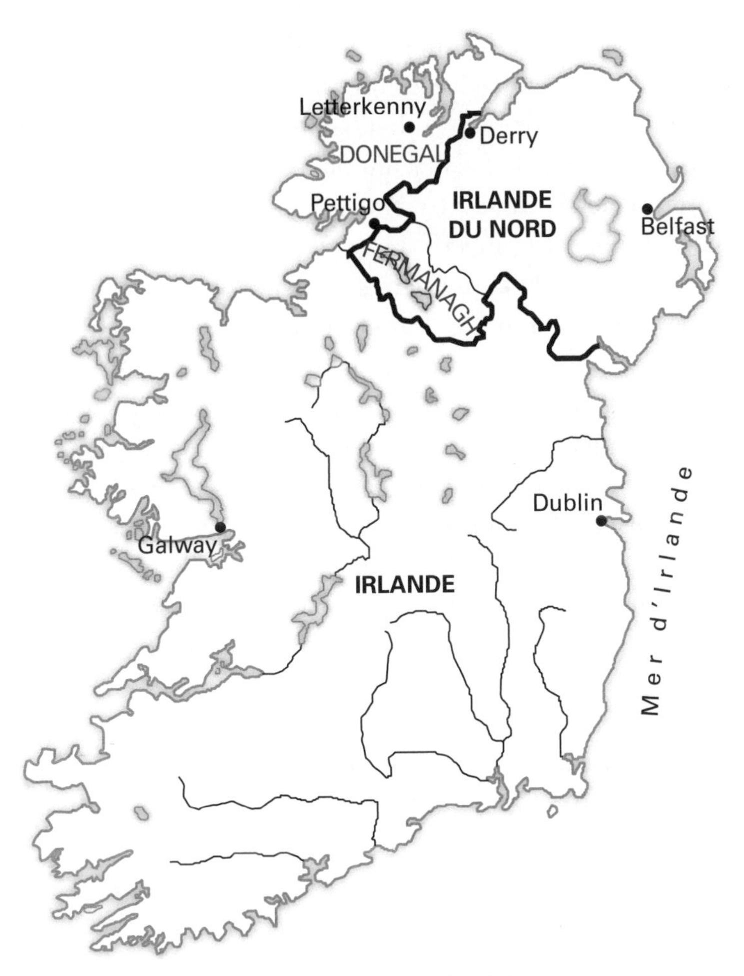

Carte 10.1. La frontière irlandaise.

à moteur, devaient traverser la frontière en l'un de ces seize points[26]. Tous les autres points de passage n'étaient pas « agréés » et ne pouvaient être utilisés que par des personnes circulant « à pied, à vélo ou en voiture à cheval », ou par des agriculteurs (mais seulement s'ils portaient des « produits agricoles exemptés »). Un petit nombre d'hommes d'Église, de médecins et de vétérinaires disposaient également d'un permis les autorisant à passer en véhicule à moteur par les points de passage non agréés. Comme le racontait en 2017 à la journaliste Susan McKay un habitant de Pettigo, « quand il y avait des douanes ici, ce n'était qu'un poste secondaire : les camions ne pouvaient pas y passer [...]. Il leur fallait passer par les grands postes de dédouanement. Il fallait faire attention à ce que l'on achetait de l'autre côté. Il fallait avoir un permis spécial et en dehors des horaires il fallait s'arranger[27] ».

La vie le long de la frontière était évidemment encore plus difficile pendant les troubles. Les postes de douane étaient les cibles d'attentats à la bombe. Les points de passage non agréés étaient alors considérés comme des menaces possibles à la sécurité, et les forces de sécurité britanniques y avaient creusé des trous profonds ou les avaient démolis d'une quelque autre façon. Les gens qui souhaitaient traverser la frontière devaient souvent faire de longs détours et étaient obligés d'attendre à des check-points militaires lourdement armés. L'impact était désastreux, comme le déclara plus tard une personne qui avait vécu à proximité de la frontière : « Vivre dans un cul-de-sac est tout à fait malsain [...]. Et quand je sortais de la maison, je ne pouvais aller que dans une direction, on ne pouvait que monter par la route. À moins qu'on ait du bétail à livrer ou ce genre de chose. On ne pouvait rien faire d'autre, parce qu'il n'y avait rien à cet endroit. Rien qu'un trou. C'est fou quand même quand on y pense, non ? Vous vous rendez quelque part et vous tombez sur un énorme trou [...]. Je crois que c'est encore pire qu'un mur[28]. »

La santé est un des aspects de la vie à la frontière qui s'est le plus amélioré ces dernières années. Aujourd'hui, les patients peuvent accéder à des services médicaux des deux côtés, mais cela n'a pas toujours été aussi facile. Connelly raconte l'histoire d'un homme de Donegal qui, en 2016, après avoir fait un arrêt cardiaque près de Letterkenny, put être emmené à l'hôpital de Derry (en Irlande du Nord) à 35 kilomètres ; il eut ainsi la vie sauve. Les hôpitaux de pointe les plus proches dans la république se trouvent à Galway ou à Dublin, à plus de deux cents kilomètres de là : s'il avait fallu l'y transporter, il n'aurait pas survécu[29]. Cette coopération transfrontalière repose sur toute une série de règles communes européennes, par exemple celles relatives à la protection des données, qui permettent aux professionnels de santé de partager les informations sur la santé d'un patient dans l'ensemble de l'île. Si une divergence réglementaire rendait cette coopération illégale ou si des formalités aux frontières retardaient les ambulances (à supposer qu'elles aient encore le droit de passer), la vie de nombreux patients serait effectivement menacée.

Mais ce sont les implications politiques et sécuritaires d'un retour à une frontière physique, des postes de douane apparaissant à nouveau à des points de passage agréés, qui inquiétaient surtout les responsables politiques irlandais. Le rétablissement d'une frontière donnerait aux dissidents républicains opposés au processus de paix un prétexte pour recourir de nouveau à la violence et leur fournirait aussi des cibles. Quand le journaliste Tony Connelly demanda à un responsable du Northern Ireland Office ce qu'il pensait de l'idée d'installer des caméras le long de la frontière pour filmer les plaques d'immatriculation et rendre ainsi les procédures douanières plus efficaces, celui-ci lui répondit : « Nous n'avons jamais envisagé des dispositifs comme ça à la frontière. Parce que le jour où ils seront installés, ils seront démontés dans la nuit. Des gars viendront avec des meuleuses. Le PSNI * a déjà dit qu'ils ne contrôleraient pas l'infrastructure douanière le long de la frontière parce qu'ils ne voulaient pas faire des cibles faciles. » Le PSNI lui-même concourt à cette évaluation : une source a confié à Connelly qu'une frontière douanière serait synonyme « de surveillance, de caméras [...]. On répondra probablement en améliorant la sûreté et la protection des bâtiments, avec peut-être des vitres blindées, des barrières, des fortifications. On répondra probablement aussi en mettant des policiers. Et quand on met des policiers à une frontière, ils portent inévitablement des armes. Ils se serviront de véhicules blindés et offriront eux-mêmes une cible de meurtre ou de tentative de meurtre aux dissidents[30] ».

* Les Services de police d'Irlande du Nord.

Imaginons Saint-Pierre-d'Entremont ou n'importe quel village français, avec son arrière-pays rural, devenant soudain dépendant de routes départementales hérissées de postes de douane, et de routes communales sur lesquelles il ne serait plus possible de transporter de marchandises. Imaginons que des cardiaques ne puissent plus avoir accès à un service d'urgence situé à une trentaine de minutes et soient forcés de faire quatre heures de trajet pour être traités. Imaginons enfin que des risques de violence réapparaissent dans la campagne paisible où nous vivons. Il n'est pas étonnant que les populations qui vivent à proximité de la frontière irlandaise jugent totalement inconcevable le retour à une frontière physique. Mais ce n'est pas parce qu'une chose est inconcevable qu'elle ne peut pas arriver.

Les orientations de négociation de l'Union européenne

Même si le Conseil européen n'adoptait ses orientations de négociation du Brexit qu'une fois que le Royaume-Uni aurait notifié son intention de retrait, les négociations *entre* les vingt-sept États membres restants sur ces orientations commenceraient elles-mêmes évidemment bien plus tôt. Plusieurs d'entre elles ne sont pas sujettes à controverse et découlent directement des premières déclarations de l'Union sur le Brexit et sur ses intérêts fondamentaux, comme nous l'avons vu. La frontière irlandaise posait cependant un problème bien plus compliqué, et il fallut un peu plus de temps pour arriver à une position commune sur le sujet[31]. Le processus impliquait que l'Irlande prenne peu à peu ses distances avec le pays qui avait été jusqu'à présent son allié le plus important en Europe, à savoir le Royaume-Uni.

Il a fallu du temps pour que cela se fasse. Comme on l'a vu, les Irlandais étaient quelque peu rassurés par les promesses répétées de la Grande-Bretagne qu'il n'était pas question de revenir aux « frontières du passé ». Mais les gens finirent par comprendre que même si les frontières de demain n'étaient pas semblables à celles d'hier, elles n'en seraient pas moins des frontières. On put lire dans les médias irlandais des analyses plutôt dangereuses selon lesquelles l'Union européenne ne demanderait certainement pas à l'Irlande de rétablir des contrôles aux frontières même si le Royaume-Uni décidait de quitter le marché unique et/ou l'union douanière. Certains journalistes suggérèrent que l'Irlande était désormais coincée entre deux géants, le Royaume-Uni et l'Union européenne, et qu'elle ne pourrait en sortir que laminée. Des universitaires (dont je fus) soulignèrent qu'il serait dans ces conditions à la fois impossible et illégal de ne pas rétablir la frontière douanière externe de l'Union européenne. Mais le poulet chloré s'avéra autrement convaincant : au printemps 2017, des rapports commencèrent à être rendus publics, qui montraient qu'en cas d'accord commercial post-Brexit entre les États-Unis et le Royaume-Uni, les premiers demanderaient aux Britanniques d'importer des carcasses de poulet rincées à l'eau chlorée[32]. La pratique étant interdite dans l'Union européenne, la controverse a aidé beaucoup de gens à comprendre exactement pourquoi celle-ci serait obligée de rétablir ses frontières extérieures pour protéger le marché unique. À partir de là, on réclama de moins en moins dans les médias irlandais que l'on fît pour l'Irlande une exception à l'obligation générale faite aux États membres de l'Union de contrôler les importations venant de pays n'appartenant pas au marché unique. La question de savoir comment éviter le retour à une frontière physique restait cependant sans solution.

Pendant les premiers mois qui suivirent le vote du Brexit, les Irlandais essayèrent de trouver des solutions aux problèmes qu'il posait pour l'Irlande. Comme en Grande-Bretagne, cela passa par un certain apprentissage. Si l'on en croit Connelly, en 2016, le ministère de l'Agriculture irlandais envisagea l'idée d'un accord de libre-échange pour l'agriculture entre l'Irlande et le Royaume-Uni, qui aurait évidemment été illégal[33]. L'idée fut aussitôt descendue en flammes par l'Irlandais Phil Hogan, le commissaire à l'agriculture à Bruxelles. Quand la Commission de la Chambre des lords du Royaume-Uni (voir le chapitre 6) suggéra, en décembre 2016, que « si le Royaume-Uni quittait l'union douanière », il y aurait « un arrangement douanier et commercial » bilatéral « entre les deux pays », le gouvernement irlandais rejeta aussitôt la proposition. Cela représentait un progrès, mais pour les lords ce fut une déception.

Les responsables irlandais et européens passèrent de longues heures à essayer de voir s'il existait des moyens techniques permettant d'éviter des contrôles frontaliers en Irlande, tout en veillant en même temps à ce que la frontière irlandaise ne devienne pas une voie d'entrée dans le marché unique pour des marchandises de contrebande. Ils finirent par comprendre qu'ils travaillaient pour les Britanniques, qui étaient à l'origine du problème et qui voulaient le beurre et l'argent du beurre. S'il existait en effet des solutions purement techniques au problème de la frontière irlandaise, c'était aux Britanniques de les trouver ; cependant, le gouvernement irlandais était de plus en plus d'avis que toute solution n'était pas technique mais politique. On commença donc à s'intéresser à la question de savoir s'il était éventuellement possible d'accorder un statut spécial à l'Irlande du Nord. Comme il était de plus en plus clair que l'Irlande était du côté des Vingt-Sept, et non pas un franc-tireur essayant de faire le pont entre le Royaume-Uni et les Vingt-Six, la relation entre Dublin et Londres commença à se refroidir.

Le 15 décembre 2016, les chefs d'État et de gouvernement des vingt-sept États membres restants confirmèrent que la Commission européenne serait chargée de négocier au nom de l'Union européenne. Le 29 avril 2017, ils adoptèrent au Conseil européen les orientations de négociation de l'Union, que la Commission devrait désormais suivre. Ils le firent à l'unanimité, ce qui signifiait que ces orientations ne pourraient être modifiées que si les vingt-sept pays membres y consentaient. Les raisons pour lesquelles c'est la Commission qui fut chargée de négocier au nom des Vingt-Sept étaient à la fois pratiques et juridiques : il aurait été d'abord très difficile de mener séparément vingt-sept négociations bilatérales, et même de se retrouver dans une situation où le Royaume-Uni aurait été seul face aux vingt-sept autres États membres à la table des négociations. C'est la Commission qui négocie les traités d'admission avec les nouveaux États membres et les accords commerciaux avec des pays tiers, et il est donc logique que ce soit elle aussi qui négocie le Brexit. Il était difficile de faire autrement même si c'était juridiquement possible, mais ce point est important, car le gouvernement britannique est depuis le début mécontent de l'insistance avec laquelle l'Union a répété qu'il aurait la Commission pour seul interlocuteur. Il a même essayé à plusieurs reprises de circonvenir la Commission et de négocier séparément avec des pays membres. Ce mécontentement souligne bien sûr une autre bonne raison pour l'Europe de négocier d'une seule voix : cela lui donne un pouvoir de négociation accru. Comme le disent les orientations de négociation d'avril 2017, « afin de ne pas compromettre la position de l'Union, il n'y aura pas de négociations séparées entre tel ou tel État membre et le Royaume-Uni sur des questions relatives au retrait du Royaume-Uni de l'Union ».

Mais il était également important que la Commission, qui, comme ne cessent de le répéter les partisans du Brexit, n'est pas élue, ne soit pas autorisée à prendre ses propres décisions sur des questions fondamentales de principe. Elle reçoit des instructions des chefs démocratiquement élus des vingt-sept États membres et doit les suivre. Là encore, il serait difficile de faire autrement et, là encore, cela renforce à l'évidence le pouvoir de négociation de l'Union. Même si la Commission voulait céder au gouvernement britannique sur tel ou tel point, elle ne pourrait pas le faire si cela venait à l'encontre des orientations de négociation acceptées par les Vingt-Sept. Tout cela a suscité, de nouveau, un grand mécontentement chez les responsables politiques britanniques, qui fulminent contre l'équipe de négociation prétendument « légaliste » ou « théologique » de la Commission. Aussi exprimèrent-ils quelquefois le souhait de contourner la Commission et de négocier directement avec des États membres, estimant que ceux-ci pourraient se montrer plus souples (ce qui signifie évidemment plus sensibles aux exigences britanniques). Or, si la Commission s'est montrée inflexible, c'est parce que les États membres le lui ont demandé. Coordonner les activités de vingt-sept pays très différents peut être difficile et frustrant. Mais le Brexit est un bon exemple du fait que les rigidités du processus de décision européen peuvent quelquefois donner à l'Union un pouvoir considérable de négociation.

Les orientations de négociation d'avril 2017 sont donc un document de grande importance, qui indique ce qui sera possible ou non dans le futur[34]. Elles affirment clairement que « l'objectif principal des négociations sera d'assurer un retrait ordonné du Royaume-Uni afin de réduire les incertitudes et, dans la mesure du possible, de limiter au minimum les perturbations provoquées par ce changement soudain » : cela passe avant le fait d'arriver à un accord sur la nature des relations futures entre le Royaume-Uni et l'Union européenne. C'est pourquoi les orientations prévoient une négociation par étapes. La première étape porte sur ce que l'on appelle les problèmes du divorce : elle doit « fixer les modalités selon lesquelles le Royaume-Uni se sépare de l'Union et s'affranchit de tous les droits et obligations qui découlent des engagements qu'il a pris en tant qu'État membre ». Trois priorités ont bientôt dominé les discussions. La première est d'assurer que les citoyens de l'Union européenne qui vivent au Royaume-Uni et les citoyens du Royaume-Uni qui vivent dans l'Union conserveront le statut et les droits qui sont légitimement les leurs avant le Brexit. La deuxième est de conclure un accord sur l'argent que le Royaume-Uni doit à l'Union. Et la troisième concerne l'Irlande :

> L'Union n'a cessé de promouvoir l'objectif de paix et de réconciliation consacré par l'accord du Vendredi saint dans tous ses éléments, et il demeurera capital de continuer à promouvoir et à défendre les

> acquis et les effets bénéfiques du processus de paix [...]. Compte tenu de la situation particulière de l'île d'Irlande, il faudra trouver des solutions souples et imaginatives, notamment pour éviter la mise en place d'une frontière physique, tout en respectant l'intégrité de l'ordre juridique de l'Union.

L'Union européenne voulait s'engager dans « des discussions préliminaires et préparatoires » sur la nature de ses futures relations avec le Royaume-Uni, mais seulement si le Conseil européen décidait que des « progrès suffisants » avaient été réalisés dans la résolution des problèmes du divorce. Il n'était pas question que le Royaume-Uni puisse utiliser ceux-ci pour faire pression dans les négociations sur les futures relations commerciales. Comme le Royaume-Uni souhaitait surtout discuter de ces relations futures, et comme il disposait de moins de deux ans pour négocier, on pouvait espérer que cela l'inciterait fortement à traiter aussi rapidement que possible les problèmes du divorce. L'Union était prête à considérer des « modalités transitoires », à condition qu'elles soient « clairement définies, limitées dans le temps et subordonnées à des mécanismes effectifs permettant d'assurer le respect des règles ». Si le Royaume-Uni voulait rester dans l'union douanière et le marché unique durant la phase de transition, alors « il faudrait appliquer les instruments et les structures de l'Union qui existent en matière de réglementation, de budget, de surveillance, d'exercice du pouvoir judiciaire et de contrôle du respect des règles ».

Enfin, le Conseil européen réaffirmait que « les quatre libertés du marché unique [étaient] indissociables et qu'elles ne sauraient faire l'objet d'un "choix à la carte" » ; qu'il devrait y avoir « un équilibre entre droits et obligations » ; qu'il n'y aurait pas d'accords portant sur des secteurs spécifiques ; et que tout accord devrait « assurer des conditions équitables, notamment en matière de concurrence et d'aides d'État, et comprendre à cet égard des garanties contre des avantages compétitifs indus du fait, notamment, de mesures et de pratiques fiscales, sociales, environnementales et touchant à la réglementation ». Enfin, tout accord ne pourrait s'appliquer à Gibraltar qu'avec le consentement de l'Espagne.

Les orientations de négociation étaient une expression remarquable de solidarité européenne à l'égard d'un petit pays. Le gouvernement irlandais avait réussi à faire de la question de la frontière irlandaise (quasi absente du débat référendaire britannique, rappelons-le) un des trois grands enjeux du divorce, sur lesquels il faudrait faire « des progrès suffisants » pour que les pourparlers puissent passer à une deuxième phase. Certes, éviter une frontière physique n'était qu'un objectif : aucune garantie n'était fournie, et les principes disaient clairement que toute solution, si « souple » et « imaginative » fût-elle, devait préserver l'intégrité de l'ordre juridique de l'Union, y compris son marché unique. Mais distinguer de cette façon la question de la frontière n'en était pas moins remarquable. En outre, quand le Conseil européen évaluerait si des progrès suffisants avaient été réellement faits sur cette question (et sur les problèmes du divorce en général), il le ferait à l'unanimité[35]. Cela voulait dire que le gouvernement irlandais devrait être d'accord sur ce point, ce qui lui donnait (ainsi qu'à tout autre État membre) un droit de veto sur le passage à la deuxième étape des négociations.

Et ce n'est pas tout. Le Conseil européen accepta aussi que, dans le cas où l'Irlande du Nord décidait de rejoindre une Irlande unifiée, elle devienne automatiquement membre de l'Union européenne, comme la RDA était devenue automatiquement membre des Communautés européennes au moment de la réunification allemande, en 1990. Furieux, les Britanniques essayèrent de faire supprimer cette « clause de l'unité » des minutes du Conseil, mais en vain. Comme un haut responsable du Conseil le confiait à Tony Connelly, « notre ligne était [...] : si les Irlandais le demandent, ils l'auront. C'est aussi simple que ça. Nous avons dit carrément aux Britanniques : "Si c'est ce que veulent les Irlandais, nous le ferons. Eux sont autour de la table. Vous, vous n'êtes pas autour de la table[36]." »

L'Irlande avait sans doute un droit de veto sur la question de savoir si le Royaume-Uni pourrait passer à la deuxième étape des négociations, mais la solidarité européenne à son égard était si forte que l'on pouvait présumer qu'elle n'aurait jamais besoin d'en faire usage. Comme nous le verrons dans le chapitre suivant, la question de la frontière irlandaise est devenue le point de friction crucial des négociations, et elle jouera un rôle majeur, dans un sens ou dans l'autre, dans la forme que prendra le Brexit.

CHAPITRE 11

La négociation

Une fois que le Conseil européen se fut mis d'accord sur les orientations de négociation, les deux parties purent se mettre au travail. Comme nous l'avons souligné dans le précédent chapitre, le Royaume-Uni avait intérêt à ce que cela se fasse le plus rapidement possible, car le temps lui était compté. Mais, en réalité, pour des raisons qui n'avaient rien à voir avec l'Union européenne, il fallut attendre sept semaines avant le début des négociations. Le 18 avril, Theresa May surprit tout le monde en appelant à une élection générale anticipée. Elle estimait que cela lui donnerait une majorité plus importante au Parlement et que cela affaiblirait les efforts des partis de l'opposition pour déstabiliser son approche du Brexit, renforçant ainsi sa main dans la négociation avec l'Union. Enfin, le calendrier électoral normal ne prévoyait d'élection générale qu'en mai 2020, c'est-à-dire un peu moins d'un an après le Brexit. Mme May craignait que l'instabilité liée à une élection imminente ne donne à l'Union européenne un avantage dans la négociation. Comme elle le déclara au *Sun* : « Quand je suis devenue Premier ministre, j'ai pensé que la chose la plus importante que je pouvais faire pour le pays était de lui donner une période de stabilité[1]. » Certains observateurs espéraient que l'élection la renforcerait, non pas tant vis-à-vis de l'Union européenne qu'à l'égard des éléments les plus extrêmes de son propre parti : en lui donnant une majorité plus forte, l'élection anticipée lui permettrait de mieux les ignorer. Enfin, de nombreux commentateurs pensaient que sa décision était une réaction rationnelle et opportune à l'effondrement du parti travailliste de Jeremy Corbyn dans les sondages d'opinion.

Le 8 juin 2017, pour la troisième fois en trois ans, on installa un grand écran dans l'Old Library de l'All Souls College. Tout le monde s'attendait à un triomphe des conservateurs, même si la campagne du parti, et ses promesses répétitives de « direction forte et stable », avait été très médiocre. Mais le parti conservateur perdit sa majorité, et si Theresa May réussit à former un nouveau gouvernement, elle ne le dut qu'au soutien du Parti unioniste démocrate. Pour les négociations du Brexit, les conséquences de ce résultat étaient à la fois diverses et complexes. D'un côté, il était difficile de prétendre qu'il donnait un mandat clair au Premier ministre pour mener à bien le Brexit dur promis dans le discours de Lancaster House. Mme May devait aussi faire face à une opposition plus forte qu'avant l'élection. Ces considérations semblaient aller dans le sens d'un Brexit plus doux, même s'il était toujours difficile de dire si le Parti travailliste de Corbyn était prêt à favoriser une pareille orientation. D'un autre côté, le fait que le Parti conservateur avait perdu sa majorité donnait plus de poids aux députés de base. Or, s'il y avait parmi eux quelques partisans convaincus du Remain, les partisans intransigeants du Leave étaient bien plus nombreux. Enfin, le gouvernement dépendait désormais du Parti unioniste démocrate, le seul des cinq grands partis d'Irlande du Nord qui avait soutenu la campagne pour le Leave. En Irlande, certains espéraient qu'il réclamerait une solution permettant d'éviter le rétablissement d'une frontière physique sur l'île, mais il était également clair qu'il s'opposerait à toute solution susceptible d'affaiblir à ses yeux l'union de la Grande-Bretagne et de la province nord-irlandaise.

La première question qui devait être résolue était l'agenda des négociations. Comme nous l'avons vu au chapitre précédent, l'Union européenne voulait qu'elles se déroulent selon un calendrier clair : d'abord les problèmes du divorce, puis les relations futures. Cela ne convenait pas au Royaume-Uni, et David Davis, en mai 2017, promit à ce sujet la « bataille de l'été ». « Comment pourra-t-on résoudre la question de la frontière entre l'Irlande du Nord et la république d'Irlande sans savoir quelle sera notre politique générale en matière de frontière, quel sera notre accord douanier, quel sera notre accord commercial ? demanda-t-il. C'est totalement illogique. » Mais quand les deux parties se réunirent, le 19 juin 2017, le Royaume-Uni accepta un calendrier conforme à celui que réclamait l'Union européenne. Londres était désormais pris dans un processus qui nécessitait qu'il fît d'abord des « progrès suffisants » sur les trois grands problèmes du divorce – les droits des citoyens, l'accord financier et la frontière irlandaise – avant de pouvoir passer aux discussions sur les modalités transitoires et les futures relations avec l'Union.

Les droits des citoyens

Il est facile de comprendre pourquoi le Conseil européen insistait pour faire de l'avenir des citoyens de l'Union européenne qui vivaient au Royaume-Uni, et de l'avenir des citoyens britanniques qui vivaient dans l'Union, la priorité numéro un. Plus de trois millions d'Européens vivent au Royaume-Uni ; or ils ne s'y sont pas installés comme des immigrés mais comme des citoyens européens exerçant leur droit de circuler librement dans toute l'Union. Celle-ci voulait donc s'assurer qu'eux et leurs familles – actuelle et future – puissent continuer de bénéficier à vie du même niveau de protection juridique. Cela comprenait le droit de résidence permanente au bout de cinq ans et le droit d'être traité à égalité avec les citoyens britanniques. Tout citoyen de l'Union vivant légalement au Royaume-Uni avant le Brexit devait être considéré légalement comme un résident, même s'il n'avait pas de documents permettant de l'attester ; en outre, les droits des citoyens européens devaient pouvoir être juridiquement défendus devant la Cour de justice européenne. Il devait enfin y avoir des droits réciproques pour les plus d'un million de citoyens britanniques qui vivaient dans les États membres de l'Union. Les droits des « travailleurs frontaliers » comme moi-même, qui résident dans un État membre de l'Union tout en travaillant au Royaume-Uni, devaient aussi être protégés par l'accord[2].

Le Royaume-Uni consentit à une grande partie de tout cela, mais pas à la totalité[3]. Il consentit à ce que les personnes vivant au Royaume-Uni avant une date limite donnée puissent continuer à y vivre, mais pas à ce que cette date limite corresponde nécessairement à celle du Brexit, de peur sans doute qu'il n'y eût dans les deux ans une ruée d'Européens en Grande-Bretagne[4]. Il ne souhaita pas non plus permettre à la Cour européenne de justice de veiller aux droits des citoyens européens résidant au Royaume-Uni après le Brexit. Il demanda enfin que les futurs membres de la famille de ces citoyens résidents – les futures épouses, par exemple – ne soient autorisés à venir y vivre qu'à partir d'un niveau minimum de revenu. C'était une manière de restreindre une liberté fondamentale dont jouissent actuellement les citoyens européens qui résident dans un autre État membre de l'Union, y compris au Royaume-Uni : le droit de vivre avec la personne qu'ils décident d'épouser, quelle que soit leur situation financière. Comme le prévoit la directive 2004/38/C du 29 avril 2004 : « Le droit de tous les citoyens de l'Union de circuler et de séjourner librement sur le territoire des États membres devrait, pour qu'il puisse s'exercer dans des conditions objectives de liberté et de dignité, être également accordé aux membres de leur famille quelle que soit leur nationalité[5]. » La logique de la position du Royaume-Uni était que ses propres citoyens ne puissent faire entrer davantage de membres de leur famille si certaines conditions minimales de revenu n'étaient pas remplies : cela n'est pas contraire à la législation européenne, puisque la liberté rappelée ci-dessus ne s'applique pas aux citoyens de l'Union (et donc du Royaume-Uni) vivant dans *leur propre* pays mais aux citoyens de l'Union vivant dans les *autres* pays membres. Et il serait étrange que les citoyens de l'Union résidant au Royaume-Uni aient davantage de droits que les citoyens du Royaume-Uni eux-mêmes. L'Union européenne répondit donc qu'aucun citoyen de l'Union résidant actuellement au Royaume-Uni ne devait, à cause du Brexit, perdre un droit dont il jouissait actuellement en vertu de la législation de l'Union.

Malgré ces différences, il fut relativement facile aux négociateurs de faire des « progrès suffisants » sur la question des droits des citoyens. En particulier dans un discours fait à Florence le 22 septembre 2017, Theresa May ouvrit la voie à un compromis créatif concernant le rôle de la Cour de justice européenne[6]. Elle annonça que l'accord relatif aux droits des citoyens serait incorporé dans la législation du Royaume-Uni et que les citoyens européens pourraient en faire assurer le respect devant les tribunaux britanniques. Ceux-ci devraient cependant pouvoir à leur tour « prendre en compte les jugements de la Cour de justice européenne ». L'accord final reprenait cette proposition : comme les droits des citoyens de l'Union européenne « prenaient la suite » des droits dont ils avaient bénéficié dans le cadre de la législation européenne, les tribunaux britanniques devaient « tenir dûment compte » des jugements de la Cour de justice européenne lorsqu'ils rendraient leurs propres décisions. Ils devraient être en mesure de demander si nécessaire à celle-ci de clarifier des points de la législation européenne[7].

Le Royaume-Uni accepta aussi que la date limite soit la date d'entrée en vigueur du Brexit. Cependant, dans une note au Conseil européen, la Commission européenne proposa que si l'on se mettait d'accord sur une période de transition, la date limite serait la fin de celle-ci, sans quoi les citoyens de l'Union n'auraient pas les mêmes droits avant et pendant la transition : ce point serait négocié lors de la deuxième étape, au moment de la discussion des modalités transitoires. Enfin, sur la question de savoir si les futur(e)s épousé(e)s auraient ou non le droit de rejoindre leurs conjoint(e)s, les deux parties décidèrent que cela serait déterminé par la législation nationale, ce qui signifiait que le Royaume-Uni pourrait fixer les conditions financières qu'il demandait au départ. Pour l'Union européenne, c'était une reculade, même si la Commission fit mine de croire que la question serait abordée pendant la deuxième étape des discussions, et dépendrait « inévitablement du degré d'ambition du futur partenariat entre l'UE et le Royaume-Uni[8] ».

« Ce n'est qu'une question d'argent »

Si j'avais gagné 1 euro chaque fois que j'ai entendu un politicien, un journaliste ou un commentateur britannique dire, en 2017, que les négociations du Brexit n'étaient qu'« une question d'argent », je serais aujourd'hui un homme riche. Il était en effet plus difficile de faire des « progrès suffisants » sur le règlement financier. Le gouvernement britannique a toujours considéré l'argent comme son principal atout dans la négociation : s'il refusait de payer les sommes réclamées par l'Union européenne, cela ferait un trou considérable dans le budget européen. Sans doute cela lui permettrait-il d'obtenir demain un accord commercial favorable ? Du côté de l'Union, en revanche, le fait que le Royaume-Uni doive tenir ses engagements financiers faisait l'unanimité : sans cela, les autres contributeurs nets au budget européen, comme l'Allemagne, devraient payer plus, ou les bénéficiaires nets, comme la Pologne, recevraient moins. L'Union ne considérait pas non plus le règlement financier comme une contrepartie : elle voulait seulement s'assurer que les engagements d'hier soient tenus. C'est pourquoi, comme les autres problèmes du divorce, la question financière devait être réglée de façon satisfaisante avant toute discussion sur les futures relations entre l'Union et le Royaume-Uni : il n'était pas question de permettre aux Britanniques d'associer les deux enjeux. Cette interprétation a été rejetée par beaucoup au Royaume-Uni, où le bus rouge de la campagne du Leave promettait l'arrêt total des transferts financiers à Bruxelles. Le Royaume-Uni ne devait pas payer davantage après le Brexit, sauf à obtenir une contrepartie.

La position européenne sur le règlement financier était qu'il ne devait y avoir qu'un seul accord, qui couvrirait à la fois les obligations du Royaume-Uni par rapport au budget européen pour 2014-2020, et la part du Royaume-Uni dans l'ensemble des dettes de l'Union, comme celles liées aux retraites. D'un autre côté, le Royaume-Uni avait aussi droit à une part des créances de l'Union, ce qui devait être pris en compte dans le calcul de sa dette nette. L'approche de l'Union était donc de décider *a priori* des créances et des dettes qui seraient prises en compte, puis de calculer le montant final net dû par les Britanniques. Au Royaume-Uni, les responsables politiques préféraient se concentrer sur le montant qu'ils devraient payer. À l'été 2017, on discuta beaucoup de la possibilité que le Royaume-Uni doive entre 60 et 100 milliards d'euros : à Londres, beaucoup dénoncèrent ce chiffre prétendument excessif, et les médias britanniques affirmèrent que le gouvernement n'était pas prêt à payer plus de 40 milliards. Ce plafond était bien sûr contraire à l'approche de l'Union européenne, fondée sur ce qu'elle considérait comme les obligations légales d'un futur ex-État membre.

Dans son discours de Florence, Theresa May déclara qu'elle ne voulait pas que les autres États membres « craignent, à cause de notre décision de partir, d'avoir à payer plus ou recevoir moins par rapport à ce qu'il restait du budget actuel. Le Royaume-Uni honorera les engagements qui ont été pris pendant la période où nous étions membres ». De la part des Britanniques, c'était un pas en avant, et l'on crut que cela signifiait que le Royaume-Uni paierait au moins les 20 milliards d'euros qu'il devait encore dans le cadre de sa contribution au budget dont le terme était fixé à 2020. Cependant, l'Union estimait que le Royaume-Uni avait encore d'autres engagements et d'autres dettes, et qu'on ne pouvait se contenter de quelques mots dans un discours. Comme le disait au *Financial Times* un responsable de l'Union, « les Britanniques ne comprennent pas que nous ne pouvons pas nous contenter de ce que le Premier ministre dit dans un discours. Nous devons nous baser sur ce qui est mis réellement sur la table à Bruxelles. Et là-dessus, nous n'avons pas vu de mouvement[9] ».

Mme May se heurtait aussi à une opposition dans son pays. Six jours avant le discours de Florence, son ministre des Affaires étrangères, Boris Johnson, avait publié un article reprenant l'idée des 350 millions de livres par semaine de la campagne référendaire, et affirmant que le Royaume-Uni ne devait rien payer pour accéder au marché unique de l'Union. À la fin du cinquième cycle de négociations, le 12 octobre 2017, le Royaume-Uni ne voulait toujours pas confirmer les engagements mentionnés par Mme May à Florence. On avait espéré au départ que le Conseil européen, qui devait se rencontrer au cours de ce mois, aurait été en mesure de dire que des « progrès suffisants » avaient été faits sur les problèmes du divorce, que les discussions pouvaient passer à la deuxième étape, et que l'on pourrait donc aborder les modalités transitoires et les futures relations commerciales. Mais, comme les négociations sur le règlement financier étaient dans l'impasse, Michel Barnier, le négociateur en chef pour l'Union européenne, annonça qu'il ne recommanderait pas au Conseil d'octobre le passage à la deuxième étape. L'annonce fut un coup dur pour le gouvernement britannique, la réunion suivante du Conseil n'étant prévue qu'en décembre : cela voulait dire deux mois de moins pour négocier un accord final.

À ce stade, le calendrier de deux ans de l'article 50, et le processus par étapes choisi pour les négociations, soumettait le gouvernement britannique à une pression très forte. Face à la possibilité que les entreprises installées au Royaume-Uni commencent bientôt à relocaliser leur personnel dans l'Union européenne, il accepta la nécessité d'une période de transition, et reconnut que plus vite on se mettrait d'accord là-dessus pour donner de la certitude aux entreprises, mieux cela vaudrait. Aussi les anciens partisans du Remain au gouvernement, comme le chancelier de l'Échiquier Philip Hammond, demandèrent que l'on aille plus loin sur le règlement financier, tandis que les partisans purs et durs du Leave s'y opposèrent. La cause des pragmatiques ne fut pas aidée non plus par l'attitude de David Davis : celui-ci affirmait encore que le Royaume-Uni ne préciserait les engagements financiers qu'il était prêt à tenir qu'une fois que la deuxième étape des négociations aurait commencé. Le gouvernement avait peut-être donné son accord pour une négociation en deux étapes, mais il avait du mal à renoncer à l'idée que le règlement financier n'était pas la prise en compte de dettes existantes mais devait servir de contrepartie à un accord favorable[10].

En définitive, ce sont les pragmatiques qui l'emportèrent : en effet, si le Conseil européen de décembre décidait que des progrès suffisants n'avaient pas été faits, ce serait une catastrophe pour le gouvernement britannique. À la fin du mois de novembre, des articles parurent dans la presse pour dire que le Royaume-Uni consentait à honorer ses obligations financières, telles qu'elles étaient définies par l'Union européenne. Des responsables se donnèrent beaucoup de mal pour présenter les chiffres sous un jour aussi favorable que possible, afin que Mme May puisse vendre l'accord dans son pays. Comme l'un d'entre eux le déclarait au *Financial Times* : « Ils [les Britanniques] ont promis de tout prendre en compte, nous nous moquons de leur estimation… Nous sommes contents de présenter ça[11]. »

Une transition semblait assurée : du moins est-ce ce que croyait Londres. Mais il s'avéra que tout n'était pas qu'une question d'argent. Vraiment pas.

La clause de sauvegarde irlandaise

En principe, résoudre le troisième enjeu du divorce, la frontière irlandaise, aurait dû être facile. Tout le monde s'entendait sur le but à atteindre : faire en sorte qu'elle reste invisible et ne soit pas cause de frictions. Mais il y avait un problème : le gouvernement britannique voulait que *l'ensemble* de ses échanges commerciaux futurs avec *l'ensemble* des pays de l'Union se fassent avec le moins de frictions possible, tout en quittant le marché unique et l'union douanière. Le seul fait qu'il puisse croire cela possible montrait qu'il n'avait pas vraiment compris la totalité des enjeux. Ou sinon cela signifiait que Londres voulait utiliser la frontière irlandaise comme un cheval de Troie. Si l'Union européenne acceptait le principe qu'il n'y aurait pas de contrôles aux frontières en Irlande, pour des raisons politiques, alors le gouvernement du Royaume-Uni pourrait argumenter que les mêmes arrangements devraient être conclus pour faciliter des échanges commerciaux harmonieux entre le Royaume-Uni et le reste de l'Union, et ce, alors qu'il serait libre de fixer ses propres règles et de conclure des accords commerciaux avec le reste du monde. Ce faisant, le Royaume-Uni aurait le beurre et l'argent du beurre[12].

David Davis sembla donner du crédit à cette opinion début juillet 2017, quand le *Financial Times* rapporta des propos adressés aux milieux d'affaires et selon lesquels la frontière irlandaise devait être la priorité des négociations de l'été, et qu'elle serait une « frontière test » pour le reste de l'Union[13]. Quelques semaines plus tôt, des responsables du Parti unioniste démocrate avaient déclaré au journaliste de *Sky News*, Faisal Islam, qu'ils voyaient d'un bon œil la sortie du marché unique et de l'union douanière parce qu'ils étaient convaincus que « l'Union européenne se sentirait obligée de garantir une frontière plus souple avec l'Irlande, et que la République était le talon d'Achille du négociateur de l'Union[14] ». Du côté de l'Union européenne, en revanche, il était clair que toute solution pour l'Irlande du Nord ne devait pas servir de précédent pour les autres frontières entre l'Union et le Royaume-Uni, et qu'elle ne devait pas affaiblir l'intégrité du marché unique : il serait par exemple intolérable que le poulet chloré venu des États-Unis puisse passer la frontière entre l'Irlande du Nord et l'Irlande, et de là passer librement dans le reste de l'Union.

Comment les Britanniques pensaient-ils que les contrôles aux frontières pourraient être évités ? L'année 2017 fut dominée par la thématique suivante : les nouvelles technologies permettraient de s'en passer. On ne savait pas très bien de quelles technologies il s'agissait, et la liste variait avec le temps : c'était tantôt des caméras capables de reconnaître automatiquement les plaques d'immatriculation, tantôt la blockchain * ; on évoqua même la possibilité de se servir de dirigeables, même si le Legatum Institute qui prônait cette idée, et qui avait une certaine influence dans le camp du Brexit, reconnaissait que les conditions météorologiques irlandaises pouvaient poser une difficulté. Peut-être ces solutions technologiques ne garantissaient-elles pas une frontière totalement étanche, mais les médias britanniques suggérèrent à maintes reprises qu'en tout état de cause l'Union européenne devrait être prête, dans une certaine mesure, à fermer les yeux sur la contrebande, dans l'intérêt du processus de paix sur l'île d'Irlande.

Comme nous l'avons vu au chapitre précédent, les orientations de négociation de l'Union européenne appelaient à des « solutions souples et imaginatives » afin d'éviter une frontière physique, mais il y avait des limites. Et la cause britannique ne marqua guère de points quand le bureau antifraude de l'Union européenne découvrit, en août 2017, que les autorités douanières du Royaume-Uni avaient à maintes reprises ignoré des informations les avertissant que des criminels faisaient entrer illégalement dans l'Union, par la Grande-Bretagne, des chaussures et des textiles chinois, et que cela coûtait à l'Union et à ses États membres des milliards d'euros de recettes douanières et de TVA[15]. Il y avait enfin la question évoquée dans le chapitre précédent : des caméras ou toute autre infrastructure physique installées sur la frontière irlandaise étaient susceptibles d'être détruites par des terroristes.

Le 15 août 2017, le gouvernement britannique publia un *position paper* ** pour expliquer ce qu'il fallait faire pour avoir le beurre et l'argent du beurre, c'est-à-dire « avoir les échanges de marchandises les plus harmonieux possible avec l'Union européenne » et,

* Nouvelle technologie de stockage et de transmission d'informations.

** Le *position paper* est un document officiel dans lequel un gouvernement ou une institution présente sa position sur telle ou telle question. Celui-ci était l'équivalent des orientations de négociation de l'Union européenne.

en même temps, « permettre au Royaume-Uni d'établir de nouvelles relations commerciales avec [ses] partenaires en Europe et dans le reste du monde[16] ». Les procédures douanières pourraient être rationalisées, y compris par l'emploi de la technologie ; sinon, le Royaume-Uni pourrait chercher à nouer un « nouveau partenariat douanier » avec l'Union. Dans ce cadre, il continuerait à prélever les droits de douane de l'Union sur les marchandises importées au Royaume-Uni mais destinées aux marchés de l'Union. D'un autre côté, il prélèverait ses propres droits de douane sur les marchandises dont la destination finale était le Royaume-Uni. Ainsi, un arrivage de viande bovine venant des États-Unis serait soumis à des droits de douane différents selon que la viande serait vendue au Royaume-Uni ou dans l'Union européenne. Et si une partie de la viande était vendue au Royaume-Uni et une autre dans l'Union européenne, des droits de douane différents seraient prélevés sur l'une et sur l'autre. La façon dont il serait possible, dans une économie de libre marché, de suivre l'ensemble des marchandises importées jusqu'à leur destination finale pour s'assurer que l'on avait acquitté les bons droits de douane n'était cependant pas précisée. Ni comment on éviterait la nécessité de faire des contrôles frontaliers pour vérifier que les biens expédiés, de Grande-Bretagne en France par exemple, respectaient les réglementations de l'Union européenne : entre autres questions, le bœuf contenait-il ou non des hormones ? Le gouvernement britannique reconnaissait que cette approche était « innovante » et n'avait « jamais été testée » ; pour de nombreux responsables de l'Union, elle relevait de la « pensée magique ».

Le lendemain, le gouvernement du Royaume-Uni publia un autre *position paper*, cette fois pour expliquer comment éviter une frontière physique entre l'Irlande du Nord et l'Irlande. Il rappelait les propositions de la veille, tout en ajoutant que l'on pourrait exempter totalement de contrôles aux frontières les petits commerçants. Le document n'expliquait pas cependant ce que l'on ferait dans ces conditions pour ne pas encourager la contrebande. Tout en en saluant certains aspects, comme l'idée que les dispositifs technologiques fixes (les caméras, par exemple) ne marcheraient pas, et que l'objectif poursuivi était d'« éviter toute infrastructure frontalière physique au Royaume-Uni ou en Irlande, pour quelque motif que ce soit », le ministre irlandais des Affaires étrangères, Simon Coveney, estima que ces nouvelles propositions de partenariat douanier étaient « totalement impraticables[17] ». Le fait que ces propositions sur la frontière nord-irlandaise avaient été publiées par le gouvernement britannique immédiatement après ses propositions sur la relation commerciale au sens large, et les prolongeaient largement, confirma les soupçons que les Britanniques essayaient de se servir du dossier irlandais pour promouvoir leur principale ambition : tout avoir. C'était aussi une tentative évidente de leur part pour éviter la négociation en deux étapes, et en effet le gouvernement britannique répéta à plusieurs reprises tout au long de l'année 2017 qu'il serait impossible de résoudre la question de la frontière irlandaise sans traiter aussi celle des relations commerciales futures. C'était tout à fait logique de leur point de vue, puisqu'ils espéraient que la question irlandaise leur donnerait un avantage de poids dans la négociation. Mais c'est aussi pour cette raison que l'Union européenne était déterminée à s'en tenir à ce qui avait été convenu : les problèmes du divorce d'abord, les relations futures ensuite.

Début septembre, Michel Barnier déclara que les propositions faites par le Royaume-Uni sur l'Irlande du Nord l'inquiétaient : « Le Royaume-Uni veut que l'UE suspende l'application de ses lois, de son union douanière et de son marché unique à ce que sera la nouvelle frontière extérieure de l'Union. Et il veut se servir de l'Irlande pour tester les futures relations douanières entre l'UE et le Royaume-Uni. Cela n'arrivera pas[18]. » Le 21 septembre 2017, la Commission européenne publia ses « principes directeurs pour le dialogue sur l'Irlande et l'Irlande du Nord ». Ils affirmaient que l'objectif n'était pas seulement d'éviter une frontière physique, et donc toute infrastructure en dur, mais de « respecter le fonctionnement du marché intérieur et de l'union douanière, ainsi que l'intégrité et l'effectivité de l'ordre juridique de l'Union[19] ».

À ce stade, la relation entre Dublin et Londres s'était beaucoup dégradée. Les Irlandais étaient de plus en plus mécontents de ce qu'ils considéraient comme un manque de sérieux de la part des Britanniques. Le gouvernement de Theresa May avait offert à maintes reprises des platitudes rassurantes, mais ne proposait rien de crédible pour éviter le rétablissement d'une frontière physique. De leur côté, les Britanniques étaient irrités par l'insistance que manifestait l'Union pour que l'on respecte la séquence des négociations qui avait été acceptée en juin, et pour que l'on attende que des progrès suffisants aient été faits sur la question de la frontière irlandaise *avant* de commencer les discussions sur les relations commerciales futures. Ils en voulaient surtout aux Irlandais, dont l'influence sur la stratégie de négociation de l'Union relative à la question frontalière était bien sûr non négligeable, et qui défendaient les intérêts de leur pays avec bien plus d'obstination que les Britanniques ne s'y attendaient. Le gouvernement du Royaume-Uni s'accrochait à l'espoir qu'ils pourraient isoler l'Irlande sur ce point : les diplomates britanniques se lancèrent dans une campagne tous azimuts en Europe pour affaiblir le soutien accordé au gouvernement irlandais et à son nouveau Premier ministre, Leo Varadkar. Mais, en réalité, ces tentatives ne firent que renforcer la solidarité du bloc des Vingt-Sept.

Ces tactiques ne rendirent pas non plus Mme May plus populaire auprès du gouvernement irlandais, qui savait évidemment ce qu'elle faisait. Le 21 novembre, alors que paraissaient des informations disant que le Royaume-Uni était prêt à doubler son offre financière à l'Union, Simon Coveney lança cet avertissement : « Quiconque pense que, une fois la question du règlement financier résolue [...], on pourra mettre la main sur l'épaule de l'Irlande et lui dire : "Écoute, il est temps d'avancer." Eh bien non, nous ne sommes pas prêts à avancer[20]. » Trois jours plus tard, Donald Tusk prévint Theresa May que si elle voulait passer à la deuxième étape des négociations, il fallait qu'elle « règle [son] problème avec l'Irlande ». Sa réaction fut éloquente : « Un seul pays ne peut pas retarder les avancées. » En outre, le Royaume-Uni était « un pays bien plus grand et plus important que l'Irlande[21] ». Pour Mme May, le problème était que l'Irlande était membre de l'Union européenne et que le Royaume-Uni était sur le point de ne plus l'être. Qu'elle le veuille ou non, cela signifiait que la position des Irlandais comptait bien davantage à Bruxelles que celle des Britanniques.

Or l'Irlande – et l'Union européenne – pensait qu'il était nécessaire à ce stade d'avoir des garanties qu'il n'y aurait pas de frontière physique en Irlande, quel que fût l'accord commercial conclu dans une deuxième étape avec le Royaume-Uni. Les lignes rouges du discours de Mme May à Lancaster House disaient au contraire que cet accord commercial impliquait l'établissement de contrôles aux frontières quelque part : il était crucial que ce ne soit pas à la frontière entre l'Irlande du Nord et la république d'Irlande. C'est pourquoi l'Irlande et l'Union européenne avaient besoin d'une clause de sauvegarde, qui empêcherait que cela se produise même si les Britanniques continuaient de réclamer le respect de ces lignes rouges. Comme le déclara Leo Varadkar à Gothenburg, en novembre 2017, les Britanniques avaient « unilatéralement retiré l'union douanière et le marché unique de la table » des négociations ; l'Irlande voulait donc « retirer de la table toute idée qu'il puisse y avoir une frontière physique, une frontière en dur, de nouvelles barrières au commerce sur l'île d'Irlande » *avant* que les négociations ne passent à la deuxième phase[22]. Si les Irlandais voulaient avoir une clause de sauvegarde, c'était le moment d'insister, car leur poids dans la négociation était maximal : comme tous les autres États membres, l'Irlande avait un droit de veto sur l'opportunité du passage à la deuxième étape, et les Britanniques voulaient absolument aborder la question des modalités transitoires et des accords commerciaux.

À ce stade, les idées à Dublin et à Bruxelles sur la *manière* dont on pourrait éviter une frontière physique s'étaient cristallisées, et elles n'étonneront aucunement le lecteur de ce livre. Simon Coveney les exprima de façon succincte en novembre 2017 : « Le gouvernement à Londres a répété à plusieurs reprises trois ambitions qui ne pourront simplement pas se réaliser. Elles sont, premièrement, que le Royaume-Uni quittera le marché unique et l'union douanière ; deuxièmement, que toutes les parties du Royaume-Uni sauteront le pas, pour ainsi dire, ensemble ; et troisièmement qu'ils ne veulent pas revenir à une frontière physique ou visible sur cette île. Eh bien, nous partageons totalement ce dernier objectif, qui, pour être franc, est le plus important : c'est le socle de la paix et de la stabilité sur cette île. Nous ne voyons tout simplement pas, et l'Union européenne non plus, comment il pourrait être compatible avec les deux premiers[23]. »

La seule façon d'éviter une frontière physique était que le Royaume-Uni dans sa totalité, ou seulement l'Irlande du Nord, reste *de facto* dans l'union douanière, le marché unique et le régime de TVA de l'Union européenne. Et, comme l'explique Tony Connelly dans son excellent récit des négociations, il y avait d'autres bonnes raisons pour que cela se passe ainsi[24]. Comme vous vous en souvenez sans doute, l'accord du Vendredi saint promouvait la coopération entre le nord et le sud de l'île, et tout le monde voulait que cela continue. En septembre 2017, des responsables britanniques rapportèrent à leurs interlocuteurs dans la négociation qu'il y avait entre le nord et le sud 142 domaines de coopération transfrontalière, parmi lesquels la santé, comme nous l'avons vu, mais aussi les cours d'eau et bien d'autres. La question était désormais de savoir dans quelle mesure cette coopération dépendait de la législation européenne. Un exercice de « cartographie » montra que la réponse était : énormément. L'explication donnée à Connelly par un responsable de l'Union européenne mérite d'être citée *in extenso*, parce qu'elle va au fond des choses sur la question : « La coopération nord-sud couvre des domaines comme la santé, les cours d'eau, etc. Cartographier, c'est recenser tous les exemples possibles auxquels on peut penser : le cancer infantile, la chirurgie cardiaque, la gestion des cours d'eau, l'éducation. Si l'on prend le seul domaine de la santé, il est facile d'expliquer l'importance du marché unique. Non seulement il y a une égalité des droits, mais il y a aussi les normes uniques pour le matériel médical, l'agrément des médicaments, la reconnaissance mutuelle des qualifications, les services d'ambulance, etc. Tout cela est aujourd'hui totalement aligné. » La conclusion était que, pour que la coopération prévue par l'accord du Vendredi saint puisse continuer, les réglementations devaient rester « alignées » des deux côtés de la frontière : il ne pouvait pas y avoir de « divergence réglementaire ».

Les espoirs britanniques que l'Irlande pourrait être isolée sur la question de la frontière furent cruellement déçus le 1er décembre 2017, quand Donald Tusk rendit visite au Premier ministre irlandais, à Dublin. Il assura aux Irlandais que l'Union européenne était « totalement derrière [eux] et derrière [leur] demande qu'il n'y aurait pas de frontière physique sur l'île d'Irlande après le Brexit ». Avant d'ajouter :

> La demande de l'Irlande est la demande de l'Union. Ou comme le dit le proverbe irlandais : « *Ni neart go cur le chéile* » (« L'union fait la force »). La décision du Royaume-Uni de quitter l'Union européenne a créé de l'incertitude pour des millions de personnes en Europe. Peut-être cela n'est-il nulle part aussi visible qu'ici. La frontière entre l'Irlande et l'Irlande du Nord n'est plus un symbole de division, c'est un symbole de coopération. Et nous ne pouvons laisser le Brexit détruire ce qui a été accompli là par l'accord du Vendredi saint.
>
> C'est le Royaume-Uni qui a commencé le Brexit, et il est aujourd'hui de sa responsabilité de s'engager de façon crédible sur ce qui sera nécessaire de faire pour éviter une frontière physique [...]. J'ai demandé au Premier ministre May de mettre une dernière offre sur la table d'ici le 4 décembre, pour que nous puissions évaluer si des progrès suffisants pourront être faits lors du prochain Conseil européen [...]. Je demanderai au Taoiseach s'il pense que l'offre du Royaume-Uni est suffisante pour le gouvernement irlandais. Permettez-moi de dire très clairement les choses : si l'offre du Royaume-Uni est inacceptable pour l'Irlande, elle sera également inacceptable pour l'Union européenne. Je sais que pour certains responsables politiques britanniques cela peut être difficile à comprendre. Mais telle est la logique derrière le fait que l'Irlande

est un membre de l'Union et que le Royaume-Uni la quitte. C'est pourquoi la clef du futur du Royaume-Uni se trouve, d'une certaine façon, à Dublin, du moins tant que les négociations du Brexit se poursuivent[25].

Les Britanniques n'avaient pas d'autre choix que d'accepter. Le 8 décembre, ils publièrent avec l'Union européenne un rapport conjoint qui comprenait des accords entre les deux parties sur les trois problèmes du divorce. Il vaut la peine d'en citer *in extenso* le paragraphe 49, qui porte sur l'Irlande[26] :

> Le Royaume-Uni s'engage à protéger la coopération nord-sud et à éviter l'établissement d'une frontière physique. Tout arrangement futur sera compatible avec ces deux exigences fondamentales. L'intention du Royaume-Uni est de réaliser ces objectifs dans le cadre de sa relation plus générale avec l'Union européenne. Si cela n'est pas possible, le Royaume-Uni proposera des solutions spécifiques pour répondre à la situation unique de l'île d'Irlande. En l'absence de solutions acceptées par les deux parties, le Royaume-Uni maintiendra entièrement l'alignement sur les règles du marché intérieur et de l'union douanière qui, aujourd'hui comme dans le futur, soutiennent la coopération nord-sud, l'économie de l'ensemble de l'île et la sauvegarde de l'accord de 1998.

Autrement dit, le Royaume-Uni espérait résoudre la question de la frontière irlandaise en négociant avec l'Union européenne une relation commerciale future qui supprimerait la nécessité d'avoir des frontières. Si cela s'avérait impossible, par exemple à cause des lignes rouges du discours de Lancaster House, alors le Royaume-Uni proposerait des « solutions spécifiques » pour l'Irlande du Nord – ce qui lui permettrait de continuer à rechercher les solutions technologiques qu'il avait envisagées. Mais si cela était impossible, comme tout le monde le croyait en dehors du Royaume-Uni, alors l'Irlande aurait une clause de sauvegarde : le Royaume-Uni ferait en sorte que toutes les règles nécessaires non seulement au maintien de la coopération nord-sud et à la sauvegarde de l'accord du Vendredi saint, mais aussi à l'économie de l'ensemble de l'île et à l'exigence « fondamentale » d'éviter une frontière physique, resteraient alignées sur celles de l'union douanière et du marché unique. Cela semblait impliquer *de facto* que l'Irlande du Nord resterait dans l'une et dans l'autre après le Brexit.

Mieux encore du point de vue de l'Union européenne, le Royaume-Uni consentait aussi à respecter les droits et obligations de l'Irlande découlant de son appartenance à l'Union (paragraphe 45). Cela excluait l'idée que l'Union et l'Irlande ferment les yeux sur la contrebande transfrontalière. Les Britanniques acceptaient aussi (paragraphe 46) que la clause de sauvegarde pour l'Irlande ne pourrait pas être considérée comme un précédent pour la relation commerciale plus large entre le Royaume-Uni et l'Union, et que les engagements de décembre devraient être tenus « quelle que soit la nature d'un futur accord » entre eux.

Mais le rapport conjoint contenait aussi un paragraphe (50) qui avait été introduit au dernier moment à la demande insistante du Parti unioniste démocrate. Le voici :

> Faute de solutions consenties, comme prévu au paragraphe précédent, le Royaume-Uni assurera qu'aucune nouvelle barrière réglementaire n'apparaisse entre l'Irlande du Nord et le reste du Royaume-Uni, à moins, conformément à l'accord de 1998, que l'Exécutif et l'Assemblée d'Irlande du Nord estiment que des arrangements particuliers peuvent convenir à l'Irlande du Nord. En toutes circonstances, le Royaume-Uni continuera à garantir la même liberté d'accès totale aux entreprises de l'Irlande du Nord dans tout le marché intérieur du Royaume-Uni.

Autrement dit, si la clause de sauvegarde pour l'Irlande devait être mise en œuvre, et si les réglementations en Irlande du Nord restaient alignées sur celles de l'union douanière et du marché unique de l'Union européenne, le Royaume-Uni devrait garantir qu'aucune nouvelle « barrière réglementaire » n'apparaisse entre l'Irlande du Nord et la Grande-Bretagne, à moins que l'exécutif et l'Assemblée de l'Irlande du Nord n'y consentent[27]. Il est important de noter que *ce n'était pas* un engagement fait par l'Union européenne au Royaume-Uni, mais un engagement du Royaume-Uni vis-à-vis de lui-même (ou peut-être, plus exactement, vis-à-vis du Parti unioniste démocrate). L'Union européenne estimait en conséquence que c'était au Royaume-Uni de décider lui-même d'honorer ou non son engagement du paragraphe 50 ; ce qui comptait, du point de vue de l'Union, c'était qu'il honore vis-à-vis de l'Union son engagement du paragraphe 49 : maintenir un alignement réglementaire entre l'Irlande du Nord et l'Union européenne[28]. Cependant, pris ensemble, les deux paragraphes semblèrent vouloir dire à l'époque, pour de nombreux commentateurs britanniques, que, faute d'une autre solution, le Royaume-Uni resterait tout entier dans l'union douanière et le marché unique. Cela signifiait à l'évidence que Mme May devrait renoncer aux lignes rouges de Lancaster House. La perspective enchantait les partisans du Remain ; ceux du Leave étaient furieux.

Mais il y avait plus important encore : le Royaume-Uni s'était acculé lui-même dans une position logiquement intenable. L'Union européenne insistait pour qu'il tienne quoi qu'il arrive son engagement sur la clause de sauvegarde pour l'Irlande. De ce fait, le Royaume-Uni était confronté à un choix : tenir l'engagement du paragraphe 50 vis-à-vis du Parti unioniste démocrate, auquel cas il serait forcé d'abandonner les lignes rouges de Lancaster House ; ou maintenir ces lignes rouges, auquel cas il serait forcé de ne pas honorer ce même engagement. Il ne pourrait pas honorer le premier et honorer les secondes sans renier son engagement du paragraphe 49 vis-à-vis de l'Irlande et de l'Union européenne : il lui faudrait donc choisir, mais aucun des deux choix ne serait particulièrement agréable.

Si le gouvernement revenait sur le paragraphe 50, il risquait d'être renversé par le Parti unioniste démocrate. S'il revenait sur les lignes rouges, il risquait d'être renversé par les conservateurs partisans purs et durs du Brexit. Et s'il revenait sur le paragraphe 49, il n'y avait pas un risque mais, pour l'Union européenne, une certitude que le Royaume-Uni sortirait de l'Union en mars 2019 sans avoir conclu aucun accord. La logique était simple : la première étape, les problèmes du divorce, devait être réglée de façon satisfaisante. Faute de quoi il ne pourrait pas y avoir d'accord de retrait. Ce qui signifiait une rupture chaotique des relations entre le Royaume-Uni et l'Union européenne, puisque, sans accord de retrait, il n'y aurait pas de période de transition.

Comme l'avait rappelé Simon Coveney en novembre, il y avait trois choses que le Royaume-Uni ne pouvait pas faire simultanément : respecter le paragraphe 49, respecter le paragraphe 50 et respecter les lignes rouges. Il pouvait en faire deux sur trois, mais pas les trois (voir figure 11.1). La période qui s'est écoulée depuis lors a été dominée par les moyens utilisés par le Royaume-Uni pour essayer de résoudre ce trilemme logique.

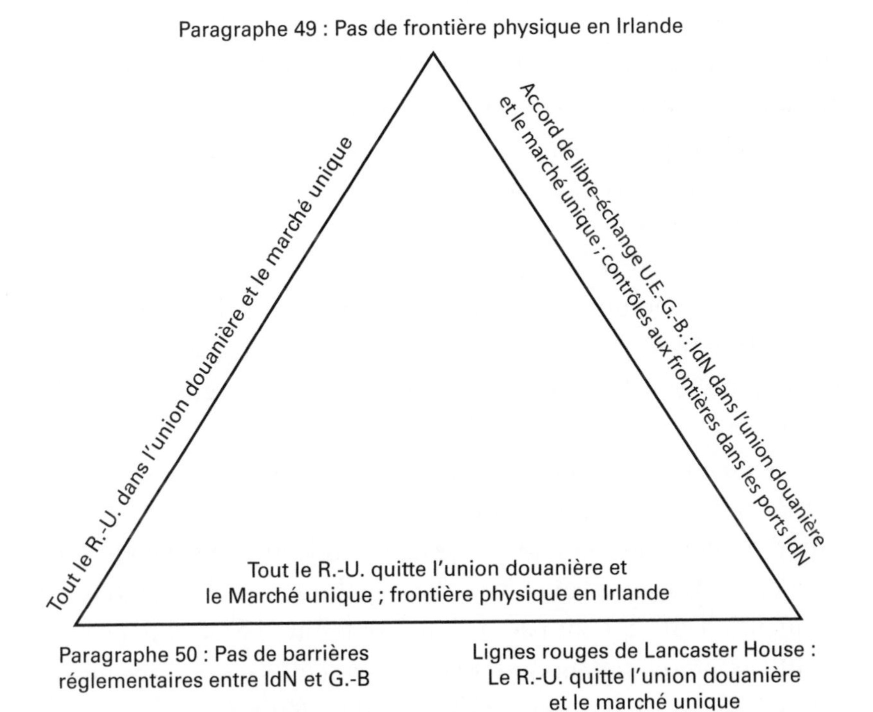

Figure 11.1. Le trilemme de Coveney.

2018

En 2018, des progrès continus ont été faits sur de nombreux aspects des négociations. Le Conseil européen publia des directives pour la deuxième étape des négociations (le 15 décembre 2017) et pour la période de transition (29 janvier 2018). L'Union européenne voulait que cette transition fût limitée dans le temps : elle devrait prendre fin le 31 décembre 2020, c'est-à-dire à la fin du cycle budgétaire actuel. Le Royaume-Uni resterait pendant cette période dans l'union douanière et le marché unique, et continuerait d'être tenu par l'ensemble des réglementations européennes les concernant. Sur le plan pratique, la seule différence serait qu'il ne participerait plus au processus de décisions de l'Union. Qu'un État non membre contribue à l'adoption des politiques de l'Union semblait en effet difficile ; néanmoins, David Davis réclama le « droit de protester » contre toute nouvelle législation européenne. Le Royaume-Uni demanda aussi à l'Union d'envisager une période de transition plus longue, ce qui n'était pas absurde, vingt et un mois étant un délai sans doute insuffisant pour négocier un nouvel accord de libre-échange.

En mars, les deux parties s'accordèrent sur un arrangement transitoire aux conditions de l'Union européenne : il se terminerait le 31 décembre 2020 ; le Royaume-Uni n'aurait pas d'influence sur le processus de décision de l'Union et les citoyens de l'Union continueraient à bénéficier de la liberté de circulation au Royaume-Uni pendant la transition. L'accord fut vivement dénoncé par les partisans du Brexit, qui affirmèrent que le Royaume-Uni ne serait plus durant la transition qu'un « État vassal » ou une « colonie » de l'Union européenne, et qu'il devrait appliquer des législations sur lesquelles ils n'auraient pas eu son mot à dire[29]. Mais, bien sûr, le problème ne se poserait que si l'on se mettait d'abord d'accord sur une période de transition, et l'on ne se mettrait d'accord sur une période de transition que s'il y avait un accord de retrait. Ce qui supposait que le Royaume-Uni tienne les engagements qu'il avait pris dans le rapport conjoint de décembre sur les trois problèmes du divorce.

Les premiers signaux furent inquiétants. Deux jours seulement après qu'on se fut mis d'accord sur le rapport conjoint, David Davis affirmait à la radio que l'accord sur l'Irlande n'était qu'une déclaration d'intention, juridiquement non contraignante. Il dit aussi que le Royaume-Uni ne verserait pas d'argent à l'Union européenne tant qu'il n'y aurait pas d'accord commercial. Le même jour, le *Sunday Telegraph* rapporta que les conseillers du Premier ministre avaient assuré aux partisans du Brexit que l'accord n'avait « aucune importance » et avait été introduit dans le rapport uniquement pour que l'Irlande le signe[30]. Inutile de dire que ces commentaires suscitèrent beaucoup d'irritation à Bruxelles et à Dublin, où l'on chercha un moyen de « protéger de David Davis » les avancées que l'on pensait avoir faites la semaine précédente. Le 13 décembre 2017, une résolution du Parlement européen notait que les commentaires de Davis risquaient de « compromettre la bonne foi qui [avait] été établie au cours des négociations », et affirmait que le Royaume-Uni devrait « honorer pleinement les engagements » pris dans le rapport conjoint et faire en sorte que ces engagements « prennent également corps dans le projet d'accord de retrait[31] ». Deux jours après, voici ce que prévoyaient les orientations de négociation du Conseil européen : « Les négociations au cours de la deuxième étape ne pourront avancer que si l'ensemble des engagements pris au cours de la première étape sont pleinement respectés et fidèlement traduits en termes juridiques dans les meilleurs délais[32]. » Il n'aurait probablement pas dû être nécessaire de le souligner, mais le Conseil européen, compte tenu des circonstances, avait préféré le faire.

Cependant, la traduction juridique des engagements du rapport conjoint sur l'Irlande s'avéra difficile. Le 19 mars 2018, les deux parties publièrent un projet d'accord de retrait assorti d'un code couleurs : le vert signifiait que les deux parties étaient d'accord ; le jaune, qu'elles étaient d'accord sur l'objectif mais travaillaient toujours à la rédaction ; et le blanc, que le Royaume-Uni était en désaccord avec le texte proposé par l'Union européenne[33]. La quasi-totalité du projet était en vert, y compris les parties relatives aux droits des citoyens (l'Union européenne avait renoncé à ce que les futur(e)s épousé(e)s soient couvert(e)s) et au règlement financier. Sur la question de la frontière irlandaise, en revanche, les deux parties n'étaient d'accord que pour dire qu'une « version juridiquement opérante de la clause de "sauvegarde" pour la frontière entre l'Irlande du Nord et l'Irlande, conformément au paragraphe 49 du rapport conjoint, devrait faire l'objet d'un accord dans le cadre du texte juridique de l'accord de retrait, et s'appliquerait faute d'une autre solution et jusqu'à ce qu'une autre solution soit trouvée ». Il y avait du progrès : la clause de sauvegarde devrait refléter les engagements pris par le Royaume-Uni vis-à-vis de l'Union européenne dans le paragraphe 49, mais pas les engagements qu'il avait contractés vis-à-vis de lui-même dans le paragraphe 50 ; et la clause de sauvegarde serait la solution par défaut qui s'appliquerait « faute d'une autre solution et jusqu'à ce qu'une autre solution » soit trouvée. La clause de sauvegarde n'était donc pas limitée dans le temps et devait avoir force de loi, ce qui était évidemment d'une importance cruciale. Cependant, il n'y avait pas d'accord entre les négociateurs sur la forme précise qu'elle devrait prendre.

L'Union européenne avait déjà (le 28 février 2018) suggéré pour le protocole de la clause de sauvegarde un texte qui ne pouvait pas être une surprise pour quiconque s'intéressait à ces questions. L'Irlande du Nord et l'Union européenne formeraient un « espace réglementaire commun », et la première continuerait de faire partie de l'espace douanier de la seconde. Il était difficile de trouver un autre moyen pour éviter une frontière physique, mais le fait de voir les choses rédigées en ces termes provoqua une levée de boucliers au Royaume-Uni, et pas seulement chez les partisans du Brexit. Mme May rejeta le texte le jour de sa publication : elle déclara devant le Parlement qu'il menaçait l'« intégrité constitutionnelle » (*sic*) du pays, et qu'« aucun Premier ministre britannique ne pourrait jamais l'accepter[34] ». On ne savait cependant toujours pas comment le gouvernement du Royaume-Uni allait faire pour tenir son engagement de fournir une clause de sauvegarde ayant force de loi et basée sur l'accord de décembre.

On entend parfois dire que la clause de sauvegarde proposée par l'Union européenne aura pour effet de créer une « frontière en mer ». Je ne sais pas très bien à quoi ce genre de frontière pourrait ressembler mais, en tout état de cause, la formule est inadéquate. L'idée impliquerait des contrôles sur les marchandises arrivant depuis la Grande-Bretagne dans les ports d'Irlande du Nord pour s'assurer qu'ils respectent les réglementations de l'Union européenne, et si nécessaire pour prélever des droits de douane. Il y a déjà quelques contrôles sur les marchandises venant de Grande-Bretagne en Irlande du Nord : le bétail doit être importé par Larne Harbour, et c'est là que sont inspectés les animaux et que se font les formalités administratives[35]. Michel Barnier a donc demandé à plusieurs reprises que la question soit « dédramatisée », mais l'on n'en voit guère jusqu'à présent de signes.

Le 23 mars 2018, le Conseil européen publia ses orientations de négociation pour les futures relations[36]. C'était une bonne nouvelle pour le Royaume-Uni, car cela donnait à Michel Barnier un mandat pour commencer enfin les discussions sur les relations commerciales futures avec l'Union européenne. Mais les orientations contenaient aussi plusieurs déclarations qui ne pouvaient qu'être mal accueillies à Londres. Premièrement, les deux parties ne pourraient pas négocier de nouvel accord commercial avant le Brexit : au mieux pouvait-on espérer une « conception d'ensemble partagée quant au cadre des relations futures, qui sera précisée dans une déclaration politique accompagnant l'accord de retrait et mentionnée dans ledit accord ». Une « conception d'ensemble [...] précisée dans une déclaration politique », c'était très loin du nouvel accord commercial que beaucoup au Royaume-Uni avaient espéré pouvoir rapidement conclure.

Compte tenu des lignes rouges du discours de Lancaster House, la seule possible relation commerciale future était une sorte d'accord de libre-échange, et même celui-ci ne pourrait être conclu sans garanties suffisantes quant à un environnement concurrentiel équitable. Les orientations contenaient aussi un avertissement clair contre toute tentation britannique de chercher à obtenir le beurre et l'argent du beurre : « Le fait d'être en dehors de l'union douanière et du marché unique conduira inévitablement à des frictions en matière commerciale. La divergence au niveau des tarifs extérieurs et des règles internes ainsi que l'absence d'institutions et d'un système juridique communs nécessitent des vérifications et des contrôles pour préserver l'intégrité du marché unique de l'UE et celle du marché du Royaume-Uni. Cela aura malheureusement des conséquences économiques négatives, en particulier au Royaume-Uni. »

Autrement dit, les lignes rouges du discours de Lancaster House impliquaient qu'il y aurait des contrôles aux frontières quelque part. Ce qui signifiait aussi que, puisqu'ils ne pourraient pas être entre l'Irlande du Nord et l'Irlande, il faudrait qu'ils soient entre l'Irlande du Nord et la Grande-Bretagne. Au cours des six mois qui suivirent, la politique du gouvernement du Royaume-Uni fut largement dominée par la question de savoir comment éviter les conséquences logiques de ses propres choix. Dans l'ensemble, les partisans conservateurs du Remain cherchèrent à éviter des contrôles aux frontières entre l'Irlande du Nord et la Grande-Bretagne en assouplissant les lignes rouges de Lancaster House et en proposant un cadre de relations entre le Royaume-Uni et l'Union européenne qui les rendent partout inutiles. On pourrait ainsi tranquillement accepter une clause de sauvegarde ne concernant que l'Irlande du Nord, puisqu'on n'aurait pas besoin de l'utiliser. Les orientations de négociation de l'Union donnèrent un peu d'espoir aux partisans du Remain : elles disaient en effet que si les lignes rouges du Royaume-Uni « évoluaient », alors la proposition de l'Union européenne concernant les relations futures évoluerait aussi. À l'opposé, les partisans conservateurs du Leave continuaient à soutenir que la technologie résoudrait le problème, et demandaient dans certains cas que la clause de sauvegarde pour l'Irlande soit purement et simplement supprimée. Les partisans du Remain soulignèrent que cela voulait dire que le Royaume-Uni sortirait de l'Union sans accord. Les autres répondirent que ce ne serait pas une catastrophe, et qu'une rupture claire et nette avait ses avantages. Pour Mme May, le problème était de trouver un moyen de surmonter les divisions dans son propre parti, et c'est naturellement ce sur quoi elle concentra ses efforts. La difficulté, c'est que les solutions qui étaient suffisamment attractives pour que ses deux camps les jugent acceptables étaient inacceptables pour l'Union ; or c'est bien avec celle-ci que Londres devait négocier.

Le 7 juin 2018, le gouvernement du Royaume-Uni proposa à la place d'une clause de sauvegarde pour l'Irlande du Nord une clause de sauvegarde temporaire à l'échelle de l'ensemble du royaume : si une telle mesure était nécessaire, c'est tout le Royaume-Uni qui appliquerait le tarif extérieur commun de l'Union, intégrant de fait son union douanière. La proposition fut immédiatement rejetée par l'Irlande et par l'Union européenne : le Royaume-Uni avait déjà consenti à ce qu'il y eût une clause de sauvegarde propre à l'Irlande du Nord et sans limite de temps, et non pas une clause de sauvegarde temporaire à l'échelle de tout le royaume. Pareil recul n'était pas acceptable. En outre, la proposition ne traitait pas de la question des normes réglementaires, même si elle reconnaissait au moins qu'elle devait être abordée[37].

Comme nous l'avons vu, une autre approche était possible : le Royaume-Uni pouvait rechercher avec l'Union européenne une relation future qui rendrait inutile la clause de sauvegarde nord-irlandaise, quelle que soit la forme de celle-ci. Après tout, le Royaume-Uni n'avait-il pas souvent affirmé avoir pour objectif qu'il y ait « le moins de frictions possible » dans sa relation commerciale avec l'Union ? Mais il y avait un problème, et aussi un paradoxe : depuis le début, le Royaume-Uni affirmait que les négociations sur les relations commerciales futures devaient commencer dès que possible. Il avait protesté contre l'insistance avec laquelle l'Union avait voulu traiter d'abord les problèmes du divorce, alors même qu'il y avait consenti dès le premier jour des négociations. Il était maintenant enfin possible d'entamer les négociations sur les relations futures mais, pour négocier, le gouvernement du Royaume-Uni devait d'abord avoir une position de négociation. Et les divisions du parti conservateur l'en empêchaient.

Des relations commerciales futures qui rendraient inutile la clause de sauvegarde nord-irlandaise nécessitaient, nous l'avons vu, l'abandon d'une partie ou de la totalité des lignes rouges de Lancaster House, mais lesquelles, exactement ? Des journalistes, des commentateurs politiques et des universitaires, dont votre serviteur, firent une proposition que l'on surnomma le « modèle de Jersey » parce qu'elle s'inspirait en effet du dispositif particulier dont bénéficie cette île. L'ensemble du Royaume-Uni resterait membre non seulement de l'union douanière mais aussi du marché unique – mais seulement pour les marchandises[38]. Cela lui permettrait de contrôler les flux migratoires venant de l'Union européenne, tout en perdant son accès privilégié aux marchés des services et des capitaux de l'Union. Dans le cadre de cet accord, il lui faudrait naturellement accepter la compétence de la Cour de justice européenne, verser des contributions financières au budget de l'Union (à l'instar de la Norvège), etc. Tout cela rendait cette proposition inacceptable pour les partisans du Brexit, même si elle leur permettait de limiter la libre circulation des personnes.

L'idée fut rejetée immédiatement par l'Union européenne, au motif qu'elle revenait à choisir à la carte, et c'est en effet le cas : comme nous l'avons vu, l'Union a souligné dès le début l'indissociabilité des quatre libertés. Toutefois, si l'Union avait toléré le choix à la carte, c'est sans doute ce choix qu'elle aurait elle-même privilégié. L'Union européenne est en excédent commercial par rapport au Royaume-Uni pour ce qui est des marchandises, or la proposition permettait à celles-ci de circuler librement comme aujourd'hui.

D'un autre côté, l'économie du Royaume-Uni repose sur les services, et ses exportations de services vers l'Union, y compris ceux de la City de Londres, ne seraient pas protégées par ce modèle. À cela, l'Union européenne répondait qu'un grand nombre de biens manufacturés modernes, par exemple les smartphones, ont une forte part de services, et que quand des entreprises comme Rolls-Royce exportent des produits physiques, elles y associent souvent des services, par exemple de maintenance. Dans une économie moderne, il n'est pas facile de séparer le commerce des marchandises et celui des services, et l'Union européenne a donc estimé que la proposition ne marcherait pas.

Le 6 juillet 2018, Theresa May réunit son cabinet dans sa résidence de campagne, à Chequers, pour trouver une position britannique commune sur les relations futures. On avertit les ministres que s'ils démissionnaient pour protester contre ce qui avait été convenu, ils pourraient rentrer chez eux en appelant un taxi ou en se rendant à pied à la gare la plus proche : leurs voitures de fonction ne leur appartiendraient plus. Le Premier ministre réussit à faire approuver par son cabinet une version du modèle de Jersey qui permettait de se rapprocher de l'ambition première (avoir le beurre et l'argent du beurre) : on espérait ainsi ne jamais avoir besoin de la clause de sauvegarde pour l'Irlande – que le gouvernement acceptait toutefois d'intégrer dans l'accord de retrait[39]. Le Royaume-Uni traduirait juridiquement les réglementations de l'Union concernant les marchandises, dans la mesure où cela serait nécessaire pour permettre des échanges commerciaux sans frictions[40]. Mais, au lieu de proposer une union douanière entre le Royaume-Uni et l'Union, le plan de Chequers ressuscitait le « nouveau partenariat douanier » que nous avons déjà vu, surnommé désormais « arrangement douanier facilité ». Le Royaume-Uni collecterait les droits de douane de l'Union sur les importations destinées aux marchés de celle-ci, mais prélèverait les siens sur celles dont la destination finale était le Royaume-Uni. Malgré cette réactivation de ce que l'Union européenne avait naguère qualifié de « pensée magique », le plan de Chequers était sans conteste un pas en avant vers un Brexit plus doux, puisqu'il reconnaissait que l'alignement réglementaire était en réalité nécessaire pour qu'il puisse y avoir des échanges commerciaux sans frictions entre le Royaume-Uni et l'Union européenne. David Davis donna donc sa démission, mais seulement quelques jours après la réunion, évitant ainsi de rentrer chez lui à ses frais en taxi. Cela poussa Boris Johnson à en faire bientôt autant, ce qui déclencha une guerre ouverte entre les partisans du Brexit, déterminés à faire tomber le plan de Chequers (et avec lui, espérait Johnson, Theresa May) et ceux du Remain, déterminés à le conserver.

Le fait que Chequers ait été le signal d'une possible amorce de changement de position vers plus de réalisme de la part du Royaume-Uni conduisit les dirigeants politiques européens et les responsables de l'Union à modérer leurs critiques des propositions britanniques. Tout le monde à l'extérieur du Royaume-Uni comprit qu'elles resteraient telles quelles inacceptables pour l'Union européenne, mais on espérait qu'elles pourraient enfin former une base de négociations. Mais soudain, les 16 et 17 juillet, une série de manœuvres à la Chambre des communes mit un terme à l'impression de marche en avant. Les partisans purs et durs du Brexit imposèrent toute une série d'amendements à la proposition de loi sur le commerce (*Trade Bill*) faite par le gouvernement, amendements dont l'objectif évident était de rendre inopérant le plan de Chequers. Il y en avait un qui rendait illégal la collecte de droits de douane pour l'Union européenne, sauf si celle-ci faisait la même chose pour le Royaume-Uni : cela rendait inopérant l'« arrangement douanier facilité », mais comme il l'aurait été de toute façon, cela ne posait peut-être pas problème. Un autre amendement empêchait que le Royaume-Uni fasse partie de l'espace de TVA européen, ce qui, comme nous l'avons vu, était suffisant pour rendre nécessaire une frontière physique en Irlande. Un troisième prévoyait enfin : « Il sera illégal pour le gouvernement de Sa Majesté d'entrer dans tout arrangement aux termes duquel l'Irlande du Nord fera partie d'un territoire douanier séparé de la Grande-Bretagne. » Cela excluait la clause de sauvegarde de l'Union européenne pour l'Irlande du Nord[41].

À la fin du mois d'août, les responsables de l'Union européenne estimaient qu'ils n'étaient plus tenus de rester silencieux sur les lacunes du plan de Chequers. Début septembre, Michel Barnier s'exprima fortement contre ces propositions. L'Union ne pouvait pas « abandonner à un pays tiers le contrôle de [ses] frontières extérieures et des recettes qu'elle y prélève, ce n'est pas légal ». De plus, la proposition britannique n'était pas opérationnelle ; ainsi, par exemple, « le sucre est transporté à la tonne par sacs de 25 kilos et il est donc impossible de suivre tous les sacs jusqu'à leur destination. Cela ne serait possible qu'au moyen d'une bureaucratie démente et injustifiable. Si elle était mise en œuvre, la proposition britannique serait donc une invitation à la fraude ». Enfin, des services étaient incorporés dans « chaque litre de lait et dans chaque pomme[42] ». Les partisans purs et durs du Brexit, qui étaient eux aussi opposés au plan de Chequers, mais pour de tout autres raisons, étaient enchantés.

Et c'est là que nous en sommes aujourd'hui (c'est-à-dire à l'heure où j'écris ces lignes, le 14 septembre 2018). Le Royaume-Uni accepte qu'il y ait une clause de sauvegarde, mais sur la base de ses propositions douanières du 7 juin, à l'échelle de tout le pays. L'Union européenne rappelle que la clause de sauvegarde exige que l'Irlande du Nord reste dans l'union douanière et le marché unique. Sans accord sur cet énorme problème de divorce, le Royaume-Uni sortira de l'Union sans accord de transition et sans accord du tout d'ailleurs, le 29 mars 2019. Quant aux relations futures, l'Union européenne affirme toujours que les lignes rouges de Theresa May signifient que seul un accord de libre-échange sera possible. Le gouvernement du Royaume-Uni soutient, lui, que ses propositions de Chequers permettront des relations commerciales sans frictions avec l'Union, tout en lui assurant de conclure de son côté des accords de libre-échange, et de ne plus avoir besoin d'une clause de sauvegarde pour l'Irlande. Enfin, les partisans conservateurs du Brexit, comme Jacob Rees-Mogg, sont d'accord avec Michel Barnier pour dire que le plan de Chequers n'est pas opérationnel, tout en le dénonçant comme un affront fait à la souveraineté britannique.

Le 9 septembre 2018, Boris Johnson, dont beaucoup pensaient qu'il allait essayer de prendre la tête du parti conservateur, déplora l'humiliation que constituait à ses yeux le plan de Chequers pour Theresa May. Il en rejetait la faute sur « l'Irlande du Nord et la folie de la prétendue clause de "sauvegarde" », et déclarait : « Nous nous sommes soumis à un chantage politique continuel. Nous avons passé une veste d'explosifs autour de la Constitution britannique et avons remis le détonateur à Michel Barnier [...]. Nous avons été assez fous pour accepter, en décembre dernier, que si nous ne trouvions pas un moyen de conserver des échanges sans frictions entre l'Irlande du Nord et la république d'Irlande, alors l'Irlande du Nord devra rester dans l'union douanière et le marché unique : autrement dit, elle fera partie de l'UE. Ce qui veut dire qu'il y aura une frontière en mer d'Irlande. C'est totalement inacceptable [...]. Nous proposons maintenant notre version de la clause de sauvegarde : si nous ne pouvons pas trouver de moyen pour résoudre le problème de la frontière irlandaise, alors c'est tout le Royaume-Uni qui devra rester dans l'union douanière et le marché unique [...]. Cela veut dire que nous ne pourrons pas conclure de véritables accords de libre-échange. Cela veut dire que nous serons un État vassal. »

L'emploi de l'image de la veste d'explosifs a été très largement condamné ; cela dit, Johnson n'a pas tort de dire que la question de la frontière irlandaise, et le trilemme qu'elle implique, est bien le principal moteur de la politique du gouvernement britannique depuis le rapport conjoint de décembre 2017. Il n'est bien sûr pas étonnant que la « solution » qu'il propose soit de nier l'existence même du trilemme et de prétendre que la technologie permettra de supprimer la nécessité d'une frontière physique. Il a aussi prétendu que la clause de sauvegarde devait être supprimée.

Mais si le Royaume-Uni allait jusque-là, il n'y aurait pas d'accord du tout.

Ce qui va se passer maintenant, à chacun de l'imaginer.

CHAPITRE 12

Et maintenant ?

Devoir terminer un livre sur le Brexit en septembre 2018 a des avantages et des inconvénients. D'un côté, j'ignore comment l'histoire va finir, et la seule prédiction un peu fiable que l'on puisse faire est que toute prédiction en la matière sera fausse. D'un autre côté, la situation présente des avantages pédagogiques. D'ici dix ans, les historiens et les journalistes seront capables d'expliquer pourquoi nous en serons arrivés là, et ils réussiront sans doute à donner au résultat final l'apparence de l'inéluctabilité. Aujourd'hui, en revanche, tout un éventail de futurs possibles se déploie devant nous, et nous n'avons aucune certitude.

La figure 12.1 représente certains de ces futurs possibles. La première grande incertitude porte sur la question de savoir si le gouvernement du Royaume-Uni acceptera finalement la clause de sauvegarde pour l'Irlande du Nord à laquelle il a donné son accord de principe en décembre 2017. Cela dépendra largement de la politique adoptée par un Parti conservateur et unioniste profondément divisé. La presse et les médias ne cessent aujourd'hui de faire état de complots fomentés par les partisans du Brexit qui voudraient faire tomber Theresa May au motif que son plan de Chequers trahirait le Brexit et irait trop loin vers ce que l'Union européenne considère comme une simple reconnaissance de la réalité. Le problème de Mme May, c'est que si elle veut un accord avec l'Union européenne, il va falloir

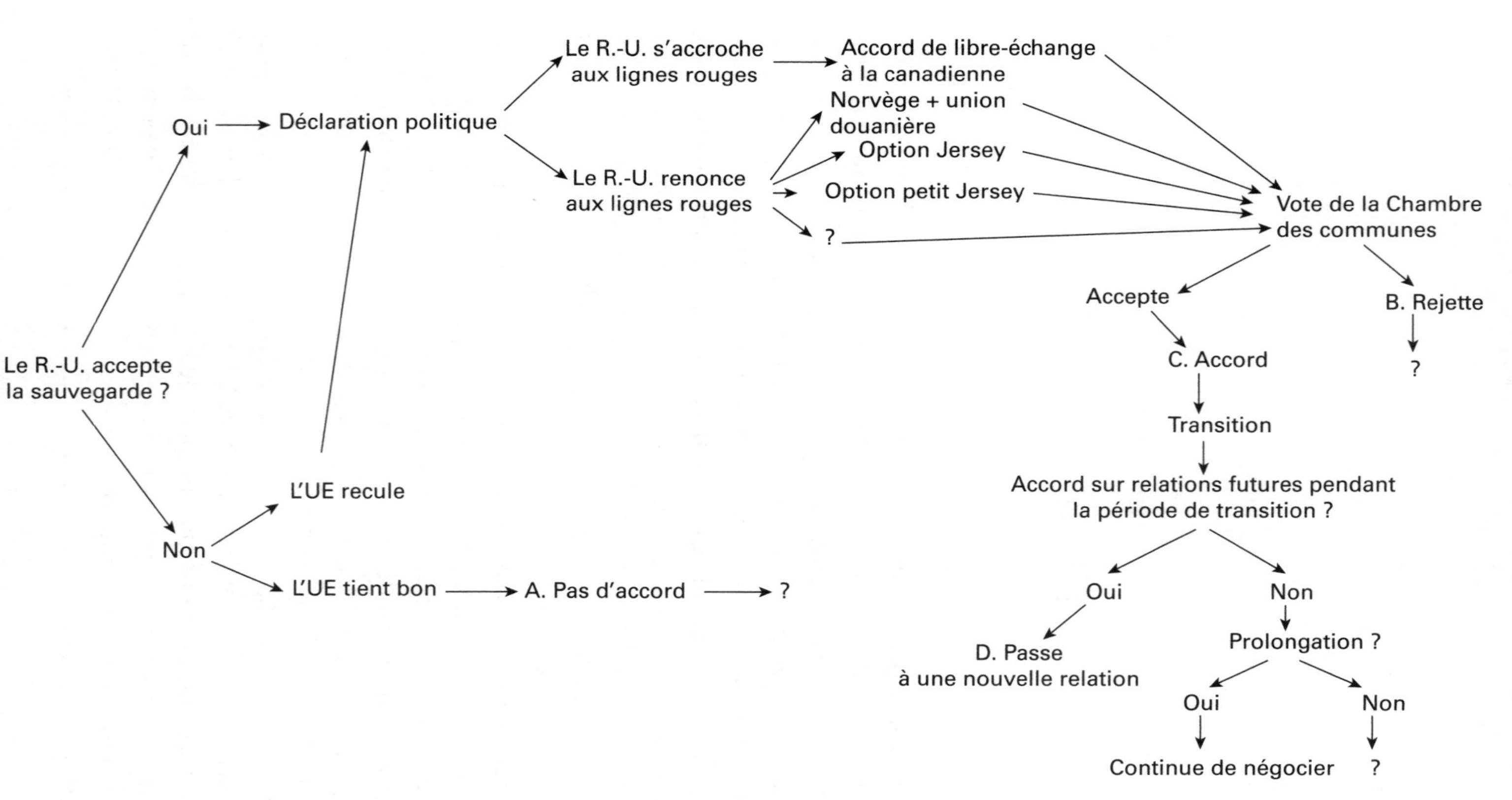

Figure 12.1. Les futurs possibles.

qu'elle aille encore plus loin dans cette direction. Si elle devait être renversée, le Royaume-Uni aurait encore plus de probabilités de tourner le dos à ses engagements de décembre 2017. Le congrès du Parti conservateur, qui doit se tenir à Birmingham du 30 septembre au 3 octobre, pourrait être un moment particulièrement périlleux pour le Premier ministre ; au moment où ce livre sera en librairie, nous saurons ce qu'il en aura été.

Si, pour une raison ou pour une autre, le gouvernement du Royaume-Uni revenait sur ses engagements de décembre 2017, il y aurait une crise majeure. Certains à Londres espèrent peut-être qu'en pareil cas l'Union européenne ferait un pas en arrière et signerait malgré tout un accord de retrait. Après tout, si l'Union européenne, dans de telles circonstances, persistait à soutenir qu'il ne peut y avoir d'accord de retrait sans accord préalable sur les trois problèmes du divorce, alors le Royaume-Uni sortirait de l'Union le 29 mars 2019 sans accord du tout. Ce serait un scénario catastrophique pour le Royaume-Uni, mais qui coûterait aussi très cher à l'Union européenne, et en particulier à l'Irlande. Si l'Irlande du Nord était en dehors de l'union douanière et du marché unique, il faudrait ériger une frontière physique sur l'île, avec tous les risques que cela implique, et l'économie irlandaise serait soumise à d'énormes perturbations. C'est pourquoi certains commentateurs à Londres, et sans doute aussi des responsables politiques, ont toujours misé sur le fait que les Irlandais finiraient par reculer ou que l'Union européenne finirait par les laisser tomber. Les deux hypothèses sont théoriquement plausibles, mais il y a de fortes raisons de penser qu'elles ne se réaliseront pas.

Premièrement, du point de vue irlandais, il est vrai en effet que s'il n'y a pas d'accord, il y aura une frontière. Mais la question est alors de savoir ce qui se passera ensuite. Sortir sans accord serait extrêmement coûteux pour le Royaume-Uni : cela signifierait l'établissement immédiat de droits de douane sur les échanges avec l'Union européenne, de sérieuses perturbations dans les ports, et la fin, dans ce pays, de toute industrie dépendant d'une chaîne logistique paneuropéenne. Il n'y aurait même plus de cadre juridique permettant les vols entre le Royaume-Uni et l'Union européenne : Ryanair prévoit d'introduire une « clause Brexit » dans ses billets vendus pour des vols ayant lieu après le Brexit, clause qui prévoit qu'ils ne seront plus valables si la compagnie n'est plus autorisée à voler. Le 13 septembre, le gouvernement du Royaume-Uni a publié toute une série de documents qui rappellent d'autres conséquences possibles : les permis de conduire du pays ne seraient plus valables dans l'Union européenne ; les automobilistes souhaitant se rendre en France et en Espagne n'auraient pas besoin d'un mais de deux permis de conduire internationaux ; les citoyens du Royaume-Uni utilisant des téléphones mobiles dans l'Union européenne pourraient se trouver face à des coûts très élevés ; il pourrait y avoir une grande incertitude légale autour des procédures transfrontalières de divorce et de garde des enfants, etc.[1].

Ce ne serait certainement pas le Brexit promis aux électeurs britanniques. Il y aurait donc à un moment ou à un autre une crise politique majeure au Royaume-Uni, et celui-ci finirait sans doute par revenir à la table des négociations pour tenter de trouver un accord. À ce moment-là, si l'Union continuait de soutenir le principe que les trois problèmes du divorce doivent être résolus de façon satisfaisante pour qu'un accord soit possible avec le Royaume-Uni, toute frontière qui pourrait être établie ne serait probablement que temporaire.

En revanche, si l'Irlande devait céder sur le principe qu'une frontière est inacceptable – si elle disait à ses partenaires de l'Union européenne : « Oui, nous avons essayé de vous convaincre qu'une frontière était inconcevable et ne devait plus jamais exister, mais en réalité, nous ne le pensions pas vraiment, et au pire nous accepterons la frontière si c'est le prix qu'il faut payer pour un accord avec le Royaume-Uni » – alors, elle ne serait plus jamais prise au sérieux si la question de la frontière devait se poser à nouveau. Le Royaume-Uni n'aurait plus besoin d'essayer d'éviter une frontière physique et il pourrait revenir aux lignes rouges de Lancaster House, comme le veulent les conservateurs partisans du Brexit. Ces lignes rouges, appliquées à l'ensemble du Royaume-Uni, rendraient certainement inévitable l'établissement d'une frontière sur l'île, et dans ces circonstances, celle-ci serait sans doute permanente et pourrait avoir à long terme de graves conséquences[2].

Deuxièmement, du point de vue de l'Union européenne, celle-ci aurait laissé tomber un État membre sur une question d'importance fondamentale nationale, et elle l'aurait fait en raison de l'intransigeance et de la mauvaise foi d'un pays tiers. Cela ne ferait pas une très bonne publicité à l'Union européenne. D'un autre côté, si l'Union tenait bon, elle montrerait que la solidarité européenne veut dire quelque chose, et que l'Union est un parapluie capable de protéger les intérêts de tous ses membres, si petits soient-ils. L'issue la plus probable à ce stade serait donc que *si* le Royaume-Uni tourne le dos à ses engagements de l'accord de décembre et refuse d'accepter la clause de sauvegarde pour l'Irlande du Nord, il n'y aura pas d'accord (option A dans la figure 12.1)[3]. Comme nous l'avons vu, ce serait catastrophique pour l'ensemble des parties concernées, sans pour autant être la fin de l'histoire, et ce qui se passerait ensuite est loin d'être clair. L'attention se tournerait probablement très vite sur la teneur de la réaction de l'Écosse et de l'Irlande du Nord, réaction qu'il est très difficile de prévoir aujourd'hui.

Si le Royaume-Uni accepte la clause de sauvegarde pour l'Irlande du Nord, l'attention se tournera vers la déclaration politique relative à la nature des futures relations commerciales. La figure 12.1 ne prévoit pas de scénario dans lequel l'Union européenne accepterait le plan de Chequers : cela semble pratiquement impossible pour les raisons données dans le chapitre précédent. Un des points clefs sera de savoir si le Royaume-Uni continue de se tenir à ses lignes rouges ou non. Si la réponse est oui, et si l'Union se tient, elle aussi, à ses propres lignes rouges relatives à l'intégrité de son ordre juridique et du marché unique, le seul résultat possible sera un accord de libre-échange à la canadienne : si l'on arrive à cela, alors il faudra qu'il y ait des contrôles sur les marchandises venant de Grande-Bretagne et arrivant dans les ports de l'Irlande du Nord et de l'Union européenne. Même si un tel accord ne prévoyait aucun droit de douane sur les échanges entre l'Union européenne et le Royaume-Uni, des contrôles aux frontières seraient nécessaires pour vérifier que les règles d'origine et les réglementations de l'Union sont respectées, et pour des raisons liées à l'application de la TVA. Le 3 septembre 2018, devant la Commission sur la Sortie de l'Union européenne de la Chambre des communes, Sabine Weyand, l'adjointe de Michel Barnier, a donné trois exemples concrets qui résument bien un des principaux thèmes de ce livre. Elle mérite d'être ici longuement citée[4].

> Nous parlons ici, très concrètement, de crevettes importées d'un pays d'Asie où ce crustacé est traité avec des antibiotiques qui sont interdits dans l'Union européenne parce qu'ils peuvent provoquer la perte de la vue. Imaginons que cette cargaison arrive à Liverpool et qu'elle soit destinée au marché de l'Irlande du Nord ainsi qu'aux vingt-sept [pays membres] de l'UE. À quel moment et comment vérifierons-nous qu'il n'y a pas de résidus d'antibiotiques interdits ? [...] Il y a aussi les vélos importés de Chine, sur lesquels l'Union européenne prélève des droits antidumping *. Peut-être que le Royaume-Uni décidera dans le futur de se passer de ces droits antidumping et que vous voudrez avoir votre propre système ; mais comment pourrons-nous nous assurer alors que les vélos qui arrivent à Liverpool ou ailleurs ne finissent pas par contourner les droits antidumping prélevés par l'UE ? Comment pourrons-nous éviter que cela devienne un point d'entrée dans le marché unique ? [...] Le troisième problème, et il est très important, c'est la TVA. Comment pourrons-nous nous assurer que la TVA est prélevée

* Les droits antidumping sont des droits de douane sur l'importation de certains produits en provenance de certains pays, quand ces produits sont vendus à l'étranger à un prix inférieur à celui qui est le leur sur leur marché d'origine. Ils violent évidemment le principe de non-discrimination ; pour l'OMC, cependant, ils sont légaux en cas d'atteinte réelle (« matérielle ») à l'industrie nationale concurrente du pays importateur. Inutile de dire qu'ils sont controversés. Voir : https://www.wto.org/english/thewto_e/whatis_e/tif_e/agrm8_e.htm.

correctement ? C'est une source considérable de recettes pour tous nos États membres et c'est aussi une source considérable de fraude dans l'UE mais aussi au Royaume-Uni. Nous aurons donc besoin d'un système qui nous permettra de protéger l'intégrité du marché unique et de l'union douanière, dans une situation où nous n'aurons pas de frontière physique entre l'Irlande et l'Irlande du Nord. C'est sur des questions précises et concrètes comme celles-ci que nous devons trouver une solution.

De leur côté, des contrôles aux frontières impliqueraient la fin des échanges commerciaux « sans frictions » entre le Royaume-Uni et l'Union européenne, avec tous les bouleversements que cela peut supposer. Les grandes entreprises qui dépendent d'une chaîne logistique paneuropéenne pourraient quitter le Royaume-Uni, d'autres pourraient essayer de mettre sur pied une chaîne logistique dans ce seul pays. Les petites entreprises devraient faire face à des coûts supplémentaires, liés aux douanes, qu'elles auraient du mal à supporter. Il y aurait aussi des retards importants dans les ports britanniques et européens, entraînant des coûts plus élevés et de nombreux désagréments ; et le commerce de denrées alimentaires périssables, pour ne prendre qu'un exemple évident, ne pourrait plus se faire avec la même commodité. Contrairement au scénario « sans accord », il serait tout à fait certain que les avions pourraient encore voler, mais cette issue serait néanmoins, pour les deux parties, immensément coûteuse.

Autre possibilité, le Royaume-Uni pourrait continuer d'assouplir ses lignes rouges et rester sur le chemin entamé à Chequers. La question serait alors de savoir jusqu'où. À la limite, le Royaume-Uni pourrait essayer de rester dans le marché unique de l'Union et nouer avec elle une nouvelle union douanière : cela permettrait de résoudre la question de la frontière irlandaise, de rendre inutile la clause de sauvegarde et plus généralement de maintenir le *statu quo* économique. Mais, dans ce cas, Londres devrait accepter les quatre libertés, verser une contribution au budget de l'Union européenne, sans avoir son mot à dire sur les réglementations de celle-ci et sans pouvoir conclure de son côté d'accords commerciaux avec le reste du monde.

Le Royaume-Uni pourrait donc aller vers une version plus réaliste du plan de Chequers, par exemple le plan Jersey évoqué dans le chapitre précédent. Si ce choix devait être rejeté par l'Union européenne pour les raisons que nous avons données, Londres pourrait chercher à négocier ce que l'on pourrait appeler un « petit Jersey » : tout le Royaume-Uni resterait dans une union douanière avec l'Union, et seule l'Irlande du Nord resterait dans le marché unique. À l'inverse du plan Jersey, cette option ne permettrait pas aux Britanniques (à la différence des Irlandais du Nord) de choisir à la carte : la Grande-Bretagne ne pourrait pas rester dans le marché unique pour les seules marchandises. Elle ne serait que dans l'union douanière, ce qui serait probablement acceptable pour l'Union européenne. Mais le plan serait suffisant pour éviter une frontière physique en Irlande. Et, du point de vue britannique, des contrôles resteraient certes nécessaires dans les ports nord-irlandais pour veiller à ce que les marchandises entrant en Irlande du Nord soient conformes aux réglementations de l'Union, mais il n'y aurait pas besoin de contrôles *douaniers* aux frontières – puisque tout le Royaume-Uni serait dans une union douanière avec celle-ci. Les partisans de cette idée, qui, je l'avoue, me paraît fort intelligente, soulignent que l'amendement adopté par la Chambre des communes en juillet 2018 (voir le chapitre précédent) exclut la possibilité que l'Irlande du Nord et la Grande-Bretagne soient dans des territoires douaniers séparés ; mais il n'exclut pas la possibilité de contrôles purement réglementaires dans les ports nord-irlandais. Il est toutefois important de préciser que cette option impliquerait toujours des contrôles réglementaires entre la Grande-Bretagne et l'Union européenne, et que cela entraînerait des perturbations profondes.

Il est possible également que l'Union européenne et le Royaume-Uni se décident pour un type de relation future auquel je n'ai pas encore songé, et la possibilité est encore plus forte que la déclaration politique relative aux relations futures reste délibérément floue. L'objectif serait d'obtenir un accord de retrait d'une manière ou d'une autre, avec la clause de sauvegarde ; et que le Brexit entre dans les faits, pour que les deux parties puissent aller de l'avant. Il y a un argument en faveur de cette approche : en tout état de cause, les détails de toute relation future ne pourront être négociés qu'une fois que le Royaume-Uni aura quitté l'Union.

Même si l'Union européenne et le Royaume-Uni arrivaient à un accord sur leurs relations futures, toute incertitude ne serait cependant pas dissipée, car la Chambre des communes devra se prononcer par un vote sur l'accord final. Un grand nombre de partisans du Brexit voteront probablement contre un accord basé sur le plan de Chequers, alors même que celui-ci est déjà trop gourmand pour l'Union européenne ; un plus grand nombre encore voteraient sans doute contre une solution à la norvégienne accompagnée d'une union douanière, l'option Jersey, ou l'option petit Jersey. Nul ne sait comment voterait le parti travailliste : il est tout à fait possible que le Parlement rejette l'accord (option B). Si la Chambre des communes votait dans ce sens, la suite serait totalement incertaine. Certains, au Royaume-Uni, affirmeraient sans doute que le Brexit devrait être repoussé dans le temps, ou même que l'on devrait faire un second référendum : si le Brexit devait ne pas avoir lieu, ce qui est extrêmement improbable mais pas impossible, ce pourrait être par ce moyen. Il y a eu des débats sur le point de savoir si le Royaume-Uni devrait pouvoir ou pourrait faire marche arrière sur le Brexit avant mars 2019 : l'état de l'opinion semble montrer que s'il le demandait, il l'obtiendrait. Mais il reste aujourd'hui très peu de temps, et pour que tout cela puisse se faire, il faudrait que l'Union européenne accepte à l'unanimité de repousser le Brexit, qu'un référendum soit organisé rapidement (à supposer qu'un référendum soit jugé politiquement nécessaire, comme cela paraît probable), et que les électeurs votent pour le Remain. Rien de tout cela n'est certain, pour ne pas dire plus, et la probabilité la plus sûre est donc que le Royaume-Uni quittera bien l'Union européenne le 29 mars 2019. Mais je peux évidemment me tromper !

Malheureusement pour les partisans du Remain, l'option B pourrait tout aussi plausiblement conduire au Brexit le plus dur : si le gouvernement ne demande pas à ce stade que le Brexit soit repoussé et si les vingt-sept autres États membres de l'Union européenne ne l'acceptent pas à l'unanimité, le Royaume-Uni sortira automatiquement de l'Union le 29 mars 2019 sans aucun accord. Si la demande de prolongation n'est faite que pour donner plus de temps au Royaume-Uni afin de négocier un meilleur accord (c'est-à-dire de son point de vue), alors l'Union européenne pourrait bien rejeter la demande. La seule prédiction un tant soit peu viable que l'on puisse faire, ce me semble, c'est que si la Chambre des communes rejette l'accord final, il y aura une crise politique majeure au Royaume-Uni. (On remarquera que plusieurs de nos futurs possibles supposent une crise de cette nature. Il est difficile en effet de voir comment elle pourrait être évitée.)

Il est possible également que la Chambre des communes vote en faveur de l'accord, peut-être parce que les partisans du Brexit commenceront au dernier moment à s'inquiéter des conséquences d'une sortie de l'Union sans accord (ou parce qu'ils commenceront à craindre la possibilité que le rejet d'un accord puisse conduire à une remise en cause du Brexit). Dans ce cas, le Royaume-Uni quitterait l'Union européenne le 29 mars 2019 conformément aux règles et avec un accord de retrait, à supposer bien sûr que celui-ci ait été ratifié par les parlements nationaux des vingt-sept autres États membres de l'Union et par le Parlement européen (option C). La période de transition commencerait automatiquement et tout resterait plus ou moins comme aujourd'hui, jusqu'à la fin 2020, vingt et un mois plus tard. En théorie, le Royaume-Uni ferait alors sa transition vers le cadre de relations futures sur lequel on se serait mis d'accord (option D). Cependant, rares sont les experts qui pensent que vingt et un mois sont un délai suffisant pour se mettre d'accord sur un nouvel accord complexe et pour le faire ratifier par les parlements du Royaume-Uni et de l'Union. Il semble raisonnable de penser que *si* un accord est conclu dans ce délai, il relèvera plus du prêt-à-porter que du sur-mesure, ce qui va dans le sens : soit 1) d'un accord de libre-échange pur et simple, sans droits de douane ; soit 2) d'une union douanière ; soit 3) d'un maintien dans le marché unique ; soit encore d'une combinaison de 3 avec 1 ou 2. Si un accord n'était pas conclu dans ce délai, la question serait de savoir s'il faudrait ou non prolonger la période de transition (à supposer que cela soit juridiquement possible, ce qui n'est pas très clair). Si l'Union européenne refusait, alors le Royaume-Uni devrait du jour au lendemain devoir commercer avec l'Union sans aucun accord de libre-échange, ou dans le cadre de ce que les partisans du Brexit appellent les « conditions de l'OMC ». En vertu des règles de l'OMC contre la discrimination, les deux parties seraient obligées de prélever des droits de douane sur leurs importations réciproques, ce qui provoquerait là encore de graves perturbations économiques. Si la période de transition était prolongée, ce qui est tout sauf certain, alors les négociations pourraient continuer, mais il resterait encore à voir quel en serait l'impact sur le système politique britannique.

Bien sûr, il existe encore devant nous des scénarios possibles, et celui qui est le plus probable est sans doute celui auquel je n'ai pas encore songé. Que deviendront les actuels accords commerciaux du Royaume-Uni (et conclus *via* l'Union européenne) avec des pays n'appartenant pas à celle-ci ? Michel Barnier réussira-t-il à dédramatiser les contrôles dans les ports nord-irlandais ? Les industriels du Royaume-Uni pourront-ils faire comprendre au parti conservateur à quel point il est important pour ce pays de rester dans le marché unique et dans une union douanière avec l'Union européenne ? Ou le Royaume-Uni va-t-il accepter la clause de sauvegarde pour l'Irlande du Nord, sortir de l'Union avec un accord de retrait en poche, puis refuser d'appliquer la clause de sauvegarde ? Et que se passerait-il dans ce cas ? Le Royaume-Uni pourrait-il sortir de l'Union puis décider qu'il a fait une erreur et, si oui, combien de temps pourrait prendre ce processus d'apprentissage ?

Enfin, des questions peut-être encore plus sensibles pourraient se poser, comme celles-ci, par exemple : le Brexit et les mouvements populistes, alimentés par la Russie sur le continent, vont-ils affaiblir l'Europe à un tournant périlleux de son histoire ? ou le départ d'un membre récalcitrant permettra-t-il plus facilement à l'Union européenne d'approfondir la coopération politique, économique et sécuritaire entre ses membres restants ? D'une manière ou d'une autre, le Brexit sera probablement une leçon civique très intéressante mais aussi très coûteuse pour les peuples de Grande-Bretagne, d'Irlande et du reste de l'Europe.

Liste des sigles et acronymes

AELE : Association européenne de libre-échange
AIFTA : Accord de libre-échange anglo-irlandais
Alena : Accord de libre-échange nord-américain
CE : Communautés européennes (*i.e.* la CECA, la CEE et la CEEA)
CECA : Communauté européenne du charbon et de l'acier
CED : Communauté européenne de défense
CEE : Communauté économique européenne
CEEA ou Euratom : Communauté européenne de l'énergie atomique
CPE : Communauté politique européenne
DUP : Parti unioniste démocratique
EEE : espace économique européen
FED : Fonds européen de développement
Feder : Fonds européen de développement régional
FMI : Fonds monétaire international
GATT : Accord général sur le commerce et les tarifs douaniers
IDA : Industrial Development Authority (irlandaise)
IRA : Armée républicaine irlandaise (peut signifier soit l'IRA de la guerre d'indépendance, soit l'IRA des « troubles »)
MCE : mécanisme de taux de change européen
OECE : Organisation européenne de coopération économique

OCDE : Organisation de coopération et de développement économiques
OMC : Organisation mondiale du commerce
OPEP : Organisation des pays exportateurs de pétrole
OTAN : Organisation du traité de l'Atlantique nord
PPE : Parti populaire européen
PAC : politique agricole commune
PIB : produit intérieur brut
PNB : produit national brut
RDA : République démocratique allemande
RFA : République fédérale d'Allemagne
TVA : taxe sur la valeur ajoutée
UE : Union européenne
UEO : Union de l'Europe occidentale
UKIP : Parti de l'indépendance du Royaume-Uni
UME : Union monétaire européenne
VIES : Système d'échange d'informations sur la TVA

Notes

Introduction

1. Grob-Fitzgibbon (2016), p. 271.
2. D'un autre côté, je suis aussi économiste de profession : en tant que keynésien modéré, je n'ai jamais été un partisan particulièrement fervent de l'Union monétaire européenne sous sa forme actuelle. Mais l'UME n'est pas le sujet de ce livre.

CHAPITRE 1
Les origines de l'Europe supranationale

1. https://www.gov.uk/government/speeches/pms-florence-speech-a-new-era-of-cooperation-and-partnership-between-the-uk-and-the-eu.
2. Le texte du traité peut être consulté sur : https://www.nafta-sec-alena.org/Accueil/Textes-de-laccord/Accord-de-libre-échange-nord-américain.
3. La référence classique reste Jones (2003). Pour une analyse plus récente, voir Hoffman (2015).
4. Boxer (1975), p. 52-53.
5. Broadberry et Harrison (2005), p. 27 ; Urlanis (1971), p. 295.
6. Les États-Unis perdirent plus de 100 000 soldats pendant la Première Guerre mondiale, et près de 300 000 pendant la Seconde (voir les notes précédentes pour les sources).
7. http://discours.vie-publique.fr/notices/173002294.html.
8. https://www.gouvernement.fr/partage/9722-commemoration-de-l-armistice-clairiere-de-rethondes.
9. « *My Tory Colleagues Have Actively Whitewashed Remembrance Sunday to Fuel Their Dreams of a Hard Brexit* » [« Mes collègues tories ont activement étouffé le Dimanche du Souvenir pour alimenter leurs rêves d'un Brexit dur »], *The Independent*, vendredi 3 novembre 2017.

10. Headrick (1981), p. 3.
11. Dans certaines régions du monde, le processus démarra étonnamment tôt. Pour une analyse récente du phénomène, voir O'Rourke et Williamson (2017).
12. Ce le fut pour certains, comme nous le verrons dans le chapitre suivant.
13. *Journal officiel de la République française*, 6 juillet 1957, p. 3305.
14. Huberman (2012).
15. Simms (2017), p. 164.
16. Milward (2000).
17. D'après Eichengreen (2007), le compromis prévoyait une hausse modérée des salaires des ouvriers, afin d'augmenter les profits, et demandait aux capitalistes d'investir ces profits dans des emplois nouveaux et meilleurs, plutôt que de verser des dividendes aux actionnaires.
18. Milward (2000), p. 18.
19. La thèse des paragraphes qui suivent est empruntée à Milward (2000), p. 186-190.
20. Articles 119 et 120. Le texte du traité peut être consulté sur : https://eur-lex.europa.eu/legal-content/FR/TXT/PDF/?uri=CELEX:11957E/TXT&from=FRl.
21. Milward (2000), p. 190.
22. Tracy (1989), chapitre 11.
23. *Ibid.*, p. 219.

CHAPITRE 2

L'héritage du XIXe siècle

1. Simms (2017), p. xiv.
2. O'Rourke (1997), p. 791.
3. Les chiffres viennent de la banque de données de la Banque d'Angleterre, « Un millénaire de données macroéconomiques », consultable sur : https://www.bankofengland.co.uk/statistics/research-datasets.
4. Clark *et al.* (2014) montrent, en utilisant les méthodes de l'équilibre général calculable, que l'impact des échanges sur la guerre économique britannique fut d'une bien plus grande ampleur dans les années 1850 que dans les années 1760.
5. Offer (1989), Lambert (2012). Pour une exploration théorique récente de certains des enjeux impliqués, voir Bonfatti et O'Rourke (2018).
6. Irwin (1989). La référence classique sur l'abolition des *Corn Laws* est l'excellent ouvrage de Schonhardt Bailey (2006).
7. Chamberlain (1885).
8. Loughlin (1992), p. 212.
9. *Ibid.*, p. 214.
10. Cité dans Evans (2017).
11. « The True Conception of Empire » (1897), où Joseph Chamberlain disait aussi : « Nul doute, en premier lieu, que, quand ces conquêtes ont été faites, le sang fut répandu, des vies furent perdues dans les populations indigènes, des vies encore plus précieuses furent perdues parmi ceux qui avaient été envoyés dans ces contrées pour y mettre de l'ordre et de la discipline, mais il faut se rappeler que telle est la condition de la mission qu'il nous faut remplir… On ne peut

pas faire d'omelette sans casser des œufs, on ne peut pas détruire des pratiques barbares, l'esclavage, la superstition, qui ont affligé pendant des siècles l'intérieur de l'Afrique, sans faire usage de la force. »
12. Chamberlain (1903), p. 7.
13. *Ibid.*, p. 18.
14. *Ibid.*, p. ix.
15. Offer (1989), p. 402. Le discours du 15 mai était lui-même prudent : il ne demandait qu'un débat public sur la question, mais les préférences de Chamberlain étaient claires.
16. Cette dernière affirmation n'est pas tout à fait exacte. Même après l'adoption du libre-échange, le Royaume-Uni continua d'appliquer des droits de douane sur des produits soumis à un impôt indirect (en particulier l'alcool) ou qui n'y étaient pas produits du tout (le thé et le tabac), et cela dans le cadre d'une politique de soutien des revenus. Le vin français importé en Grande-Bretagne était donc soumis à des droits de douane. Mais il n'y avait pas dans le pays de grand secteur viticole susceptible de tirer profit de cette protection, et les producteurs britanniques de bière, de whisky et de whiskey étaient soumis à des droits d'accise équivalents. Pour Irwin (1993), les droits de douane britanniques de cette période étaient « l'extension naturelle des droits d'accise intérieurs aux produits étrangers » (p. 147). Il est juste de rappeler que John Nye (1991, 1993) n'est pas du tout d'accord avec cette thèse.
17. Dangerfield (1966), p. 22.
18. Sykes (1979), p. 40.
19. Sykes (1979), p. 35.
20. Coats (1968), p. 184.
21. Sykes (1979), p. 285.
22. Offer (1989), Broadbery et Harrison (2005). L'idée que la victoire des Alliés dans la Première Guerre mondiale s'explique largement par des facteurs économiques est parfaitement résumée sur : https://voxeu.org/article/world-war-i-why-allies-won.
23. https://www.foundingdocs.gov.au/resources/transcripts/cth11_doc_1926.pdf, p. 2.
24. Hansard, séance aux Communes du mardi 4 février 1932.
25. De Bromhead *et al.* (2018).
26. Condliffe (1941), p. 287.
27. https://fr.wikipedia.org/wiki/Charte_de_l%27Atlantique ; la version originale est consultable sur : https://www.wto.org/english/thewto_e/history_e/tradewar-darkhour41_e.htm.
28. https://www.wto.org/french/docs_f/legal_f/gatt47.pdf.
29. *Ibid.*

CHAPITRE 3
Le chemin de Rome

1. Grob-Fitzgibbon (2016), p. 8.
2. *Ibid.*, p. 18.
3. *Ibid.*, p. 39.

4. *Ibid.*, p. 71.
5. J'adore rappeler cela devant des groupes d'étudiants internationaux, car cela agace à la fois les Britanniques et les Français, quoique pour des raisons différentes.
6. L'OECE n'est devenue l'OCDE qu'en 1961, et le Canada et les États-Unis y entrèrent.
7. Au départ, l'Allemagne fut représentée à l'OECE par deux délégations représentant la bizone anglo-américaine et la zone d'occupation française. Il y avait donc dans la première OECE dix-huit participants, et non pas dix-sept. En 1949, les zones d'occupation britannique, française et américaine fusionnèrent pour former la République fédérale d'Allemagne (RFA), ci-après appelée « Allemagne ». En outre, la partie du Territoire libre de Trieste placée sous contrôle anglo-américain participa également à l'organisation, jusqu'à ce qu'elle fût restituée à l'Italie en 1954.
8. Urwin (1995), p. 20.
9. Grob-Fitzgibbon (2016), p. 68.
10. Le dollar était convertible, mais personne n'en possédait assez.
11. La référence classique sur l'Union européenne des paiements est Eichengreen (1993).
12. Le texte du traité est accessible sur le site de l'Union de l'Europe occidentale, www.weu.int. Contrairement au traité de Dunkerque, qui avait été signé par le Royaume-Uni et la France seulement six mois plus tôt, le traité de Bruxelles ne désignait pas l'Allemagne comme le seul agresseur potentiel, même si elle était qualifiée d'agresseur possible.
13. Je reconnais que le titre de ce chapitre et de cette sous-partie est devenu un cliché, mais je le reprends en hommage à mon parrain Joe, dont le premier présent qu'il fit à sa future femme Pauline était un exemplaire du livre de Belloc.
14. Grob-Fitzgibbon (2016), p. 125-129.
15. *Ibid.*, p. 129.
16. *Ibid.*, p. 144.
17. Voir notamment Gillingham (1995).
18. Eichengreen et Boltho (2010).
19. Gillingham (1995).
20. Grob-Fitzgibbon (2016), p. 169-172.
21. Milward (2000), p. 151-171.
22. Camps (1964), chapitre II.
23. *Ibid.*, p. 39.
24. *Ibid.*, p. 41.
25. Kaiser (1996), p. 48-49 ; Schaad (1998), p. 44-45.
26. Kaiser (1996), p. 91-92.
27. https://eur-lex.europa.eu/legal-content/FR/TXT/PDF/?uri=CELEX:11957E/TXT&from=EN.

CHAPITRE 4

Le Brentry

1. Bromund (2001), p. 77.
2. Grob-Fitzgibbon (2016), p. 210-212.
3. *Ibid.*
4. Cité *in* Bromund (2001), p. 81.
5. Voir Kaiser (1996) ; Moravcsik (1998) ; Schaad (1998) ; Ellison (2000).
6. Camps (1964), p. 102.
7. Lynch (2000) ; Warlouzet (2008).
8. Kaiser (1996) ; Ellison (2000) ; Camps (1964).
9. Comme nous l'avons vu dans le précédent chapitre, « les » Communautés européennes regroupèrent, à partir de 1967, la CECA, la CEE et Euratom. En revanche, la CEE est devenue « la » Communauté européenne en 1993 avec l'entrée en vigueur du traité de Maastricht.
10. La Finlande participa elle aussi aux discussions. Mais elle ne devint pas membre de l'OECE et dut se contenter, en raison de sa relation avec l'Union soviétique, d'être, à partir de 1961, membre associé de l'AELE.
11. Kaiser (1996), p. 101-107.
12. Urwin (1995), p. 117-120.
13. Camps (1964) ; Kaiser (1996).
14. Camps (1964), p. 336.
15. Grob-Fitzgibbon (2016), p. 271, 285.
16. Grob-Fitzgibbon (2016), p. 290.
17. Grob-Fitzgibbon (2016), p. 288.
18. Moravcsik (1998, 2000a, 2000b).
19. Les quatre pays avaient fait acte de candidature en 1967 et essuyé à nouveau le veto de De Gaulle. Cette fois, cependant, leurs candidatures ne furent pas retirées mais restèrent seulement en sommeil.
20. Rae *et al.* (2006).
21. Et c'est pourquoi ma famille et moi-même (âgé de 10 ans) ne déménageâmes pas à Oslo, où une ambassade irlandaise aurait été ouverte si le vote avait penché dans l'autre sens, mais à Bruxelles, où nous arrivâmes – ce n'est pas une farce – le 1er avril 1973.
22. Selon les mots du comité exécutif national du parti travailliste, en 1962 ; voir Grob-Fitzgibbon (2016), p. 293. Non seulement l'Europe était moins multiraciale que le Commonwealth, mais elle était aussi largement catholique, et les responsables travaillistes britanniques pouvaient être aussi sensibles à l'anticatholicisme ambiant de l'époque que leurs compatriotes conservateurs. Ernest Bevin, que nous avons déjà croisé, partageait ce préjugé, comme son adjoint au Foreign Office, Kenneth Younger. Tout en voyant d'un bon œil le plan Schuman, Younger craignait qu'il ne soit qu'une « étape dans la consolidation de l'“internationale noire” catholique, dont j'ai toujours pensé qu'elle constituait un puissant moteur caché du Conseil de l'Europe » (Young, [1999], p. 50-51). Pour être juste avec

Younger, il n'est certainement pas indifférent que des démocrates-chrétiens aient été alors au pouvoir, entre 1950 et 1952, dans les six États membres fondateurs. Ce réseau transnational « remplissait de multiples fonctions, à commencer par créer de la confiance, discuter de diverses politiques, notamment en matière d'intégration européenne, marginaliser la contestation au sein des partis nationaux, intégrer de nouveaux membres dans le consensus politique existant, coordonner la décision politique des gouvernements et faciliter, au Parlement, la ratification des traités d'intégration. Ces fonctions, entre autres, tinrent lieu de garanties cruciales pour l'exercice de ce que certains politologues ont appelé le leadership entrepreneurial de responsables politiques comme Robert Schuman et Konrad Adenauer, par exemple ; cela permit de limiter pour eux, de façon décisive, les risques intérieurs et de faciliter des choix politiques parfois extrêmement controversés ». Ces choix reflétaient à leur tour le projet commun aux élites de la classe moyenne catholique « de créer une Europe intégrée fondée sur un curieux mélange d'idées confessionnelles traditionnelles, d'anticommunisme, de culture occidentale et d'idées économiques libérales » (Kaiser [2007], p. 9-10).

23. Young (1999), p. 292.
24. *Ibid.*, p. 240.
25. Saunders (2018), p. 306.
26. *Ibid.*, p. 123-124.

CHAPITRE 5
Le programme du marché unique

1. Eichengreen (2007).
2. L'ouvrage de référence sur la stagflation reste sans doute Bruno et Sachs (1985).
3. Eichengreen (2007) ; Crafts et O'Rourke (2014).
4. Les chiffres sont calculés à partir des données du PIB, inflation déduite, fournies par la Banque mondiale dans ses *Indicateurs de développement mondial.*
5. Young (1999), p. 307-308.
6. Margaret Thatcher ne prononça pas tout à fait cette phrase ; mais lors de la conférence de presse qui suivit le Conseil, elle n'en fut pas loin. Voir https://www.margaretthatcher.org/document/104180.
7. Le Livre blanc est accessible en ligne sur : https://www.cvce.eu/obj/livre_blanc_sur_l_achevement_du_marche_interieur_14_juin_1985-fr-0d72b347-b235-4c9d-bb71-ba38824f5d49.html.
8. Emerson *et al.* (1988).
9. Au moment de la publication du Livre blanc, en 1985, il y avait dix États membres. L'Espagne et le Portugal rejoignirent les Communautés européennes le 1er janvier 1986, portant le nombre de membres à douze.
10. La décision de la Cour de justice européenne est disponible sur : http://curia.europa.eu/juris/showPdf.jsf?text=&docid=90055&pageIndex=0&doclang=FR&mode=lst&dir=&occ=first&part=1&cid=324972%7CTexte.
11. Le texte de l'Acte unique européen est disponible sur : https://eur-lex.europa.eu/legal-content/FR/TXT/PDF/?uri=CELEX:11986U/TXT&from=FR.

12. Le taux initial (TTC) était de 16,5 %. L'Allemand en question était Wihelm von Siemens, et l'Américain, Thomas Adams ; mais c'est le Français Maurice Lauré qui est appelé le « père de la TVA ». D'après d'autres définitions de la TVA, la première TVA apparut en France en 1948. Voir Södersten (2000) et Ebrill *et al.* (2001), dont je me suis largement inspiré.
13. Au moment où sont écrites ces lignes, la Commission européenne propose une taxe sur le chiffre d'affaires pour les entreprises de services numériques dépassant une certaine taille.
14. C'est ainsi que fonctionne en théorie la taxe sur les ventes au détail. En pratique, ce genre de taxe finit souvent par être payé par les entreprises, comme je le précise plus loin.
15. En supposant ici, par souci de simplicité, que le consommateur ne réagisse pas au prix plus élevé de la bière en réduisant sa consommation. S'il le faisait, cela nuirait évidemment aux ventes des trois entreprises ; et si l'on songe, plus généralement, à la multitude d'ajustements qui peuvent se faire dans l'ensemble de l'économie, cela pourrait faire baisser les prix que chacune recevrait pour son output.
16. Ring (1989).
17. Article III.
18. Article XVI.
19. La discussion qui suit s'inspire de Keen et Smith (1996) et Crawford *et al.* (2010), et du commentaire de Cnossen sur Crawford *et al.*, dans le même volume.
20. Malheureusement, le retard entre le moment où se fait le remboursement de TVA sur le bien exporté et celui où se fait le paiement de la TVA sur le bien importé ouvre de très profitables possibilités de fraude. En 2017, la Commission européenne estimait que la « fraude carrousel » coûtait au contribuable européen, chaque année, 50 milliards d'euros. Cela se fait en créant des entreprises fictives dans le seul but d'importer des produits provenant d'un complice dans un pays exportateur (qui récupère la TVA à l'export auprès du fisc) ; quand le moment vient de payer la TVA à l'importation, les entreprises ont disparu. Les biens peuvent finalement être réexportés dans le pays d'origine (et peut-être vers l'entreprise d'origine), avec encaissement de la TVA à l'exportation. Puis le « carrousel » peut redémarrer. Voir par exemple Crawford *et al.* (2010).
21. Le texte est disponible sur : https://eur-lex.europa.eu/legal-content/FR/TXT/DF/?uri=CELEX:11986U/TXT&from=EN.
22. Article 18.2.
23. Young (1999), p. 338.

CHAPITRE 6
L'Irlande, l'Europe et l'accord du Vendredi saint

1. À moins de considérer l'abréviation « U.K. » (R.-U.) comme une épithète.
2. *Politics and the English Language*, 1946. Largement disponible en ligne, par exemple sur https://biblio.wiki/wiki/Politics_and_the_English_Language.
3. Shipman (2017).

4. Ce qui permet d'expliquer la présence de collèges irlandais dans un grand nombre de villes européennes, y compris à Paris, dont la fonction était d'éduquer les catholiques irlandais. Le collège parisien, rue des Irlandais, est aujourd'hui le Centre culturel irlandais.
5. En 1913, les milices formaient l'Ulster Volunteer Force (UVF).
6. La nouvelle appellation des Irish Volunteers.
7. On trouvera un fac-similé du traité sur : http://treaty.nationalarchives.ie/document-gallery/anglo-irish-treaty-6-december-1921/.
8. *The Northern Ireland Census 1991, Religion Report*, disponible sur : http://www.nisra.gov.uk/archive/census/1991/religion-report.pdf. Une autre possibilité aurait été de ne choisir que quatre comtés de l'Ulster à majorité protestante, ou encore de choisir la totalité de l'Ulster. La solution finalement choisie a eu pour résultat de constituer en Irlande du Nord une minorité catholique substantielle, et dans l'État libre d'Irlande une petite minorité protestante.
9. Leary (2016), p. 123.
10. La déclaration est venue de façon inattendue pendant une visite officielle au Canada du Taoiseach irlandais, John A. Costello, et il y a eu bien des spéculations, au fil des années, sur ce qui l'avait motivée. Quand j'étais étudiant à Harvard, dans les années 1980, l'éminent John Kelleher, professeur d'études irlandaises, me donna l'explication en vigueur à Cambridge (Massachusetts). Costello s'était rendu à Harvard avant d'aller au Canada, et on lui avait montré la collection de livres irlandais de la Widener Library. Malheureusement, le système de catalogage particulier utilisé là-bas rangeait (et, à ma connaissance, range encore) les livres sur l'histoire irlandaise sous l'étiquette « Br », pour « Britain ». Les bibliothécaires comprirent que cela pouvait être pris pour une provocation et confièrent à un ouvrier le soin de fabriquer pour l'occasion une étiquette « Ir ». Mais il n'eut que le temps de la clouer sur les étagères pendant la visite du Taoiseach, et offense il y eut. Le reste, d'après Kelleher, appartient à l'histoire.
11. On trouvera cette législation sur http://www.legislation.gov.uk/ukpga/Geo6/12-13-14/41/enacted.
12. Pour un récit passionnant de ces « guerres des mots », voir Mary Daly, « Ireland : The politics of nomenclature », disponible sur : http://www.these-islands.co.uk/publications/i279/ireland_the_politics_of_nomenclature.aspx.
13. On observe une segmentation par profession, qui fut un moteur puissant d'inégalité : jusqu'en 1992, 5 % seulement du personnel de Harland and Wolff, le célèbre chantier naval, était catholique (http://news.bbc.co.uk/1/hi/northern_ireland/2861269.stm). S'il existe peu de bonnes études empiriques sur la discrimination en tant que telle, les récits de discrimination en matière d'embauche et de promotion ne manquent pas.
14. Basé sur le tableau 8 des « Religion Tables » du *Northern Ireland Census 1991*, disponible sur https://www.nisra.gov.uk/sites/nisra.gov.uk/files/publications/1971-census-religion-tables.PDF.
15. Pašeta (2003), p. 110.
16. Tous les chiffres sont calculés à partir du *Sutton Index of Deaths* ; les tabulations croisées sont consultables sur http://cain.ulst.ac.uk/sutton/crosstabs.html.
17. https://www.insee.fr/fr/statistiques/serie/000067671.

18. Le texte de l'accord est disponible sur http://cain.ulst.ac.uk/events/sunningdale/agreement.htm.
19. Les citations sont empruntées à un rapport de cette commission, disponible sur https://publications.parliament.uk/pa/ld201617/ldselect/ldeucom/76/7607.htm.
20. Le ministre en question était Paddy Hillery.
21. Il y avait déjà eu un accord, en 1985, qui donnait au gouvernement de l'Irlande un rôle consultatif en Irlande du Nord, tout en reconnaissant que l'unité irlandaise ne pourrait se faire qu'avec le consentement de la population nord-irlandaise. Il promouvait aussi la coopération transfrontalière dans plusieurs domaines, dont celui de la sécurité. Le texte de l'accord anglo-irlandais est disponible sur : https://www.dfa.ie/media/dfa/alldfawebsitemedia/treatyseries/uploads/documents/treaties/docs/198502.pdf.
22. On rappellera que le Sinn Féin fut aussi le nom du parti qui remporta une victoire éclatante à l'élection générale de 1918 et qui réalisa ensuite l'indépendance. Les dirigeants du Sinn Féin qui acceptèrent le traité créèrent le Cumann na nGaedheal, qui fusionna plus tard avec d'autres groupes plus petits pour former Fine Gael, le parti actuellement (septembre 2018) au pouvoir en Irlande. Ceux qui ne l'acceptèrent pas, mais qui finirent par entrer dans le Dáil Éireann dans les années 1920, sous Éamon de Valera, formèrent, comme nous l'avons vu, le parti Fianna Fáil.
23. Le texte de l'accord du Vendredi saint est disponible sur http://cain.ulst.ac.uk/events/peace/docs/agreement.htm.
24. Je me sers ici de la « Classification 1 » du recensement, et j'exclus les personnes qui déclarèrent avoir en totalité ou en partie une autre nationalité de l'Union européenne (autre que britannique ou irlandaise). Les données sont disponibles sur http://www.ninis2.nisra.gov.uk/Download/Census%202011_Winzip/2011/DC2238NI%20(a).ZIP.
25. En revanche, 2 % seulement des protestants se définirent comme « seulement irlandais », et 16 % comme « seulement nord-irlandais ». La part de protestants se définissant comme irlandais diminua pendant les « troubles » : comme on pouvait s'y attendre, les violences conduisirent à un durcissement des attitudes, rendant un règlement politique d'autant plus difficile. 55 % des catholiques se définirent comme « seulement irlandais ».
26. http://data.parliament.uk/writtenevidence/committeeevidence.svc/evidencedocument/european-union-committee/brexit-ukirish-relations/oral/42544.html.
27. https://publications.parliament.uk/pa/ld201617/ldselect/ldeucom/76/7607.htm#_idTextAnchor069.
28. https://www.bbc.co.uk/news/uk-northern-ireland-42412972.

CHAPITRE 7

L'Europe et le miracle économique irlandais

1. Ce chapitre est, en grande partie, une version abrégée d'O'Rourke (2017), texte qui était lui-même une version révisée d'une conférence donnée le 11 novembre 2016 à la NUIG National Conference, intitulée : « 1916-2016 : The Promise and

Challenge of National Sovereignty » [« 1916-2016 : la promesse et le problème de la souveraineté nationale »].
2. Les données sont disponibles sur www.cso.ie, Key Table E2001.
3. Pour une discussion similaire, voir Ó Gráda (1997), p. 2-4.
4. Neary et Ó Gráda (1991) ; O'Rourke (1991).
5. Ó Gráda (1997), p. 21-25.
6. O'Rourke (2017) examine aussi les crises répétées de l'équilibre des paiements, dans cette même période, un problème que l'Irlande partageait avec le Royaume-Uni et d'autres anciennes colonies britanniques.
7. À la lumière de controverses récentes, il est intéressant de noter que cette crainte est apparue très tôt sur les écrans de radar des gouvernements étrangers : il pouvait y avoir une brèche dans l'interdiction édictée par l'OECE sur les aides artificielles aux exportateurs. L'OECE approuva cependant l'initiative, car elle lui semblait indiquer une ouverture vers l'extérieur de la part du gouvernement irlandais (Barry et O'Mahony [2016]).
8. De la Escosura et Sanz (1996), p. 369-370.
9. Costa *et al.* (2016), p. 308-309.
10. Paavonen (2004).
11. Freris (1986), p. 201-202.
12. *Ibid.*, p. 171-172.
13. Kopsidis et Ivanov (2017), p. 108.
14. Ferreira da Silva (2016). Selon ce même auteur, en 1961, les investissements entrants furent aussi élevés que l'ensemble des investissements entrants pendant toutes les années 1950.
15. Barry et Bradley (1997), p. 1809.
16. Rappelons que l'AELE ne visait pas seulement à démanteler les droits de douane industriels entre ses membres, mais aussi à négocier des réductions des droits de douane vis-à-vis de la CEE.
17. Date à partir de la quelle on a pu disposer d'estimations fiables du PIB pour le pays de Galles et l'Écosse.
18. Voir le chapitre 5 et Ó Gráda et O'Rourke (1996).
19. Campos *et al.* (2014).
20. Katzenstein (1985).
21. Ó Gráda et O'Rourke (2000).

CHAPITRE 8

Le Brexit

1. Young (1999), p. 483.
2. Le discours est disponible sur https://www.margaretthatcher.org/document/113686.
3. Young (1999), p. 479.
4. Grob-Fitzgibbon (2016), p. 438-439.
5. Le discours lui-même, et la remarquable série de documents qui l'accompagnent, est disponible sur https://www.margaretthatcher.org/archive/Bruges.asp.

6. Young (1999), p. 423.
7. Grob-Fitzgibbon (2016), p. 451.
8. Grob-Fitzgibbon (2016), p. 453 ; https://www.nybooks.com/articles/1990/09/27/the-chequers-affair/.
9. Sans doute une référence aux commissaires de la Commission européenne.
10. Cité dans Seldon et Collings (2000).
11. Young (1999), p. 362.
12. https://www.margaretthatcher.org/document/108234.
13. http://www.britpolitics.co.uk/speeches-sir-geoffrey-howe-resignation.
14. http://news.bbc.co.uk/2/hi/uk_news/politics/1701003.stm.
15. Young (1999), p. 433.
16. Si j'ai mis le mot « victoire » entre guillemets, c'est pour souligner que la classe politique et les médias britanniques ont depuis toujours parlé des négociations avec l'Union européenne en termes de victoire et de défaite, et non pas de compromis et d'avantages mutuels.
17. L'origine de ces chiffres est obscure. Pour certains, les 3 % seraient, comme la TVA, un don de la France au monde. Voir https://www.latribune.fr/opinions/tribunes/20101001trib000554871/a-l-origine-du-deficit-a-3-du-pib-une-invention-100-francaise.html.
18. C'est la raison pour laquelle 38 citoyens irlandais et moi-même avons pu nous présenter aux élections municipales en France en 2014. À noter qu'il y eut aussi 389 candidats britanniques. Voir : http://www.lefigaro.fr/politique/le-scan/decryptages/2014/03/19/25003-20140319ARTFIG00358-d-o-viennent-les-candidats-etrangers-aux-municipales.php.
19. Young (1999), p. 369.
20. Les deux affirmations sur les années Clinton sont également vraies.
21. https://www.bbc.co.uk/news/uk-politics-37550629.
22. Shipman (2017), p. 6.
23. Kenny et Pearce (2018).
24. *Ibid.*, p. 131, 145.
25. Shipman (2017), p. 7.
26. *Ibid.*, p. 8.
27. La déclaration de Jacques Delors est disponible sur : http://tinyurl.com/ybhalvop. Les citations figurent p. 35.
28. Gstöhl (1994).
29. Shipman (2017), p. 15.
30. Disponible sur http://www.consilium.europa.eu/media/21787/0216-euco-conclusions.pdf.
31. Shipman (2017), p. 588-589.
32. Bien que je sois membre de la commission sur le Royaume-Uni et le marché unique du Centre for European Reform, j'ai refusé de signer une lettre destinée à la presse sur ce que le Royaume-Uni devait faire, ainsi que d'autres initiatives de ce genre, et ce pour deux raisons. D'abord, je ne suis pas britannique et je sais, en tant qu'Irlandais, combien il est agaçant de voir des étrangers vous dire ce qu'il faut faire dans des moments comme ceux-ci. Ensuite, il ne m'a pas

semblé que les lettres de ces économistes soient particulièrement utiles. Sur ce point, au moins, je crois avoir eu (malheureusement) raison.

33. La déclaration a provoqué une forte hausse de la livre britannique, suivie d'une chute encore plus forte, ce qui a permis à d'heureux investisseurs de gagner beaucoup d'argent (Shipman [2017], p. 432-434).

CHAPITRE 9

Expliquer le Brexit

1. Voir le « Vade Mecum » de la Commission européenne sur le Pacte de stabilité et de croissance, disponible sur https://ec.europa.eu/info/sites/info/files/file_import/ip021_en_2.pdf, ou le Protocole 15 du traité sur le fonctionnement de l'Union européenne (TFUE), disponible sur https://eur-lex.europa.eu/legal-content/EN/XT/PDF/?uri=CELEX:12012E/TXT&from=EN. La Commission surveille les finances publiques du Royaume-Uni et émet, si elle le juge nécessaire, des recommandations. Mais le Royaume-Uni n'est pas juridiquement tenu de s'y plier comme le sont les autres États membres : il doit seulement « s'efforcer » d'éviter des déficits excessifs ; les autres le « doivent » (article 26.1).
2. Eichegreen et O'Rourke (2009).
3. http://dealbook.blogs.nytimes.com/2007/01/27/lies-fallacies-and-truths/.
4. L'intégration européenne dont il est question dans ce livre est un phénomène non pas mondial mais régional, et même les efforts de libéralisation du GATT ont été pendant des années l'affaire principalement des pays riches. Dans les années 1960, de nouveaux pays indépendants se sont souvent tournés vers l'intérieur, ont érigé des barrières douanières et essayé de développer une industrie. À partir des années 1980, cependant, un nombre de plus en plus nombreux de pays en voie de développement ont tourné le dos à cette stratégie et commencé à libéraliser le commerce.
5. O'Rourke et Williamson (1999), p. 286-287.
6. Le salaire médian n'était, en 2016, que de 6,3 % supérieur à son niveau de 1973, l'année où cette donnée fut pour la première fois disponible. Voir Economic Policy Institute, State of Working America Data Library, disponible sur https://www.epi.org/data/#?subject=wave-avg.
7. On aurait tort, dans ce contexte, de ne pas citer ici Thomas Piketty (2013).
8. Piketty *et al.* (2016).
9. Voir http://blogs.lse.ac.uk/politicsandpolicy/real-wages-and-living-standards-the-latest-uk-evidence/.
10. Notamment Autor *et al.* (2013). Une autre article de la même série est Autor *et al.* (2016) et porte sur les conséquences politiques du commerce.
11. Brouard et Tiberi (2006).
12. Colantone et Stanig (2018), p. 201.
13. Becker *et al.* (2017).
14. *Ibid.*
15. Fetzer (2018).

16. https://dominiccummings.com/2017/01/09/on-the-referendum-21-branching-histories-of-the-2016-referendum-and-the-frogs-before-the-storm-2/.
17. Cette dernière précision est mon œuvre, non celle de Cummings ou de Shipman. Ce dernier envisage sérieusement la possibilité que Cameron ait pu obtenir une réduction plus drastique des droits des citoyens européens. J'estime que c'est extrêmement irréaliste.
18. La Gisela en question est Gisela Stuart, membre du Parti travailliste, native d'Allemagne et partisane éminente du Brexit.
19. Shipman (2017), p. 9.

CHAPITRE 10
Après le vote

1. Le discours est consultable sur : https://www.independent.co.uk/news/uk/politics/theresa-may-s-speech-to-the-conservative-party-conference-in-full-a6681901.html.
2. https://www.thetimes.co.uk/article/a-borderless-eu-harms-everyone-but-the-gangs-that-sell-false-dreams-nrqqz3hdzbb.
3. Shipman (2017), p. 21.
4. https://rs.ambafrance.org/Brexit-Declaration-du-President-de-la-Republique-Francois-Hollande-24-juin-2016.
5. Pour une introduction à ce sujet déplaisant, voir : http://www.liberation.fr/planete/2016/07/14/boris-johnson-le-boulet-diplomatique_1466219.
6. Davis a le mérite de permettre que de pareils tweets restent disponibles en ligne. Voir : https://twitter.com/DavidDavisMP/status/735770073822961664.
7. Gordon Brown, « Leaders Must Make the Case For Globalization », *Financial Times*, 17 juillet 2016.
8. Voir https://www.project-syndicate.org/commentary/british-anti-imigrant-sentiment-by-kevin-hjortshoj-o-rourke-2016-07.
9. https://www.politicshome.com/news/uk/political-parties/conservative-party/news/79517/read-full-theresa-mays-conservative.
10. Le discours est consultable sur : https://www.gov.uk/government/speeches/the-governments-negotiating-objectives-for-exiting-the-eu-pm-speech.
11. Les citations dans le texte viennent d'un document très utile préparé par le Parlement européen. Voir : http://www.europarl.europa.eu/RegData/etudes/BRIE/2017/599267/EPRS_BRI(2017)599267_EN.pdf. Pour une liste des services financiers couverts par le passeporting, voir https://www.ceps.eu/system/files/IEForum52016_3.pdf.
12. Le discours est reproduit sur : https://www.gov.uk/government/speeches/chancellors-hsbc-speech-financial-services.
13. Les faits et les citations qui suivent viennent d'un article excellent et récent paru dans le *Financial Times*, « Honda Faces the Real Cost of Brexit in a Former Spitfire Plant », 26 juin 2018, consultable sur : https://www.ft.com/content/8f46b0d4-77b6-11e8-8e67-1e1a0846c475.
14. https://www.nytimes.com/2016/11/29/world/europe/uk-brexit-european-union.html.

15. La lettre est consultable sur le remarquable site Web du Conseil européen : http://www.consilium.europa.eu/en/policies/eu-uk-after-referendum/. Elle est disponible en français sur : http://data.consilium.europa.eu/doc/document/XT-20001-2017-INIT/fr/pdf.
16. La déclaration est consultable sur : http://europa.eu/rapid/press-release_STATEMENT-16-2329_fr.htm.
17. http://jackofkent.com/2016/06/why-the-article-50-notification-is-important/.
18. http://www.consilium.europa.eu/media/20448/sn00060fr16.pdf.
19. Connelly (2018), p. 34.
20. https://www.welt.de/english-news/article161182946/Philip-Hammond-issues-threat-to-EU-partners.html. Pour être juste, il déclara qu'il pourrait le faire s'il était exclu des marchés européens après le Brexit.
21. D'abord, le nom de l'État n'est pas « Irlande du Sud » ; ensuite, la frontière n'est pas à l'intérieur du Royaume-Uni.
22. L'anecdote est racontée par Connelly (2018), p. 56, et la remarque de Davis sur la frontière peut se trouver ici : https://www.bbc.com/news/amp/uk-scotland-scotland-politics-36819182 ?.
23. Connelly (2018), p. 53.
24. Le Guiers a été reconnu comme frontière entre le Dauphiné et la Savoie par le traité de Paris de 1355. Malheureusement, ce traité ne précisait pas si le Guiers en question était le Vif ou le Mort, et cette question n'a été clarifiée qu'en 1760 par le traité de Turin. Jusqu'à cette date, la région située entre les deux Guiers fut disputée, au grand profit des contrebandiers locaux.
25. https://www.bbc.co.uk/news/uk-politics-40949424.
26. D'après le gouvernement britannique, on en comptait dix-sept en 1972 : voir son texte d'août 2017 intitulé « Northern Ireland and Ireland », sur : https://assets.publishing.service.gov.uk/government/uploads/system/uploads/attachment_data/file/638135/6.3703_DEXEU_Northern_Ireland_and_Ireland_INTERACTIVE.pdf.
27. https://www.lrb.co.uk/v39/n07/susan-mckay/diary.
28. La citation provient de l'excellent site du projet Irish Borderlands, http://www.irishborderlands.com/index.html.
29. Connelly (2018), p. 252.
30. Connelly (2018), p. 204.
31. Pour une synthèse remarquable des négociations, dont je m'inspire ici, voir Connelly (2018), chapitres 4, 9 et 14.
32. Mon article sur le sujet paru dans *The Irish Times* est consultable sur : https://www.irishtimes.com/business/economy/no-special-deal-possible-to-stop-the-return-of-border-controls-1.2981088.
33. Comme je l'avais souligné à l'époque. Voir : http://www.irisheconomy.ie/index.php/2016/10/04/what-should-ireland-be-looking-for/.
34. Les orientations de négociation du 29 avril 2017 sont consultables sur : http://www.consilium.europa.eu/media/21749/29-euco-art50-guidelines-fr.pdf.
35. Comme le rappelait Donald Tusk lors de la conférence de presse d'après sommet. Voir : http://www.consilium.europa.eu/fr/press/press-releases/2017/04/29/tusk-remarks-special-european-council-art50/.
36. Connelly (2018), p. 298.

CHAPITRE 11

La négociation

1. https://www.express.co.uk/news/uk/793561/general-election-2017-theresa-may-strengthen-britain-negotiating-hand-brexit-eu.
2. Voir le *position paper* « Essential Principles on Citizens' Rights », 12 juin 2017, consultable sur : https://ec.europa.eu/commission/sites/beta-political/files/essential-principles-citizens-rights_en_3.pdf.
3. « The United Kingdom's Exit From the European Union : Safeguarding the Position of EU Citizens Living in the UK and UK Nationals Living in the EU », 26 juin 2017, consultable sur : https://www.gov.uk/government/publications/safeguarding-the-position-of-eu-citizens-in-the-uk-and-uk-nationals-in-the-eu/the-united-kingdoms-exit-from-the-european-union-safeguarding-the-position-of-eu-citizens-living-in-the-uk-and-uk-nationals-living-in-the-eu#family-members.
4. Cette crainte s'est avérée infondée.
5. https://eur-lex.europa.eu/legal-content/FR/TXT/HTML/?uri=CELEX:32004L0038.
6. Le discours est consultable sur : https://www.gov.uk/government/speeches/pms-florence-speech-a-new-era-of-cooperation-and-partnership-between-the-uk-and-the-eu.
7. « Note technique commune sur les droits des citoyens », 8 décembre 2017, consultable sur : https://ec.europa.eu/commission/publications/joint-technical-note-expressing-detailed-consensus-uk-and-eu-positions-respect-citizens-rights_fr.
8. Communication de la Commission au Conseil européen (article 50), 8 décembre 2017, consultable sur : https://ec.europa.eu/transparency/regdoc/rep/1/2017/FR/COM-2017-784-F1-FR-MAIN-PART-1.PDF.
9. « Heading into Troubled Waters », *Financial Times*, 13 octobre 2017, consultable sur : https://www.ft.com/content/c3f464ac-b006-11e7-beba-5521c713abf4.
10. « "Now They Have to Pay" : Juncker Says UK Stance on Brexit Bill Untenable », *The Guardian*, 13 octobre 2017, consultable sur : https://www.theguardian.com/politics/2017/oct/13/brexit-wrangle-over-citizens-rights-is-nonsense-says-juncker.
11. « UK Bows to EU Demands With Breakthrough Offer on Brexit Bill », *Financial Times*, 29 novembre 2017, consultable sur : https://www.ft.com/content/cabf22e2-d462-11e7-8c9a-d9c0a5c8d5c9.
12. C'est assurément comme cela que je voyais les choses en juillet 2017. Voir : http://www.irisheconomy.ie/index.php/2017/07/30/using-ireland. Par ailleurs, Connelly rapporte que la Commission européenne avait précisément les mêmes craintes (Connelly [2018], p. 74).
13. « Business Leaders Feel the Heat During Chevening Brexit Talks », *Financial Times*, 7 juillet 2017, consultable sur : https://www.ft.com/content/7def4e2a-6314-11e7-91a7-502f7ee26895.
14. « Conservative-DUP Agreement Due "Next Week" », *Sky News*, 15 juin 2017, consultable sur : https://news.sky.com/story/conservative-dup-agreement-due-next-week-10916703.

15. https://www.politico.eu/article/uk-faces-e2-billion-eu-payment-for-china-fraud-trade/amp/?__twitter_impression=true.
16. https://www.gov.uk/government/publications/future-customs-arrangements-a-future-partnership-paper.
17. https://www.irishtimes.com/news/politics/coveney-ireland-will-not-be-used-as-pawn-in-eu-uk-talks-1.3188523.
18. https://www.dw.com/en/eu-worries-that-uk-wants-to-use-ireland-as-customs-test-case/a-40412996.
19. https://ec.europa.eu/commission/publications/guiding-principles-dialogue-ireland-northern-ireland_en.
20. Connelly (2018), p. 356.
21. Connelly (2018), p. 359.
22. https://www.theguardian.com/politics/2017/nov/17/irish-pm-brexit-backing-politicians-did-not-think-things-through.
23. https://www.dfa.ie/news-and-media/speeches/speeches-archive/2017/november/eurofound-foundation-forum-2017/.
24. Connelly (2018), chapitre 17.
25. http://www.consilium.europa.eu/en/press/press-releases/2017/12/01/remarks-by-president-donald-tusk-after-his-meeting-with-taoiseach-leo-varadkar/.
26. Le rapport conjoint est consultable (en anglais) sur : https://ec.europa.eu/commission/sites/beta-political/files/joint_report.pdf.
27. Un élément pourrait compliquer les choses : l'exécutif d'Irlande du Nord a été dissous en janvier 2017 à la suite d'un scandale relatif au financement des énergies renouvelables. Au moment où sont écrites ces lignes (septembre 2018), la province n'a toujours pas d'exécutif.
28. http://www.irisheconomy.ie/index.php/2017/12/09/who-is-fudging-answer-not-the-eu/.
29. Ils reconnaissaient ainsi implicitement que le Royaume-Uni n'avait pas été un État vassal quand il était membre de l'Union européenne.
30. https://www.bbc.co.uk/news/uk-politics-42298971.
31. http://www.europarl.europa.eu/sides/getDoc.do?pubRef=-//EP//TEXT+TA+P8-TA-2017-0490+0+DOC+XML+V0//FR.
32. http://www.consilium.europa.eu/media/32244/15-euco-art50-guidelines-fr.pdf.
33. https://ec. europa.eu/commission/publications/draft-agreement-withdrawal-united-kingdom-great-britain-and-northern-ireland-european-union-and-european-atomic-energy-community-0_en.
34. https://www.bbc.co.uk/news/uk-politics-43224785.
35. https://www.daera-ni.gov.uk/articles/introduction-importing-animals-and-animal-products.
36. http://www.consilium.europa.eu/media/33500/23-euco-art50-guidelines-fr.pdf.
37. La proposition est consultable ici : https://assets.publishing.service.gov.uk/government/uploads/system/uploads/attachment_data/file/714656/Technical_note_temporary_customs_arrangement.pdf.
38. Et l'espace de TVA européen, aurais-je ajouté. Voir : http://www.irisheconomy.ie/index.php/2017/10/07/what-if-it-was-the-europeans-picking-the-cherries/.

39. https://assets.publishing.service.gov.uk/government/uploads/system/uploads/attachment_data/file/723460/CHEQUERS_STATEMENT_-_FINAL.PDF.
40. Clin d'œil à ceux qui sont opposés au respect des réglementations de l'UE, la déclaration disait que le Royaume-Uni le ferait volontairement, conscient que, s'il ne le faisait pas, « cela aurait des conséquences graves ». Autrement dit, il n'y serait pas juridiquement contraint !
41. L'analyse des événements de Connelly est remarquable. Voir : https://www.rte.ie/news/analysis-and-comment/2018/0721/980069-brexit-tony-connelly/.
42. https://www.theguardian.com/politics/2018/sep/02/michel-barnier-strongly-opposes-may-brexit-trade-proposals.

CHAPITRE 12
Et maintenant ?

1. https://www.ft.com/content/b3981656-b75f-11e8-bbc3-ccd7de085ffe.
2. Voir http://www.irisheconomy.ie/index.php/2017/09/24/is-no-deal-better-than-a-bad-deal-irish-edition/.
3. Peut-être saurons-nous, quand ce livre aura été imprimé, si ce jugement était correct ou non.
4. Sur Weyand et Barnier, voir https://t.co/65yAG3VKmt.

Bibliographie

Autor, David H., David Dorn et Gordon H. Hanson (2013), « The China Syndrome : Local Labor Market Effects of Import Competition in the United States », *American Economic Review*, vol. 103, n° 6, p. 2121-2168.

Autor, David, David Dorn, Gordon Hanson et Kaveh Majlesi (2016), « Importing Political Polarization ? The Electoral Consequences of Rising Trade Exposure », *National Bureau of Economic Research Working Paper Series*, n° 2637.

Barry, Frank et John Bradley (1997), « FDI and Trade : The Irish Host-Country Experience », *The Economic Journal*, vol. 107, n° 445, p. 1798-1811.

Barry, Frank et Clare O'Mahony (2016), « Costello, Lemass and the Politics of the New Foreign Investment Regime of the 1950s », Mimeo.

Becker, Sascha O., Thiemo Fetzer et Dennis Novy (2017), « Who Voted for Brexit ? A Comprehensive District-Level Analysis », *Economic Policy*, vol. 32, n° 92, p. 601-650.

Bolt, Jutta, Robert Inklaar, Herman de Jong et Jan Luiten van Zanden (2018a), « Maddison Project Database, Version 2018 », https://www.rug.nl/ggdc/historicaldevelopment/maddison/releases/maddison-project-database-2018.

Bolt, Jutta, Robert Inklaar, Herman de Jong et Jan Luiten van Zanden (2018b), « Rebasing "Maddison" : New Income Comparisons and the Shape of Long-Run Economic Development », *Maddison Project Working Paper* 10.

Bonfatti, Roberto et Kevin Hjortshøj O'Rourke (2018), « Growth, Import Dependence, and War », *The Economic Journal*, vol. 128, n° 614, p. 2222-2257.

Boxer, C. R. (1975), *The Portuguese Seaborne Empire, 1415-1825*, New York, Alfred A. Knopf.

De Bromhead, Alan, Alan Fernihough, Markus Lampe et Kevin Hjortshøj O'Rourke (2018), « When Britain Turned Inward : Protection and the Shift Towards Empire in Interwar Britain », *American Economic Review*, à paraître.

Broadberry, Stephen et Mark Harrison (2005), « The Economics of World War I : An Overview », *in* Stephen Broadberry et Mark Harrison (dir.), *The Economics of World War I*, Cambridge (R.-U.), Cambridge University Press, p. 3-40.

Broadberry, Stephen, et Alexander Klein (2012), « Aggregate and Per Capita GDP in Europe, 1870-2000 : Continental, Regional and National Data with Changing Boundaries », *Scandinavian Economic History Review*, vol. 60, n° 1, p. 79-107.

Bromund, T. (2001), « Whitehall, the National Farmers' Union, and Plan G, 1956-57 », *Contemporary British History*, vol. 15, n° 2, p. 76-97.

Brouard, Sylvain et Vincent Tiberj (2006), « The French Referendum : The Not So Simple Act of Saying Nay », *PS : Political Science and Politics*, vol. 39, n° 2, p. 261-268.

Bruno, Michael et Jeffrey Sachs (1985), *Economics of Worldwide Stagflation*, Oxford, Basil Blackwell.

Campos, Nauro F., Fabrizio Coricelli et Luigi Moretti (2014), « Economic Growth and Political Integration : Estimating the Benefits from Membership in the European Union Using the Synthetic Counterfactuals Method », *Centre for Economic Policy Research Discussion Paper* 9968.

Camps, Miriam (1964), *Britain and the European Community, 1955-1963*, Londres, Oxford University Press.

Chamberlain, Joseph (1885), *The Radical Programme*, Londres, Chapman and Hall Ltd. Consultable sur : https://archive.org/details/radicalprogramme00chamiala.

Chamberlain, Joseph (1903), *Imperial Union and Tariff Reform : Speeches Delivered from May 15 to Nov. 4, 1903 : With an Introduction*, Londres, Grant Richards. Consultable sur https://archive.org/details/cu31924030186658.

Clark, Gregory, Kevin Hjortshøj O'Rourke et Alan M. Taylor (2014), « The Growing Dependence of Britain on Trade During the Industrial Revolution », *Scandinavian Economic History Review*, vol. 62, n° 2, p. 109-136.

Coats, A. W. (1968), « Political Economy and the Tariff Reform Campaign of 1903 », *The Journal of Law and Economics*, vol. 11, n° 1, p. 181-229.

Colantone, Italo et Piero Stanig (2018), « Global Competition and Brexit », *American Political Science Review*, vol. 112, n° 2, p. 201-218.

Condliffe, J. B. (1941), *The Reconstruction of World Trade : A Survey of International Economic Relations*, Londres, George Allen & Unwin.

Connelly, Tony (2018), *Brexit and Ireland : The Dangers, the Opportunities, and the inside Story of the Irish Response*, Dublin, Penguin Ireland.

Costa, Leonor Freire, Pedro Lains et Susana Münch Miranda (2016), *An Economic History of Portugal, 1143-2010*, Cambridge, Cambridge University Press.

Crafts, Nicholas et Kevin Hjortshøj O'Rourke (2014), « Twentieth Century Growth », *in* Philippe Aghion et Steven N. Durlauf (dir.), *Handbook of Economic Growth*, Amsterdam, Elsevier, p. 263-346.

Crawford, Ian, Michael Keen et Stephen Smith (2010), « Value Added Tax and Excises », *in* James Mirrlees, Stuart Adam, Timothy Besley, Richard Blundell, Stephen Bond, Robert Chote, Malcolm Gammie, Paul Johnson, Gareth Myles et James Poterba (dir.), *Dimensions of Tax Design : The Mirrlees Review*, Oxford, Oxford University Press, p. 275-362.

Dangerfield, George (1966), *The Strange Death of Liberal England*, Londres, MacGibbon & Kee (1re édition 1935).

das Neves, João L. César (1996), « Portuguese Postwar Growth : A Global Approach », *in* Nicholas Crafts et Gianni Toniolo (dir.), *Economic Growth in Europe since 1945*, Cambridge, Cambridge University Press, p. 329-354.

Dorsett, Richard (2013), « The Effect of the Troubles on GDP in Northern Ireland », *European Journal of Political Economy*, n° 29, p. 119-133.

Ebrill, Liam P., Michael Keen, Jean-Paul Bodin et Victoria Summers (2001), *The Modern VAT*, Washington, D.C., Fonds monétaire international.

Eichengreen, Barry J. (1993), *Reconstructing Europe's Trade and Payments : The European Payments Union, Insights from Economic History*, Manchester, Manchester University Press.

Eichengreen, Barry J. (2007), *The European Economy since 1945 : Coordinated Capitalism and Beyond*, Princeton (N.J.)/Oxford, Princeton University Press.

Eichengreen, Barry et Andrea Boltho (2010), « The Economic Impact of European Integration », *in* Kevin H. O'Rourke et Stephen Broadberry (dir.), *The Cambridge Economic History of Modern Europe*, vol. 2 : *1870 to the Present*, Cambridge, Cambridge University Press, p. 267-295.

Eichengreen, Barry et Kevin Hjortshøj O'Rourke (2009), « A Tale of Two Depressions », VoxEU.org.

Ellison, James (2000), *Threatening Europe : Britain and the Creation of the European Community, 1955-58*, Basingstoke, Macmillan Press in association with Institute of Contemporary British History.

Emerson, Michael (1988), *The Economics of 1992 : The E.C. Commission's Assessment of the Economic Effects of Completing the Internal Market*, Oxford, Oxford University Press.

Escosura, Leandro Prados de la et Jorge C. Sanz (1996), « Growth and Macroeconomic Performance in Spain, 1939-93 », *in* Nicholas Crafts et Gianni Toniolo (dir.), *Economic Growth in Europe since 1945*, Cambridge, Cambridge University Press, p. 355-387.

Evans, Richard J. (2017), *The Pursuit of Power : Europe, 1815-1914*, Londres, Penguin Books.

Ferreira da Silva, Álvaro (2016), « Multinationals and Foreign Direct Investment : The Portuguese Experience (1900-2010) », *Journal of Evolutionary Studies in Business*, vol. 2, n° 1, p. 40-68.

Fetzer, Thiemo (2018), « Did Austerity Cause Brexit ? », *Warwick Economics Research Papers* n° 1170.

Freris, Andrew (1986), *The Greek Economy in the Twentieth Century, Croom Helm Series on the Contemporary Economic History of Europe*, Londres, Croom Helm.

Gillingham, John (1995), « The European Coal and Steel Community : An Object Lesson ? », *in* Barry J. Eichengreen (dir.), *Europe's Post-War Recovery*, p. 151-168, Cambridge, Cambridge University Press.

Grob-Fitzgibbon, Benjamin John (2016), *Continental Drift : Britain and Europe from the End of Empire to the Rise of Euroscepticism*, Cambridge, Cambridge University Press.

Gstöhl, Sieglinde (1994), « Efta and the European Economic Area or the Politics of Frustration », *Cooperation and Conflict*, vol. 29, n° 4, p. 333-366.

Headrick, Daniel R. (1981), *The Tools of Empire : Technology and European Imperialism in the Nineteenth Century*, New York, Oxford, Oxford University Press.

Hoffman, Philip T. (2015), *Why Did Europe Conquer the World ?*, Princeton, Oxford, Princeton University Press.

Huberman, Michael (2012), *Odd Couple : International Trade and Labor Standards in History*, New Haven (Conn.), Yale University Press.

Irwin, Douglas A. (1989), « Political Economy and Peel's Repeal of the Corn Laws », *Economics and Politics*, vol. 1, n° 1, p. 41-59.

Irwin, Douglas A. (1993), « Free Trade and Protection in Nineteenth-Century Britain and France Revisited : A Comment on Nye », *The Journal of Economic History*, vol. 53, n° 1, p. 146-152.

Jones, E. L. (2003), *The European Miracle : Environments, Economies and Geopolitics in the History of Europe and Asia*, Cambridge, Cambridge University Press.

Kaiser, Wolfram (1996), *Using Europe, Abusing the Europeans : Britain and European Integration, 1945-63, Contemporary History in Context Series*, Basingstoke, Macmillan.

Kaiser, Wolfram (2007), *Christian Democracy and the Origins of European Union*, Cambridge, Cambridge University Press.

Katzenstein, Peter J. (1985), *Small States in World Markets : Industrial Policy in Europe*, Ithaca, Cornell University Press.

Keen, Michael et Stephen Smith (1996), « The Future of Value Added Tax in the European Union », *Economic Policy*, vol. 11, n° 23, p. 373-420.

Kenny, Mike et Nick Pearce (2018), *Shadows of Empire : The Anglosphere in British Politics*, Cambridge, Polity Press.

Kopsidis, Michael et Martin Ivanov (2017), « Industrialization and De-Industrialization in Southeast Europe, 1870-2010 », *in* Kevin Hjortshøj O'Rourke et Jeffrey Gale Williamson (dir.), *The Spread of Modern Industry to the Periphery since 1871*, Oxford, Oxford University Press, p. 91-114.

Lambert, Nicholas A. (2012), *Planning Armageddon : British Economic Warfare and the First World War*, Cambridge (Mass.)/Londres, Harvard University Press.

Leary, Peter (2016), *Unapproved Routes : Histories of the Irish Border, 1922-1972*, Oxford, Oxford University Press.

Loughlin, James (1992), « Joseph Chamberlain, English Nationalism and the Ulster Question », *History*, vol. 77, n° 250, p. 202-219.

Lynch, Frances M. B. (2000), « De Gaulle's First Veto : France, the Rueff Plan and the Free Trade Area », *Contemporary European History*, vol. 9, n° 1, p. 111-135.

Milward, Alan S. (2000), *The European Rescue of the Nation-State*, Londres, Routledge.

Mitchell, B. R. (2003), *International Historical Statistics : Europe, 1750-2000*, Basingstoke, Palgrave Macmillan, 5e éd.

Moravcsik, Andrew (1998), *The Choice for Europe : Social Purpose and State Power from Messina to Maastricht*, Ithaca (N.Y.), Cornell University Press.

Moravcsik, Andrew (2000a), « De Gaulle between Grain and Grandeur : The Political Economy of French EC Policy, 1958-1970 (Part 1) », *Journal of Cold War Studies*, vol. 2, n° 2, p. 3-43.

Moravcsik, Andrew (2000b), « De Gaulle between Grain and Grandeur : The Political Economy of French EC Policy, 1958-1970 (Part 2) », *Journal of Cold War Studies*, vol. 2, n° 3, p. 4-68.

Neary, J. Peter et Cormac Ó Gráda (1991), « Protection, Economic War and Structural Change : The 1930s in Ireland », *Irish Historical Studies*, vol. 27, n° 107, p. 250-266.

Nye, John Vincent (1991), « The Myth of Free-Trade Britain and Fortress France : Tariffs and Trade in the Nineteenth Century », *The Journal of Economic History*, vol. 51, n° 1, p. 23-46.

Nye, John Vincent (1993), « Reply to Irwin on Free Trade », *The Journal of Economic History*, vol. 53, n° 1, p. 153-158.

Offer, Avner (1989), *The First World War : An Agrarian Interpretation*, Oxford, Clarendon Press.

Ó Gráda, Cormac (1997), *A Rocky Road : The Irish Economy since the 1920s*, Manchester/New York, Manchester University Press.

Ó Gráda, Cormac (1999), *Black '47 and Beyond : The Great Irish Famine in History, Economy and Memory*, Princeton (N.J.)/Chichester, Princeton University Press.

Ó Gráda, Cormac et Kevin O'Rourke (1996), « Irish Economic Growth, 1945-88 », *in* Nicholas Crafts et Gianni Toniolo (dir.), *Economic Growth in Europe since 1945*, Cambridge, Cambridge University Press, p. 388-426.

Ó Gráda, Cormac et Kevin H. O'Rourke (2000), « Living Standards and Growth », *in* John O'Hagan (dir.), *The Economy of Ireland : Policy and Performance of a European Region*, Dublin, Gill and Macmillan, p. 178-204.

O'Rourke, Kevin (1991), « Burn Everything British but Their Coal : The Anglo-Irish Economic War of the 1930s », *The Journal of Economic History*, vol. 51, n° 2, p. 357-366.

O'Rourke, Kevin H. (1997), « The European Grain Invasion, 1870-1913 », *The Journal of Economic History*, vol. 57, n° 4, p. 775-801.

O'Rourke, Kevin Hjortshøj (2017), « Independent Ireland in Comparative Perspective », *Irish Economic and Social History*, vol. 44, n° 1, p. 19-45.

O'Rourke, Kevin H. et Jeffrey G. Williamson (1999), *Globalization and History : The Evolution of a Nineteenth-Century Atlantic Economy*, Cambridge (Mass.), MIT Press.

O'Rourke, Kevin Hjortshøj et Jeffrey Gale Williamson (dir.) (2017), *The Spread of Modern Industry to the Periphery since 1871*, Oxford, Oxford University Press.

Paavonen, Tapani (2004), « Finland and the Question of West European Economic Integration, 1947-1961 », *Scandinavian Economic History Review*, vol. 52, n° 2-3, p. 85-109.

Pašeta, Senia (2003), *Modern Ireland : A Very Short Introduction*, *Very Short Introductions*, Oxford, Oxford University Press.

Piketty, Thomas (2013), *Le Capital au XXe siècle*, Paris, Seuil.

Piketty, Thomas, Emmanuel Saez et Gabriel Zucman (2016), « Distributional National Accounts : Methods and Estimates for the United States », *NBER Working Paper*, n° 22945.

Rae, Allan N., Anna Strutt et Andrew Mead (2006), *New Zealand's Agricultural Exports to Quota Markets*, Centre for Applied Economics and Policy Studies, Massey University.

Ring, Raymond J. (1989), « The Proportion of Consumers' and Producers' Goods in the General Sales Tax », *National Tax Journal*, vol. 42, n° 2, p. 167-179.

Saunders, Robert (2018), *Yes to Europe ! The 1975 Referendum and Seventies Britain*, Cambridge, Cambridge University Press.

Schaad, Martin (1998), « Plan G – a "Counterblast" ? British Policy Towards the Messina Countries, 1956 », *Contemporary European History*, vol. 7, n° 1, p. 39-60.

Schonhardt-Bailey, Cheryl (2006), *From the Corn Laws to Free Trade : Interests, Ideas, and Institutions in Historical Perspective*, Cambridge (Mass.)/Londres, MIT Press.

Seldon, Anthony et Daniel Collings (2000), *Britain under Thatcher*, Londres, Longman.

Shipman, Tim (2017), *All out War : The Full Story of Brexit*, Londres, William Collins, édition révisée et mise à jour.

Simms, Brendan (2017), *Britain's Europe : A Thousand Years of Conflict and Cooperation*, Londres, Penguin Books.

Södersten, Jan E. (2000), « Why Europe Chose the VAT », Mimeo, Uppsala University.

Sykes, Alan (1979), *Tariff Reform in British Politics : 1903-1913*, Oxford, Clarendon Press.

Tracy, Michael (1989), *Government and Agriculture in Western Europe, 1880-1988*, New York/Londres, Harvester Wheatsheaf.

Urlanis, B. (1971), *Wars and Population*, Moscou, Progress Publishers.

Urwin, Derek W. (1995), *The Community of Europe : A History of European Integration since 1945*, Londres, Longman, 2e éd.

Warlouzet, Laurent (2008), « Négocier au pied du mur : la France et le projet britannique de zone de libre-échange (1956-1958) », *Relations internationales*, vol. 136, n° 4, p. 33-50.

Young, Hugo (1999), *This Blessed Plot : Britain and Europe from Churchill to Blair*, Londres, Papermac, édition mise à jour.

Note de l'auteur

J'ai reproduit, pour écrire ce livre, certains passages de :

– « Why the EU Won », *in* Miles Kahler et Andrew MacIntyre (dir.), *Integrating Regions : Asia in Comparative Context*, Stanford, California, Stanford University Press, 2013, p. 142-169 ;

– « The Davos Lie », *Critical Quarterly*, vol. 58, n° 1 (2016), p. 114-118 ;

– « 1916 », *Critical Quarterly*, vol. 58, n° 2 (2016), p. 118-122 ;

– « Brentry », *Critical Quarterly*, vol. 58, n° 3 (2016), p. 118-122 ;

– « 2016 », *Critical Quarterly*, vol. 58, n° 4 (2017), p. 150-155 ;

– « Independent Ireland in Comparative Perspective », *Irish Economic and Social History*, vol. 44, n° 1 (2017), p. 19-45 ;

– « Not So Very Different », *Dublin Review of Books*, accessible sur : http://drb.ie/essays/not-so-very-different ;

– « Brexit : This Backlash Has Been a Long Time Coming », Vox.EU (7 août 2016), accessible sur : https://voxeu.org/article/brexit-backlash-has-been-long-time-coming.

Je remercie Miles Kahler, les rédacteurs en chef des revues *Critical Quarterly, Irish Economic and Social History* et *Dublin Review of Books* (Colin MacCabe, Graham Brownlow et Maurice Earls), Stanford University Press, John Wiley and Sons, et SAGE Journals, pour m'avoir autorisé à puiser ainsi dans ces textes.

Dans les derniers chapitres, j'ai tenu à indiquer, chaque fois que c'était possible, des sources librement accessibles en ligne. Le lecteur aura ainsi la possibilité d'approfondir encore davantage ses connaissances sur l'Union européenne, le Brexit et les négociations sur le Brexit. Pour faciliter les choses, toutes les notes de bas de page sont reproduites sur le blog Irish Economy, où est également publié l'essentiel de ce que j'ai déjà écrit sur le Brexit*.

* http://www.irisheconomy.ie/index.php/2017/11/21/blogging-journalism-and-other-writing-on-brexit/.

Remerciements

J'ai contracté bon nombre de dettes en écrivant ce livre. Ma reconnaissance va d'abord à Odile Jacob, qui n'a cessé de témoigner un indéfectible soutien à ce projet, puis à mon éditrice, Gaëlle Jullien, qui en a eu l'idée et qui n'a cessé d'enrichir le manuscrit de commentaires judicieux et informés. Nous devons notre rencontre à ma participation aux Journées de l'économie de Lyon, en 2017, et je voudrais remercier les personnes qui ont organisé cet événement, en particulier Pascal Le Merrer, mais aussi Éric Albert, le modérateur du stimulant groupe de discussion sur le Brexit dont je faisais partie*. J'ai pris un grand plaisir également à travailler avec Christophe Jaquet, traducteur excellent, disponible et réactif.

Outre Gaëlle, je voudrais remercier un certain nombre de personnes qui ont lu l'intégralité ou une partie du manuscrit, et qui m'ont fait part de remarques précieuses : Graham Brownlow, Rosemary Byrne, Ian Crawford, Zoé Fachan, Henrik Iversen, Declan Kelleher, Dennis Novy, Andrew O'Rourke et Alan Taylor. Toute ma reconnaissance va également à Steve Broadberry, Fred Calvaire, Gilles Cloître, Tony Connelly, Nicholas Crafts, Eric Delépine, David Allen Green, Mark Harrison, Katy Hayward, Morgan Kelly,

* Il est possible de visionner l'événement sur : https://www.youtube.com/watch?v=rsgB-8rPDec.

Philip Lane, Sam Lowe, Philippe Martin, Jacques Mollard, Ollie Molloy, Cormac Ó Gráda, Régine Rigaud, Jan Södersten, Jean-Jacques Tardy, Alan Taylor, Karl Whelan et Fred Wilmot-Smith, qui ont répondu à des questions que je me posais, ont discuté du Brexit avec moi, m'ont fourni des références indispensables, et m'ont aidé de diverses façons à écrire ce livre. Rosemary m'a été un infatigable soutien tout au long de ce projet, et je lui suis, comme toujours, infiniment reconnaissant. Depuis juin 2016, j'ai beaucoup appris de mes échanges quasi quotidiens avec Alan et Dennis, et pas seulement sur le Brexit. Non seulement Zoé a lu le manuscrit avec soin, mais elle m'a aussi aidé à comprendre l'histoire de la frontière dans la vallée des Entremonts.

J'ai écrit ce livre au cours d'une année sabbatique, à cheval sur Dublin et Saint-Pierre-d'Entremont, un petit village de la Chartreuse avec lequel le lecteur a déjà fait connaissance. À Dublin, j'ai passé le plus clair de mon temps à la School of Economics de l'University College Dublin, qui s'est montrée avec moi d'une grande générosité. Cela n'aurait pas été possible sans Paul Devereux et Karl Whelan, et je veux les en remercier. Un grand nombre d'idées avancées dans ce livre ont été testées dans la « Salle commune » de l'UCD : Morgan Kelly, Dave Madden, Cormac Ó Gráda, Oana Peia et Stijn van Weezel ont essuyé les plâtres de mes tâtonnements, mais à vrai dire, bien peu de mes collègues ont été épargnés. Il est vraiment dommage que l'administration de l'université ait décidé de fermer la Salle commune cet hiver : ce petit acte de vandalisme enlèvera à l'UCD une grande part de son originalité et de sa convivialité. Il est tellement plus facile de détruire le tissu social d'une communauté que d'en construire un à partir de rien.

J'ai eu la grande chance de pouvoir apprendre aux côtés des anciens et actuels représentants permanents irlandais auprès de l'Union européenne. Faire la connaissance de Declan Kelleher a été un plaisir sans partage : il m'a appris beaucoup, et lui et ses collègues ont remarquablement travaillé pour l'Irlande à Bruxelles. Mais c'est à mon père, Andrew O'Rourke, que je dois le plus sur le plan intellectuel : il fut, dans les années 1980, notre représentant permanent, et servit aussi comme secrétaire du ministère irlandais des Affaires étrangères et comme ambassadeur d'Irlande au Danemark, en France et au Royaume-Uni. C'est un homme modeste, et il n'appréciera sans doute pas que je parle de lui, ici, en ces termes, mais tant pis. J'ai beaucoup appris à ses côtés pendant nos promenades à Dalkey et Wicklow, et je me réjouis en songeant à toutes celles que nous ferons encore.

J'ai enfin tiré largement parti du fait que je suis un Irlandais qui travaille à Oxford depuis 2011 et passe aussi beaucoup de temps en France. Être exposé en permanence à des opinions très diverses sur le Brexit est extrêmement stimulant. J'apprécie en particulier la chance qui me fut donnée d'apprendre auprès de mes collègues britanniques tant de choses sur le Brexit, la Grande-Bretagne et l'identité britannique. Quand le poste me fut proposé, je pensais que l'All Souls College serait rempli d'universitaires émérites, et c'est en effet le cas, mais je ne m'attendais pas à un accueil aussi chaleureux ni à m'y faire autant d'amis. En être membre est un privilège extraordinaire, et c'est aussi très amusant. C'est pourquoi j'aimerais dédier ce livre aux membres et au personnel de l'All Souls, qu'ils soient de Grande-Bretagne ou d'ailleurs, pour le Leave ou pour le Remain.

Saint-Pierre-d'Entremont,
14 septembre 2018.

Table

Cet ouvrage a été composé
en Electra et en Whitney
par FACOMPO
à Lisieux.

Achevé d'imprimer en octobre 2018
par Corlet Imprimeur
14110 Condé-en-Normandie
N° d'édition : 7381-4625-X — N° d'impression : 200219
Dépôt légal : novembre 2018

Imprimé en France